Guillaume Musso
Vielleicht morgen

PIPER

Zu diesem Buch

Seine Philosophielesungen sind stets überfüllt, als Harvard-Professor hat er es geschafft – eigentlich müsste Matthew Shapiro glücklich sein. Er ist es aber nicht. Jedenfalls nicht mehr, seit der Tod seiner Frau ihn und ihre gemeinsame Tochter einsam zurückließ. Auch die junge Sommelière Emma Lovenstein hat sich mit ihrer Anstellung im Sterne-Restaurant »Imperator« beruflich ihren Traum erfüllt. Doch der Erfolg konnte sie nicht vor der tiefen Krise bewahren, die die Trennung von ihrem Liebhaber François in ihr auslöste. Zu tief sitzt der Schmerz über seine Entscheidung, nach Jahren des Hinhaltens doch bei seiner Frau und den Kindern zu bleiben. Seitdem ist das Lächeln aus Emmas Leben verschwunden. Bis zu dem Tag, als Matthew auf einem Flohmarkt etwas kauft, das ihr Leben für immer verändern wird: Einen gebrauchten Laptop mit der Signatur »Emma L.« ...

Guillaume Musso wurde 1974 in Antibes geboren und verbrachte mit 19 Jahren mehrere Monate in New York und New Jersey. Er studierte Wirtschaftswissenschaften und wurde als Lehrer in den Staatsdienst übernommen. Ein schwerer Autounfall brachte ihn letztendlich zum Schreiben. In »Ein Engel im Winter« verarbeitet er eine Nahtoderfahrung – und wird über Nacht zum Bestsellerautor.
Seine Romane, eine intensive Mischung aus Thriller und Liebesgeschichte, haben ihn weltweit zum Publikumsliebling gemacht.

Guillaume Musso

Vielleicht morgen

Roman

Aus dem Französischen von
Eliane Hagedorn und Bettina Runge,
Kollektiv Druck-reif

PIPER
München Berlin Zürich

Mehr über unsere Autoren und Bücher:
www.piper.de

Von Guillaume Musso liegen im Piper Verlag vor:
Nachricht von dir
Sieben Jahre später
Vielleicht morgen
Ein Engel im Winter
Eine himmlische Begegnung
Nacht im Central Park
Wirst du da sein?

 MIX
Papier aus verantwor-
tungsvollen Quellen
FSC
www.fsc.org **FSC® C083411**

Ungekürzte Taschenbuchausgabe
November 2015
© 2014 XO Éditions
Titel der französischen Originalausgabe: »Demain«
© der deutschsprachigen Ausgabe:
Piper Verlag GmbH, München/Berlin 2014,
erschienen im Verlagsprogramm Pendo
Umschlaggestaltung: ZERO Werbeagentur, München
Umschlagmotiv: plainpicture/Folio Images (Stadt),
Mark Owen/Arcangel Images (Frau)
Satz: Kösel Media GmbH, Krugzell
Gesetzt aus der Scala
Druck und Bindung: CPI books GmbH, Leck
Printed in Germany   ISBN 978-3-492-30768-0

Liebe muss kriechen, wo sie nicht gehen kann.

William Shakespeare, *Zwei Herren aus Verona*

Erster Teil
Zufallsbegegnung

Erster Tag

Kapitel 1

Von Phantomen umgeben

Man ist nicht die Person, die man im Spiegel sieht, sondern die, die im Blick des anderen erstrahlt.

Tarun J. Tejpal

Universität Harvard
Cambridge
19. Dezember 2011

Der Hörsaal war überfüllt, doch es herrschte Ruhe. Die Zeiger des Bronze-Zifferblatts der alten Wanduhr zeigten auf 14:55. Die von Matthew Shapiro gehaltene Philosophie-Vorlesung neigte sich dem Ende zu.

Erika Stewart, zweiundzwanzig Jahre alt, saß in der ersten Reihe und fixierte ihren Professor. Seit einer Stunde versuchte sie erfolglos, seine Aufmerksamkeit auf sich zu lenken, hing geradezu an seinen Lippen und nickte bei jedem Satz. Trotz der Gleichgültigkeit, auf die ihre Bemühungen stießen, übte der Professor eine täglich größer werdende Faszination auf sie aus.

Seine jugendlichen Züge, sein kurzes Haar und sein Dreitagebart verliehen ihm einen beträchtlichen Charme, der unter den Studentinnen für Aufruhr sorgte. Mit seiner verwaschenen Jeans, seinen abgenutzten Lederstiefeln und seinem Rollkragenpullover ähnelte Matthew eher einem Doktoranden als seinen, zumeist streng und nüchtern wirkenden, Kollegen. Mehr noch als sein markantes Gesicht betörte jedoch seine Redegewandtheit.

Matthew Shapiro war einer der beliebtesten Professoren auf dem Campus. Seit fünf Jahren lehrte er in Cambridge, und seine Vorlesungen begeisterten die Neulinge. So hatte Mundpropaganda dafür gesorgt, dass sich in diesem Quartal über achthundert Studenten für seine Kurse eingeschrieben hatten. Seine Vorlesung fand derzeit im größten Hörsaal von Sever Hall statt.

LEER IST DIE REDE JENES PHILOSOPHEN, DURCH DIE KEIN EINZIGES LEIDEN EINES MENSCHEN GEHEILT WIRD.

Auf diesem Satz von Epikur, der aus einer Auswahl von Schriften mit dem Titel *Von der Überwindung der Angst* stammte und den er an die Tafel geschrieben hatte, basierte Matthews Lehre.

Seine Philosophie-Vorlesungen sollten verständlich sein und nicht überfrachtet von abstrusen Fachbegriffen. Seine Überlegungen und Schlussfolgerungen waren immer realitätsbezogen. Shapiro ging bei seinen Ausführungen stets vom Alltag der Studenten aus, von konkreten Problemen, mit denen sie konfrontiert waren: Der Angst, in einer Prüfung zu versagen, dem Bruch einer Liebesbeziehung, der Tyrannei der Blicke anderer, dem Sinn des Studiums ... Auf dieser Grundlage zitierte der Professor Plato, Seneca, Nietzsche oder Schopenhauer. Dank seiner lebhaften Darstellung schienen diese eminenten Persönlichkeiten eine Zeit lang die Lehrbücher zu verlassen, um vertraute und verständliche Freunde zu werden, die nützliche und tröstliche Ratschläge zu erteilen vermochten.

Mit Intelligenz und Humor verstand es Matthew, auch Populärkultur in seine Vorlesungen zu integrieren. Filme, Songs, Comics: Über alles konnte man philosophieren. Sogar Fernsehserien fanden ihren Platz in seinem Unterricht. *Dr. House* wurde als Beispiel für experimentelles Argumentieren herangezogen, die Schiffbrüchigen aus *Lost* boten Gelegenheit, Überlegungen zum Gesellschaftsvertrag anzustellen, während die machohaften Werbeleute aus *Mad Men* dazu dienten, die Entwicklung der Beziehungen zwischen Mann und Frau zu studieren.

Obwohl diese pragmatische Philosophie dazu beigetragen hatte, ihn auf dem Campus zu einem »Star« zu machen, hatte sie auch viel Neid und Verärgerung unter seinen Kollegen hervorgerufen, die Matthews Vorlesungen für oberflächlich hielten. Zum Glück hatten die guten Ergebnisse von seinen Studenten bei Prüfungen

und in Auswahlverfahren bisher zu seinen Gunsten gesprochen.

Eine Gruppe von Studenten hatte seine Vorlesungen
sogar gefilmt und auf *YouTube* online gestellt. Diese Initiative hatte die Neugier eines Journalisten vom *Boston
Globe* geweckt, dessen Artikel auch von der *New York
Times* übernommen wurde. Danach hatte man Shapiro
aufgefordert, eine Art »Antibuch« der Philosophie zu
schreiben. Obgleich sich der Titel gut verkaufte, war
dem jungen Professor die beginnende Popularität nicht
zu Kopf gestiegen, er war weiterhin für seine Studenten
da und sorgte sich um ihren Erfolg. Die schöne Geschichte hatte jedoch eine tragische Wendung genommen. Im letzten Winter hatte Matthew Shapiro seine
Frau bei einem Autounfall verloren. Ein plötzlicher, un-
erwarteter Tod, der ihn hilflos zurückgelassen hatte. Er
hielt weiter seine Vorlesungen, aber der faszinierende
und begeisterte Lehrer hatte den Enthusiasmus verloren, der ihn zuvor ausgezeichnet hatte.

Erika kniff die Augen zusammen, um ihren Professor
genauer zu mustern. Seit dem Drama war in Matthew
etwas zerbrochen. Seine Züge waren härter geworden,
sein Blick hatte das Feuer verloren; Trauer und Kummer
verliehen ihm jedoch eine düstere und melancholische
Ausstrahlung, die ihn für die junge Frau noch unwider-
stehlicher machte.

Die Studentin senkte den Blick und ließ sich von der
sonoren Stimme tragen, die den Hörsaal erfüllte. Eine
Stimme, die etwas von ihrem Charisma verloren hatte,

aber immer noch angenehm war. Sonnenstrahlen fielen durchs Fenster, heizten den großen Raum auf und blendeten die Studenten in den mittleren Reihen. Erika fühlte sich wohl, umfangen von diesem beruhigenden Tonfall. Doch dieser wunderbare Augenblick hielt nicht an. Sie zuckte zusammen, als die Glocke das Ende der Vorlesung ankündigte. Ohne Eile packte sie ihre Sachen ein und wartete, bis der Hörsaal sich geleert hatte, um sich Shapiro schüchtern zu nähern.

»Was tun Sie denn hier, Erika?«, fragte Matthew erstaunt, als er sie bemerkte. »Sie haben diesen Schein doch bereits letztes Jahr gemacht. Sie müssen die Vorlesung nicht mehr belegen.«

»Ich bin wegen des Satzes von Helen Rowland hier, den Sie so oft zitieren.«

Matthew runzelte verständnislos die Stirn.

»Die Dummheiten, die ein Mensch in seinem Leben am meisten bereut, sind jene, die er nicht begangen hat, als er die Möglichkeit dazu hatte.«

Dann nahm sie allen Mut zusammen und erklärte: »Um in diesem Sinne nichts bereuen zu müssen, möchte ich eine Dummheit begehen. Also, ich habe nächsten Samstag Geburtstag und würde gerne … ich würde Sie gerne zum Essen einladen.«

Matthew sah sie überrascht an und versuchte sofort, seine Studentin zur Vernunft zu bringen:

»Erika, Sie sind doch eine intelligente junge Frau. Also wissen Sie sehr wohl, dass es tausend Gründe gibt, warum ich Ihre Einladung ablehnen werde.«

»Aber Sie hätten Lust dazu, nicht wahr?«

»Lassen wir das, bitte«, unterbrach er sie.

Erika spürte, wie ihr die Schamesröte ins Gesicht stieg. Sie stammelte noch einige Worte der Entschuldigung, bevor sie den Hörsaal verließ.

Matthew zog seufzend seinen Mantel an, band sich seinen Schal um und ging hinaus auf den Campus.

—

Mit seinen ausgedehnten Rasenflächen, den imposanten braunen Backsteingebäuden und den lateinischen Sinnsprüchen auf den Giebeln strahlte Harvard den Stil und die Zeitlosigkeit eines britischen College aus.

Sobald Matthew draußen war, drehte er sich eine Zigarette, zündete sie an und verließ dann rasch die Sever Hall. Die Ledertasche umgehängt, überquerte er den *Yard*, den großen, von Rasen bedeckten Innenhof, der von einem Gewirr an Wegen durchzogen war, die über mehrere Kilometer weit zu den Vorlesungssälen, Bibliotheken und Unterkünften führten.

Der Park lag in einem schönen herbstlichen Licht. Die Temperaturen waren für die Jahreszeit ausgesprochen mild, und der Sonnenschein schenkte den Bewohnern Neuenglands einen angenehmen, späten Altweibersommer.

»Mister Shapiro! Achtung!«

Matthew drehte den Kopf in Richtung der Stimme. Ein American Football sauste auf ihn zu. Er konnte ihn gerade noch auffangen und spielte ihn sofort zurück zum Quarterback, von dem er gekommen war.

Die Studenten besetzten, ihre geöffneten Laptops auf den Knien, alle Bänke im Hof. Auf dem Rasen ertönte immer wieder Gelächter, und es waren hitzige Debatten im Gang. Hier vermischten sich die Nationalitäten harmonischer als andernorts, und die kulturelle Vielfalt wurde als Bereicherung empfunden. Bordeauxrot und Grau, die Kultfarben der berühmten Universität, wurden voller Stolz auf Blousons, Sweatshirts und Sporttaschen zur Schau gestellt: In Harvard ließ das Zugehörigkeitsgefühl zu einer Gemeinschaft alle Unterschiede verblassen.

Matthew zog an seiner Zigarette, während er an der monumentalen Massachusetts Hall, im georgianischen Stil erbaut, vorbeiging, in der sich sowohl die Büroräume der Direktion als auch die Unterkünfte der Studenten des ersten Studienjahrs befanden. Oben auf den Stufen stand Miss Moore, die Assistentin des Rektors, die ihm einen wütenden Blick zuwarf, gefolgt von einer Abmahnung (»Mister Shapiro, wie oft habe ich Ihnen schon gesagt, dass es verboten ist, auf dem Campusgelände zu rauchen ...«) und einer wortreichen Moralpredigt über die schädlichen Wirkungen des Tabaks.

Mit starrem Blick und undurchdringlicher Miene ignorierte Matthew sie ganz einfach. Einen kurzen Moment war er versucht, ihr zu antworten, dass sterben zu müssen nun wirklich seine geringste Sorge sei, aber er besann sich eines Besseren und verließ das Universitätsgelände durch das riesige Tor, das auf den Harvard Square führte.

Der Square, auf dem es zuging wie in einem Bienenstock, war ein großer Platz, gesäumt von Geschäften, Buchhandlungen, kleinen Restaurants und Terrassencafés, in denen Studenten und Professoren die Welt neu erfanden oder ihre Vorlesungen weiterführten. Matthew suchte in seiner Tasche und zog sein U-Bahn-Ticket heraus. Er hatte soeben den Fußgängerüberweg zur Station der *Red Line* betreten, die in einer knappen Viertelstunde das Zentrum von Boston erreichte, als ein alter, blubbernder Chevrolet Camaro an der Ecke Massachusetts Avenue und Peabody Street auftauchte. Der junge Professor zuckte zusammen und wich zurück, um nicht von dem knallroten Coupé angefahren zu werden, das mit quietschenden Reifen vor ihm anhielt.

Das Fenster an der Fahrerseite wurde geöffnet, und zum Vorschein kam die rote Haarpracht von April Ferguson, die seit dem Tod seiner Frau mit in seinem Haus wohnte.

»Hallo, schöner Mann, soll ich dich mitnehmen?«

Das Dröhnen des V8-Motors fiel in dieser Ökoenklave aus dem Rahmen, wo man ganz auf das Fahrrad und Hybridfahrzeuge eingeschworen war.

»Ich nehme lieber die öffentlichen Verkehrsmittel«, lehnte Matthew ab. »Bei dir hat man das Gefühl, in einem Fahrsimulator zu sitzen!«

»Na komm schon, sei kein Angsthase. Ich fahre sehr gut, und das weißt du genau!«

»Vergiss es. Meine Tochter hat bereits ihre Mutter verloren. Ich möchte es ihr ersparen, mit viereinhalb Jahren Vollwaise zu werden.«

»Schon gut! Nun übertreib mal nicht! Komm, Hasenfuß, beeil dich! Ich halte den ganzen Verkehr auf!«

Von dem Hupen gedrängt, ergab sich Matthew seufzend in sein Schicksal und stieg in den Chevrolet.

Kaum hatte er den Sicherheitsgurt angelegt, als der Camaro, unter Missachtung sämtlicher Verkehrsregeln, auch schon eine gefährliche Kehrtwende machte, um gen Norden zu brausen.

»Boston liegt aber in der anderen Richtung!«, protestierte Matthew und klammerte sich am Haltegriff fest.

»Ich mache nur einen kleinen Umweg über Belmont. Gerade mal zehn Minuten. Und keine Sorge wegen Emily. Ich habe ihren Babysitter gebeten, eine Stunde länger zu bleiben.«

»Ohne mit mir darüber zu sprechen? Also ehrlich, ich …«

Die junge Frau drückte das Gaspedal durch und beschleunigte so plötzlich, dass es Matthew die Sprache verschlug. Nachdem sie einen Lastwagen überholt hatte, wandte sie sich ihm zu und reichte ihm eine große Mappe.

»Stell dir vor, ich habe vielleicht einen Kunden für den Farbholzschnitt von Utamaro«, sagte April.

April Ferguson leitete eine Galerie im South End, die auf erotische Kunst spezialisiert war. Sie hatte ein echtes Talent, unbekannte Künstler aufzuspüren und deren Arbeiten zu verkaufen, wobei sie hübsche Gewinne einstrich.

Matthew öffnete den Verschluss der Mappe und schlug die Seidenhülle zurück, die einen japanischen Farbholzschnitt schützte. Es war eine Shunga, ein erotischer Holzschnitt, aus dem späten achtzehnten Jahrhundert, auf der eine Kurtisane mit einem Kunden zu sehen war, die sich einem ebenso sinnlichen wie akrobatischen Liebesakt hingaben. Die Unverblümtheit der Szene wurde durch die anmutige Linienführung und den Motivreichtum der Kleidung gemildert. Das Gesicht der Geisha war von faszinierender Feinheit und Eleganz. Kein Wunder, dass solche Werke später sowohl Klimt als auch Picasso beeinflusst hatten.

»Bist du sicher, dass du dich davon trennen willst?«

»Ich habe ein Angebot bekommen, das man einfach nicht ablehnen kann«, antwortete April und imitierte dabei Marlon Brandos Stimme aus dem Film *Der Pate*.

»Von wem?«

»Von einem bedeutenden asiatischen Sammler, der zu Besuch bei seiner Tochter in Boston weilt. Er ist offenbar zum Kauf bereit, bleibt aber nur einen Tag in der Stadt. Eine solche Gelegenheit wird sich so bald nicht wieder bieten ...«

Der Chevrolet hatte das Universitätsviertel verlassen.

Sie fuhren nun einige Kilometer auf einer Schnellstraße am Fresh Pond – dem größten See von Cambridge – entlang, bevor sie Belmont erreichten, eine kleine Stadt westlich von Boston. April gab eine Adresse in ihr Navi ein und ließ sich zu einem schicken Wohnviertel leiten, in dem eine von Bäumen umgebene Schule direkt neben einem Park und mehreren Sportplätzen stand. Sie sahen sogar einen Eisverkäufer, der direkt aus den 1950er-Jahren zu stammen schien. Obgleich es ausdrücklich verboten war, überholte der Camaro einen Schulbus und parkte in einer ruhigen, von Villen gesäumten Allee.

»Kommst du mit?«, fragte April und griff nach der Kunstmappe.

Matthew schüttelte den Kopf.

»Ich warte lieber im Auto.«

»Ich beeile mich, so gut es geht«, versprach sie, blickte in den Rückspiegel und zupfte sich eine gelockte Haarsträhne à la Veronica Lake über das rechte Auge.

Dann nahm sie einen Lippenstift aus ihrer Tasche und zog sich rasch die Lippen nach, bevor sie ihr Outfit als Femme fatale perfektionierte, indem sie in einen hautengen roten Lederblouson schlüpfte.

»Übertreibst du nicht ein bisschen?«, fragte Matthew ein wenig provozierend.

»Ich bin nicht schlecht, ich bin nur so gezeichnet«, erwiderte sie kokettierend im Tonfall von Jessica Rabbit.

Schließlich öffnete sie die Wagentür und schwang ihre endlos langen Beine, die in Leggings steckten, aus dem Wagen.

Matthew blickte ihr nach und sah sie an der Haustür der größten Villa in der Straße klingeln. Auf der Skala der Sinnlichkeit war April nicht weit von der höchsten Stufe entfernt – perfekte Maße, Wespentaille, Traumbusen –, aber diese Inkarnation männlicher Phantasien liebte ausschließlich Frauen und tat ihre Homosexualität auch offen kund.

Das war übrigens einer der Gründe, warum Matthew sie als Mitbewohnerin akzeptiert hatte, wusste er doch, dass es zwischen ihnen nie die geringste Zweideutigkeit geben würde. Zudem war April witzig, intelligent und schlagfertig. Sicher, sie hatte einen problematischen Charakter, ihre Ausdrucksweise war blumig, und sie war zu homerischen Wutausbrüchen fähig, aber sie verstand es wie sonst niemand, seine Tochter wieder zum Lachen zu bringen, und das war für Matthew unbezahlbar.

Er warf einen Blick auf die andere Straßenseite. Eine Mutter und ihre beiden kleinen Kinder dekorierten den Garten. Ihm wurde klar, dass in knapp einer Woche Weihnachten war, und diese Feststellung versetzte ihn in einen Zustand des Kummers und der Panik. Er sah mit Entsetzen den ersten Jahrestag von Kates Tod auf sich zukommen ... diesen verhängnisvollen 24. Dezember 2010, der sein Leben mit Trauer und Schwermut erfüllt hatte.

In den ersten drei Monaten nach dem Unfall hatte der Schmerz ihm keine Atempause gelassen und jede Sekunde vergiftet – eine offene Wunde, der Biss eines Vampirs, der jegliches Leben aus ihm gesaugt hatte. Um diesem Martyrium ein Ende zu bereiten, war er mehrfach versucht gewesen, zu einer radikalen Lösung zu greifen: aus dem Fenster zu springen, sich aufzuhängen, einen Medikamentencocktail zu trinken, sich eine Kugel in den Kopf zu jagen ... Aber jedes Mal hatte ihn der Gedanke an den Kummer, den er Emily damit zufügen würde, zurückgehalten. Er hatte einfach nicht das Recht, seiner Tochter den Vater zu rauben und ihr Leben zu zerstören.

Die Auflehnung der ersten Wochen war einer langen Phase der Trauer gewichen. Das Leben war erstarrt in Überdruss, eingefroren in einer anhaltenden Verzweiflung. Matthew befand sich nicht mehr im Kriegszustand, er war einfach am Boden zerstört, von der Trauer erdrückt, dem Leben gegenüber verschlossen. Der Verlust war und blieb inakzeptabel. Es gab keine Zukunft mehr.

Auf Aprils Rat hin hatte er sich jedoch überwunden und bei einer Selbsthilfegruppe angemeldet. Er hatte an einer Sitzung teilgenommen und versucht, seinen Schmerz in Worte zu fassen, ihn mit anderen zu teilen, war dann aber nie wieder hingegangen. Um falschem Mitgefühl, abgedroschenen Phrasen oder dümmlichen Lebensweisheiten zu entgehen, hatte er sich isoliert, sich monatelang willenlos treiben lassen und war ohne

jeden Plan wie ein Gespenst durch sein Leben geirrt.

Seit einigen Wochen jedoch kam es ihm so vor, als
würde der Schmerz langsam nachlassen, auch wenn er
nicht hätte sagen können, dass er sich wieder »lebendig« fühlte. Das Aufwachen war und blieb schwierig,
aber sobald er in Harvard eintraf, konzentrierte er sich,
hielt seine Vorlesungen und nahm mit seinen Kollegen
an den Konferenzen teil, wenn auch mit weniger Elan
als früher.

Es war nicht so, dass er schon wieder auf die Beine
gekommen wäre, vielmehr akzeptierte er nach und
nach seinen Zustand und half sich selbst mit bestimmten Leitsätzen aus seinem Lehrstoff. Zwischen dem sto-
ischen Fatalismus und der buddhistischen Wandelbar-
keit nahm er das Leben nun als das an, was es war:
Etwas äußerst Prekäres und Labiles, ein Prozess in stän-
diger Entwicklung. Nichts war unveränderlich, schon
gar nicht das Glück. Es war zerbrechlich wie Glas und
durfte nicht als gesichert betrachtet werden, da es doch
nur einen Augenblick dauern konnte.

Durch Kleinigkeiten gewann er wieder Freude am
Leben: einen Spaziergang in der Sonne mit Emily, ein
Football-Match mit seinen Studenten, einen besonders
gelungenen Scherz von April. Tröstliche Anzeichen, die
ihm behilflich waren, die Trauer auf Distanz zu halten
und einen Damm zu errichten, hinter dem er seinen
Kummer verbergen konnte.

Doch diese Erholung stand auf tönernen Füßen. Der

Schmerz lag auf der Lauer, jederzeit bereit, Matthew zu überwältigen. Eine Kleinigkeit genügte, um sich zu entfesseln und grausame Erinnerungen in Matthew zu wecken: Eine Frau, der er zufällig auf der Straße begegnete und die Kates Parfum oder den gleichen Regenmantel trug; ein Lied, das er im Radio hörte und das ihn an glückliche Zeiten erinnerte; ein Foto, das er in einem Buch fand ...

Die letzten Tage waren beschwerlich gewesen, hatten einen Rückfall angekündigt. Der nahende Todestag von Kate, die Dekorationen und der Trubel bei den Vorbereitungen für Weihnachten und Silvester, all das erinnerte ihn an seine Frau.

Seit einer Woche schreckte er jede Nacht mit heftigem Herzklopfen aus dem Schlaf hoch, war in Schweiß gebadet und wurde immer wieder von derselben Erinnerung heimgesucht: den albtraumhaften Bildern von den letzten Lebensmomenten seiner Frau. Matthew war bereits vor Ort, als Kate ins Krankenhaus eingeliefert wurde, wo ihre Kollegen – sie war Ärztin – sie nicht hatten retten können. Er hatte zugesehen, wie ihm der Tod brutal die Frau entriss, die er liebte. Ihnen waren nur fünf Jahre des perfekten Glücks beschieden gewesen. Fünf Jahre innigsten Einvernehmens, kaum die Zeit, den Weg für eine Geschichte zu bereiten, die sie nicht leben durften. Eine Begegnung, wie man sie nur ein Mal im Leben hat, das glaubte er, sicher zu wissen. Und dieser Gedanke war ihm unerträglich.

Matthew bemerkte, dass er dabei war, den Ehering zu

drehen, den er noch immer am Ringfinger trug. Er hatte zu schwitzen begonnen, und sein Herz klopfte heftig. Er ließ das Fenster des Camaro herunter, suchte in seiner Jeanstasche nach seinem angstlösenden Medikament und schob eine der Tabletten unter seine Zunge. Diese Pillen verschafften ihm einen künstlichen Trost, der seiner Unruhe innerhalb von Minuten ein Ende bereitete. Er schloss die Augen, massierte sich die Schläfen und atmete tief durch. Um sich gänzlich zu beruhigen, musste er rauchen. Er stieg aus, verriegelte die Tür und entfernte sich einige Schritte auf dem Bürgersteig, bevor er sich eine Zigarette anzündete und einen tiefen Zug nahm.

Sein Herzschlag normalisierte sich, und er fühlte sich sofort besser. Mit geschlossenen Augen, das Gesicht der herbstlichen Brise zugewandt, genoss er die Zigarette. Das Sonnenlicht fiel zwischen den Zweigen hindurch. Die Luft war fast schon verdächtig mild. Einige Augenblicke verharrte er reglos, bevor er die Augen wieder öffnete. Am Ende der Straße vor einer der Villen hatte sich eine Menschenansammlung gebildet. Neugierig näherte er sich dem charakteristischen neuenglischen, mit Holz verkleideten Haus. Auf dem Rasen davor wurde eine Art Trödelmarkt abgehalten – typisch für dieses Land, wo die Menschen mindestens fünfzehn Mal im Leben umzogen.

Matthew mischte sich unter die zahlreichen Neugierigen, die auf über hundert Quadratmetern in den angebotenen Sachen stöberten. Den Verkauf leitete ein Mann seines Alters mit Glatze und kleiner eckiger Brille, verdrießlichem Gesichtsausdruck und unstetem Blick. Er war von Kopf bis Fuß schwarz gekleidet und hatte die nüchterne Strenge eines Quäkers. Neben ihm nagte ein Shar-Pei an einem Hundeknochen aus Latex.

Jetzt nach Schulschluss und bei dem milden Wetter hatten sich viele Menschen eingefunden, die nach Schnäppchen Ausschau hielten. Die Stände quollen über von bunt zusammengewürfelten Gegenständen: Holzruder, Baseballschläger und -handschuhe, eine Golftasche, eine alte Gibson-Gitarre. An einen Zaun gelehnt standen ein BMX-Rad, das unvermeidliche Weihnachtsgeschenk der frühen 1980er-Jahre, ein Stück weiter Inlineskates und ein Skateboard. Einige Minuten lang spazierte Matthew zwischen den Ständen umher, wobei er Spielsachen entdeckte, die ihn an seine eigene Kindheit erinnerten: ein Jo-Jo aus hellem Holz, ein Zauberwürfel, Spiele wie Memory, Mastermind, Frisbee, E. T., der Außerirdische, als Riesen-Plüschtier, eine Figur aus *Der Krieg der Sterne* ... Die Preise waren niedrig; der Verkäufer wollte offensichtlich möglichst schnell möglichst viel loswerden.

Matthew war drauf und dran, das Gelände des Flohmarkts zu verlassen, als er einen Computer entdeckte. Es war ein Laptop, ein MacBook Pro mit Fünfzehn-Zoll-Bildschirm. Nicht das neueste Modell, aber eines aus der letzten oder vorletzten Serie. Matthew ging zu dem Gerät und prüfte es von allen Seiten. Das Aluminiumgehäuse war durch einen Vinylaufkleber außen auf dem

Deckel personalisiert. Der Sticker zeigte eine Figur à la Tim Burton: Eine stilisierte Eva, sehr sexy, die zwischen ihren Händen das Apfel-Logo der bekannten Computerfirma zu halten schien. Unterhalb der Illustration war die Signatur »Emma L.« zu lesen, ohne dass man wirklich wusste, ob es sich um die Künstlerin handelte, die diese Figur gezeichnet hatte, oder um die frühere Eigentümerin des Laptops.

Warum nicht?, dachte er, während er das Etikett betrachtete. Sein altes Powerbook hatte Ende des Sommers den Geist aufgegeben. Zwar hatte er einen PC zu Hause, aber er benötigte wieder einen Laptop. Seit drei Monaten verschob er diese Ausgabe ständig auf später.

Das Gerät wurde für vierhundert Dollar angeboten. Ein Betrag, der ihm angemessen erschien. Das traf sich gut, denn er schwamm derzeit nicht gerade im Geld. Sein Professorengehalt in Harvard war zwar nicht schlecht, aber nach Kates Tod hatte er um jeden Preis ihr gemeinsames Haus in Beacon Hill halten wollen, obwohl er dafür eigentlich nicht mehr die nötigen Mittel besaß. Also hatte er sich entschlossen, eine Mieterin ins Haus zu nehmen, doch auch mit dem, was April ihm zahlte, verschlangen die Raten drei Viertel seines Einkommens und ließen ihm wenig Spielraum. Er hatte sogar sein Motorrad verkaufen müssen, ein Liebhaberstück, eine Triumph von 1957, die sein ganzer Stolz gewesen war.

Er ging zu dem Verkäufer und deutete auf den Mac.

»Der Computer funktioniert doch, oder?«

»Nein, der ist nur Deko … natürlich funktioniert er, sonst würde ich ihn nicht zu diesem Preis anbieten! Es ist der ehemalige Laptop meiner Schwester, ich habe die Festplatte selbst formatiert und das Betriebssystem neu installiert. Der ist wie neu.«

»Einverstanden, ich nehme ihn«, erklärte Matthew nach kurzem Zögern.

Er kramte in seinem Geldbeutel. Er hatte nur dreihundertzehn Dollar dabei. Verlegen versuchte er zu handeln, aber der Mann lehnte sehr entschlossen ab. Verärgert zuckte Matthew die Schultern. Er wollte gerade gehen, als er Aprils fröhliche Stimme hinter sich hörte.

»Lass mich ihn dir schenken!«, sagte sie und bedeutete dem Verkäufer, zu warten.

»Das kommt gar nicht infrage!«

»Zur Feier des Verkaufs meines japanischen Farbholzschnitts!«

»Hast du den erhofften Preis dafür bekommen?«

»Ja, aber nicht ohne Mühe. Der Typ dachte, für diesen Preis hätte er zusätzlich noch Anrecht auf einige Kamasutra-Übungen!«

»*Das ganze Unglück der Menschen rührt allein daher, dass sie nicht ruhig in einem Zimmer zu bleiben vermögen.*«

»Woody Allen?«

»Nein, Blaise Pascal.«

Der Verkäufer reichte ihm den Laptop, den er in den Originalkarton gepackt hatte. Matthew dankte ihm mit einem Kopfnicken, während April bezahlte. Dann beeilten sie sich, wieder zum Auto zu kommen.

Matthew bestand darauf, zu fahren. Als sie Boston erreichten, konnte er, während sie im Stau standen, noch nicht ahnen, dass der Kauf, den er soeben getätigt hatte, sein Leben für immer verändern würde.

Kapitel 2

Miss Lovenstein

Ich werde nie von Hunden gebissen, nur von Menschen.

Marilyn Monroe

Bar des Restaurants Imperator
Rockefeller Center, New York
18:45 Uhr

Die Bar des Restaurants Imperator oben im Rockefeller Center beherrschte die Stadt und bot einen Panoramablick über Manhattan. Ihre Einrichtung war das Ergebnis einer geschickten Mischung aus Tradition und neuem Design. Bei der Renovierung des Lokals hatte man darauf geachtet, die Holzvertäfelungen, Art-déco-Tische und Lederclubsessel beizubehalten. Dieses Interieur verlieh dem Ort die behagliche Atmosphäre eines alten englischen Clubs, verbunden mit modernen Elementen wie etwa der langen, gut beleuchteten Theke aus Mattglas, die quer durch den Raum verlief.

Die zierliche Gestalt schlängelte sich leichtfüßig zwischen den Tischen hindurch, servierte Weine, lud zur Verkostung ein und erklärte mit pädagogischem Talent Herkunft und Geschichte der verschiedenen edlen Tropfen. Die junge Sommelière Emma Lovenstein verstand es trefflich, andere mit ihrer Begeisterung anzustecken. Ihre graziösen Handbewegungen, die Präzision ihrer Gesten, ihr offenes Lächeln – alles an ihrer äußeren Erscheinung spiegelte ihre Leidenschaft und den Wunsch wider, diese mit anderen zu teilen.

Eine Gruppe von Kellnern brachte das vorletzte Gericht.

»Crostini mit Schweinefuß-Rillettes überbacken mit Parmesan«, verkündete Emma, während sich beifälliges Gemurmel erhob, sobald die Gäste ihren Teller vor sich stehen hatten.

Sie goss jedem ein Glas Rotwein ein, hielt das Etikett der Flasche dabei verdeckt, beantwortete Fragen der Gäste und gab ihnen Hinweise, um ihnen beim Erkennen des Weins zu helfen.

»Es ist ein Morgon, Côte du Py, Cru du Beaujolais«, verriet sie schließlich. »Ein Wein mit langem Abgang, aromatisch, rassig, nervös mit einer samtigen Note und mit Erdbeer-Sauerkirscharomen. Er bildet einen wunderbaren Gegensatz zum rustikalen Charakter der Schweinefüße.«

Es war ihre Idee gewesen, wöchentlich diese Weinproben zu veranstalten, die dank entsprechender Mundpropaganda immer beliebter wurden. Das Konzept war einfach: Emma bot vier Weine zur Verkostung an, be-

gleitet von vier Gerichten, die der Chefkoch des Fein-
schmeckerrestaurants, Jonathan Lempereur, dazu er-
dachte. Jede Degustation dauerte eine Stunde, war um
ein spezielles Thema arrangiert, eine Rebsorte oder ein
Herkunftsgebiet, und bot Gelegenheit zu einer spiele-
rischen Einführung in die Weinkunde.

Emma trat hinter die Theke und gab den Kellnern ein
Zeichen, das letzte Gericht zu servieren. Sie nutzte diese
kurze Pause, um unauffällig einen Blick auf ihr Handy
zu werfen, das blinkte. Als sie die SMS gelesen hatte,
empfand sie einen Moment lang Panik.

Ich bin diese Woche auf der Durchreise in New York.
Essen wir heute Abend zusammen?
Du fehlst mir.
François

»Emma?«

Die Stimme ihres Assistenten riss sie aus der Betrachtung ihres Displays. Sie fasste sich sofort wieder und
verkündete den Gästen im Speisesaal:

»Zum Abschluss dieser Verkostung bieten wir Ihnen
eine Ananas in Magnolienblättern an Marshmallow-Eis,
karamellisiert im Holzfeuer.«

Sie öffnete zwei neue Weinflaschen und schenkte
den Gästen ein. Nach dem kleinen Ratespiel sagte sie
schließlich:

»Ein italienischer Wein aus dem Piemont, ein Mos-
cato d'Asti. Eine schmeichelnde Rebsorte, aromatisch

und luftig, leicht prickelnd und süß. In der Nase überzeugt er mit Rose, die feinen Perlen unterstreichen elegant die Frische der Ananas.«

Der Abend endete mit den Fragen der Gäste. Einige davon betrafen Emmas berufliche Laufbahn. Sie beantwortete sie gerne, ohne sich etwas von ihrer Unruhe anmerken zu lassen.

Sie stammte aus einer einfachen Familie in West Virginia. Als sie vierzehn Jahre alt war, hatte ihr Vater, ein Fernfahrer, seine Familie im Sommer zu einem Besuch der Weinberge Kaliforniens mitgenommen. Für den Teenager war das eine wahre Entdeckung, die in ihr das Interesse und die Leidenschaft für Wein geweckt und sich als spätere Berufung entpuppt hatte.

Sie hatte die Hotelfachschule in Charleston besucht, die eine solide Ausbildung in Önologie anbot. Mit dem Diplom in der Tasche hatte sie ohne Bedauern ihr Provinznest verlassen. Auf nach New York! Anfangs arbeitete sie als Kellnerin in einem beliebten Restaurant in West Village. Bis zu sechzehn Stunden am Tag servierte sie, beriet bei der Weinauswahl und kümmerte sich um die Bar. Eines Tages hatte sie einen merkwürdigen Gast entdeckt. Es war jemand, dessen Gesicht sie sofort erkannt hatte: ihr Idol, Jonathan Lempereur, den die Restaurantkritiker als den »Mozart der Gastronomie« bezeichneten. Der Sternekoch leitete ein hervorragendes Restaurant in Manhattan: das berühmte Imperator, das so mancher für die »beste Tafel der Welt« hielt. Das Imperator war wirklich absolute Spitzenklasse und empfing Jahr für Jahr Tausende von Gästen aus aller Welt. Oft musste man über ein Jahr im Voraus reservieren. An diesem Tag aß Lempereur hier zusammen mit seiner Frau. Inkognito. Er besaß damals bereits Restaurants in verschiedenen Ländern und war unglaublich jung, um an der Spitze eines solchen Unternehmens zu stehen!

Emma hatte allen Mut zusammengenommen und es gewagt, ihr »Idol« anzusprechen. Jonathan hatte ihr interessiert zugehört, und sehr schnell hatte sich das Essen in ein Vorstellungsgespräch verwandelt. Der Erfolg war Lempereur nicht zu Kopf gestiegen. Er war anspruchsvoll, aber bescheiden, stets auf der Suche nach neuen Talenten. Beim Bezahlen der Rechnung hatte er ihr seine Karte gereicht und gesagt:

»Sie fangen morgen an.«

Am nächsten Tag hatte sie einen Vertrag als Zweite Chef-Sommelière im Imperator unterschrieben. Drei Jahre lang hatte sie sich mit Jonathan wunderbar verstanden. Lempereur war von überschäumender Kreativität, und die Suche nach Harmonie zwischen den Speisen und dem Wein fand in seiner Küche viel Raum. Beruflich hatte sich ihr Traum erfüllt. Letztes Jahr hatte der französische Starkoch nach der Trennung von seiner Frau die Schürze an den Nagel gehängt. Das Restaurant war übernommen worden, doch obwohl Jonathan Lempereur nicht mehr am Herd stand, war sein Geist hier noch immer präsent, und die Gerichte, die er erfunden hatte, standen weiterhin auf der Speisekarte.

»Ich danke Ihnen für Ihr Kommen und hoffe, dass Sie einen angenehmen Abend verbracht haben«, sagte sie, um die Veranstaltung zu beenden.

Emma verabschiedete sich von den Gästen, hielt eine kurze Nachbesprechung mit ihrem Assistenten ab und packte ihre Sachen zusammen, um sich auf den Heimweg zu machen.

—

Emma nahm den Aufzug und befand sich bald darauf am Fuß des Rockefeller Center. Es war schon lange dunkel. In der Kälte bildete ihr Atem kleine weiße Wolken. Der eisige Wind, der über den Vorplatz fegte, hatte die zahlreichen Schaulustigen nicht entmutigen können, die sich an der Absperrung der Kunsteisbahn drängten, um den riesigen Weihnachtsbaum zu fotografieren. Die Äste des rund dreißig Meter hohen Baums bogen sich unter den elektrischen Lichterketten und dem üppigen Schmuck. Ein eindrucksvolles Schauspiel, das Emma jedoch trübsinnig stimmte. Es mochte ein Klischee sein, aber die Last der Einsamkeit wog während der Festtage am Jahresende noch schwerer. Sie trat an den Bordstein, zog die Mütze tiefer ins Gesicht und den Schal fester um den Hals, während sie prüfend auf die Lichtanzeigen an den Taxidächern blickte und ohne große Hoffnung nach einem freien Wagen Ausschau hielt. Es war leider gerade Stoßzeit, und alle *yellow cabs*, die an ihr vorbeifuhren, waren bereits mit Fahrgästen besetzt. Resigniert bahnte sie sich einen Weg durch die Menschenmenge und lief eiligen Schrittes zur Ecke Lexington Avenue/53th Street. Sie verschwand in der U-Bahn-Station und nahm die Linie E Richtung *downtown*. Wie vorherzusehen, war der Wagon überfüllt, und sie musste, eingezwängt zwischen anderen Fahrgästen, stehen.

Trotz der unruhigen Fahrt zog sie ihr Handy heraus und las erneut die SMS.

Ich bin diese Woche auf der Durchreise in New York.
Essen wir heute Abend zusammen?
Du fehlst mir.
François

Leck mich doch, du Mistkerl. Ich stehe nicht zu deiner Verfügung!, schimpfte sie in Gedanken, ohne das Display aus den Augen zu lassen.

François war der Erbe eines großen Weinbergs im Bordelais. Sie hatte ihn vor zwei Jahren auf einer Entdeckungsreise zu französischen Rebsorten kennengelernt. Er hatte ihr nicht verheimlicht, dass er verheiratet und Vater von zwei Kindern war, dennoch war sie auf seine Annäherungsversuche eingegangen. Emma hatte ihre Frankreichreise verlängert, und sie hatten eine traumhafte Woche verbracht, in der sie die Weinstraßen der Region erkundet hatten: die berühmte »Route du Médoc« auf den Spuren der Grands Crus Classés und der Châteaux, die »Route des Coteaux« mit ihren romanischen Kirchen und archäologischen Stätten, den Landhäusern und den Abteien des Entre-deux-Mers, das mittelalterliche Dorf Saint-Émilion … In der Folgezeit hatten sie sich in New York wiedergesehen, wenn François dort beruflich zu tun hatte. Sie hatten sogar eine weitere Urlaubswoche auf Hawaii verbracht. Zwei Jahre einer sporadischen, leidenschaftlichen und zerstörerischen Beziehung. Zwei Jahre des enttäuschten Wartens. Jedes Mal, wenn sie sich wiedersahen, versprach François, er stünde kurz davor, seine Frau zu verlassen. Sie glaubte das natürlich nicht wirklich, aber sie war ihm regelrecht verfallen, also …

Und dann, eines Tages, als sie über ein Wochenende verreisen wollten, hatte François ihr eine SMS geschickt, um ihr mitzuteilen, dass er seine Frau noch liebe und die Beziehung zu ihr beenden wolle. Bereits mehrmals in ihrem Leben hatte sich Emma gefährlichen Grenzen genähert – Bulimie, Magersucht, Autoaggression –, und die Ankündigung dieses Bruchs öffnete erneut Abgründe in ihr.

Ein unendliches Gefühl von Leere hatte sie vernichtet. Das Dasein hatte ihr plötzlich nichts mehr zu bieten, und das Leben war ihr nur noch als ein großer Schmerz erschienen. Die einzige Lösung, allem zu entfliehen, hatte sie darin gesehen, sich in ihre Badewanne zu legen und die Pulsadern aufzuschneiden. Zwei tiefe Schnitte in jedes Handgelenk. Es war kein Hilferuf gewesen, kein Theater. Diese heftige Lebenskrise war durch die enttäuschte Liebe ausgelöst worden, aber das

Übel saß tiefer. Emma wollte ihrem Leben ein Ende bereiten, und es wäre ihr auch gelungen, wenn sich ihr idiotischer Bruder nicht ausgerechnet diesen Moment dafür ausgesucht hätte, bei ihr hereinzuschneien und ihr vorzuwerfen, sie habe in diesem Monat das Altersheim für ihren Vater nicht bezahlt.

Als sie an diese Episode zurückdachte, spürte Emma, wie ihr ein kalter Schauer über den Rücken lief. Die U-Bahn erreichte die Station der 42th Street, wo sich ein Busterminal befand. Dort leerte sich der Wagen, und sie fand endlich einen Sitzplatz. Sie hatte sich gerade gesetzt, als ihr Handy vibrierte. François ließ nicht locker.

> Ich flehe dich an, Darling, antworte mir.
> Gib uns eine neue Chance. Gib mir ein Zeichen.
> Ich bitte dich. Du fehlst mir so sehr.
> Dein François

Emma schloss die Augen und atmete tief durch. Ihr ehemaliger Liebhaber war ein egoistischer und wankelmütiger Manipulator. Er verstand es, seine Verführungskünste einzusetzen, um sich als großherziger Held darzustellen und sie in seinen Bann zu ziehen. Es gelang ihm, ihre Selbstkontrolle vollständig auszuschalten. Er wusste genau, wie er ihre Schwächen und ihr mangelndes Selbstvertrauen grausam ausnutzen konnte. Er stürzte sich auf ihre Schwachstellen, riss alte Wunden auf. Vor allem beherrschte er die Kunst, die Dinge zu verdrehen und zu seinem Vorteil zu präsentieren, um Emmas Glaubwürdigkeit zu erschüttern.

Um gar nicht erst in Versuchung zu kommen, ihm zu antworten, schaltete sie ihr Handy aus. Sie hatte zu viel Mühe aufgewandt, sich seinem Einfluss zu entziehen. Und sie wollte ihm auf keinen Fall wieder auf den Leim gehen, nur weil sie sich so kurz vor Weihnachten einsam fühlte.

Denn ihr schlimmster Feind war nicht François. Ihr schlimmster Feind war sie selbst. Sie konnte einfach nicht ohne Leidenschaft leben. Hinter ihrer umgänglichen und lustigen Art lauerten ihre Impulsivität und ihre emotionale Labilität, die, wenn sie die Oberhand gewannen, sie abwechselnd in tiefe Depression und unkontrollierbare Euphorie stürzten.

Sie war auf der Hut vor ihrer schrecklichen Angst, verlassen zu werden, die sie jederzeit ins Straucheln bringen und in die Selbstzerstörung treiben konnte. Ihr Gefühlsleben war voller schmerzlicher Beziehungen. In der Liebe hatte sie Menschen zu viel gegeben, die es nicht verdient hatten. Dreckskerlen wie François. Aber sie hatte etwas in sich, das sie nicht verstand und nicht unter Kontrolle bekam. Eine dunkle Kraft, eine Sucht, die sie Männern in die Arme trieb, die gebunden waren. Sie suchte wahllos nach einer Art von Symbiose, wohl wissend, dass ihr diese Beziehungen im Grunde weder die Sicherheit noch die Stabilität geben würden, die sie sich so sehr wünschte. Und doch machte sie weiter, wenn auch voller Abscheu, wurde zur Komplizin ihrer Untreue, zerstörte Ehen, obgleich dies im Gegensatz zu ihren Wertvorstellungen und ihrem Streben stand.

Die Psychotherapeutin, zu der sie seit ein paar Monaten ging, hatte ihr zum Glück geholfen, Abstand zu gewinnen und vor ihren Emotionen auf der Hut zu sein. Inzwischen wusste sie, dass sie daran arbeiten musste, sich zu schützen und sich von verhängnisvollen Beziehungen fernzuhalten.

Sie erreichte die Endstation: das World Trade Center. Dieses Viertel im Süden der Stadt war bei den Attentaten vollständig zerstört worden. Heute war es noch immer eine Baustelle, aber bald würden wieder mehrere Türme aus Glas und Stahl die Skyline New Yorks beherrschen. Ein Symbol für die Fähigkeit Manhattans, aus den Prüfungen gestärkt hervorzugehen, dachte Emma, während sie die Treppen zur Greenwich Street hinaufstieg.

Ein Beispiel, über das es sich nachzudenken lohnt ...

Schnellen Schrittes ging sie bis zur Kreuzung Harrison Street und betrat den Vorplatz eines Wohnkomplexes, der aus hohen Brownstone-Gebäuden bestand, die Anfang der 1970er-Jahre errichtet worden waren, als TriBeCa noch ein Gewerbegebiet voller Lagerhäuser war. Sie gab den Zutrittscode ein und stieß mit beiden Händen eine schwere Gusseisentür auf.

Lange Zeit hatte der Komplex 50 North Plaza in seinen drei Türmen mit vierzig Etagen Hunderte von Apartments zu moderaten Mietpreisen beherbergt. Heute waren die Preise im Viertel explodiert, und der Komplex würde bald renoviert werden. Inzwischen sah die Eingangshalle ziemlich trist und heruntergekommen aus: Bröckelnder Putz, trübe Beleuchtung, und die Sauberkeit ließ zu wünschen übrig. Emma holte die Post aus ihrem Briefkasten und nahm einen der Aufzüge, um in die vorletzte Etage hinaufzufahren, wo sich ihr Apartment befand.

»Clovis!«

Sie hatte kaum den Fuß über die Schwelle gesetzt, als ihr Hund schon an ihr hochsprang und sie stürmisch begrüßte.

»Lass mich wenigstens die Tür schließen!«, rief sie, während sie das Fell des Shar-Pei streichelte, das sich in festen Falten wellte.

Sie stellte ihre Tasche ab und spielte ein paar Minuten mit dem Hund. Sie mochte seine kräftige Statur, seine kompakte Schnauze, seine offenherzig blickenden Augen, seine freundlich schmollende Miene.

»Wenigstens du wirst mir immer treu bleiben!«

Als wolle sie ihm dafür danken, stellte sie ihm eine große Schüssel mit Trockenfutter hin.

Die Wohnung war klein – knapp vierzig Quadratmeter –, aber sie hatte Charme: helles, rohes Holzparkett, Wände mit Sichtmauerwerk, großes Glasfenster. Die offene Küche war um eine Theke aus schwarzem Sandstein und drei Hocker aus gebürstetem Metall angeordnet. Das »Wohnzimmer« wurde von vollgestellten Bücherregalen gesäumt. Amerikanische und europäische Romane, Essays über Filme, Bücher über Wein und Gastronomie. Das Haus hatte viele Mängel: alte Leitungen, immer wiederkehrende Wasserschäden, eine von Mäusen heimgesuchte Waschküche, Aufzüge, die ständig defekt waren, eine kaputte Klimaanlage, Mauern, die so dünn waren, dass sie bei Sturm zitterten und über das Intimleben der Nachbarschaft keine Unklarheiten ließen. Die Aussicht war jedoch bezaubernd, reichte über den Fluss und bot einen atemberaubenden Blick auf Lower Manhattan. Hintereinander sah man eine Abfolge erleuchteter Gebäude, die Hudson-Quais und Schiffe, die über den Fluss glitten.

Emma zog Mantel und Schal aus, hängte ihr Kostüm an einem Kleiderständer auf, schlüpfte in eine alte Jeans und ein zu großes T-Shirt der Yankees, bevor sie ins Bad ging, um sich abzuschminken.

Der Spiegel zeigte ihr das Bild einer jungen Frau von dreiunddreißig Jahren mit leicht gewelltem, braunem Haar, hellgrünen Augen und einer schmalen Nase, auf der einige Sommersprossen zu sehen waren. An ihren sehr, sehr guten Tagen konnte man eine Ähnlichkeit mit Kate Beckinsale oder Evangeline Lilly feststellen, aber heute war kein guter Tag. Als letzte Anstrengung, um sich nicht von Traurigkeit überwältigen zu lassen, zog sie ihrem Spiegelbild eine spöttische Grimasse. Sie nahm die Kontaktlinsen heraus, die ihre Augen reizten, setzte ihre Brille gegen die Kurzsichtigkeit auf und ging in die Küche, um sich einen Tee zu kochen.

Brrr, hier kann man sich echt einen abfrieren, dachte sie

fröstelnd, hüllte sich in eine Wolldecke und drehte die Heizung höher. Bis das Wasser kochte, setzte sie sich auf einen der Barhocker und öffnete ihren Laptop, der auf der Theke stand.

Sie kam um vor Hunger. Sie ging auf die Website eines japanischen Restaurants mit Heimservice und bestellte sich eine Miso-Suppe sowie eine gemischte Platte mit Sushi, Maki und Sashimi.

Sie erhielt eine Bestätigungsmail, überprüfte ihre Bestellung und den Lieferzeitpunkt und nutzte die Gelegenheit, ihre anderen Mails zu lesen, wobei sie befürchtete, Post von ihrem ehemaligen Liebhaber vorzufinden.

Zum Glück war nichts von François dabei.

Aber eine andere, rätselhafte Mail war da, geschrieben von einem gewissen Matthew Shapiro.

Ein Mann, von dem sie noch nie zuvor gehört hatte.

Und der ihr Leben auf den Kopf stellen sollte …

Kapitel 3

Die Nachricht

Wenn Leid das ist, was man am besten kennt,
ist ein Verzicht darauf eine schwere Prüfung.

Michela Marzano

Boston
Beacon Hill
20:00 Uhr

»Mama kommt nicht zurück, stimmt's, Papa?«, fragte Emily und knöpfte ihren Pyjama zu.

»Nein, sie kommt nicht zurück, *nie mehr*«, bestätigte Matthew und nahm seine Tochter auf den Arm.

»Das ist nicht gerecht«, beklagte sich die Kleine mit bebender Stimme.

»Ja, es ist ungerecht. Aber das Leben ist manchmal so«, erwiderte er knapp und trug sie in ihr Bett.

Der Raum mit den schrägen Wänden war hübsch und einladend, ohne die in Kinderzimmern beliebten kitschigen Pastelltöne. Als Matthew und Kate das Haus renoviert hatten, waren sie bemüht gewesen, jedem Raum seinen ursprünglichen Charakter zurückzugeben. In diesem hatten sie eine Zwischenwand eingerissen, das Parkett abgeschliffen und gewachst und alte Möbel auf Flohmärkten aufgestöbert: ein Bett aus Massivholz, eine gekalkte Kommode, einen Korbsessel, ein Schaukelpferd und eine Ledertruhe für das Spielzeug.

Matthew strich Emily liebevoll über die Wange und bedachte sie mit einem Blick, der beruhigend sein sollte.

»Möchtest du, dass ich dir eine Geschichte vorlese, Liebes?«

»Nein, brauchst du nicht.«

Er verzog das Gesicht. Seit einigen Wochen schon spürte er, dass seine Tochter sehr ängstlich war, so, als hätte er seinen eigenen Stress auf sie übertragen. Diese Feststellung weckte heftige Schuldgefühle in ihm. Seine Bemühungen, Kummer und Ängste vor ihr zu verbergen, waren vergeblich gewesen, Kinder hatten offenbar einen sechsten Sinn, um so etwas zu spüren. Wie sehr er sich auch um einen vernünftigen Umgang bemühte, er war doch von der irrationalen Angst beherrscht, nach seiner Frau auch noch seine Tochter zu verlieren. Da er fortan davon überzeugt war, dass überall Gefahren lauerten, beschützte er Emily übermäßig und nahm es in Kauf, sie dadurch einzuschränken und eine gesunde Entwicklung ihres Selbstbewusstseins zu verhindern.

Er musste sich eingestehen, dass er völlig überfordert war. Während der ersten Wochen nach dem Unfall hatte ihn Emilys offensichtliche Gleichgültigkeit verunsichert. Damals schien sie völlig unempfänglich gegen den Schmerz, so, als würde sie nicht begreifen, dass ihre Mutter wirklich tot war. In der Klinik hatte die Psychologin, die die Kleine betreute, Matthew jedoch erklärt, dieses Verhalten sei normal. Zum Selbstschutz würden manche Kinder das traumatisierende Ereignis von sich fernhalten und unbewusst warten, bis sie sich stark genug fühlten, sich ihm zu stellen.

Fragen zum Tod der Mutter waren erst später gekommen. Über mehrere Monate hinweg hatte er sich an die Ratschläge der Psychologin gehalten und mit Zeichnungen und Metaphern gearbeitet. Doch Emilys Fragen wurden mit der Zeit konkreter, verwirrten ihn und trieben ihn in die Enge. Wie stellte sich ein Kind von viereinhalb Jahren den Tod vor? Er wusste nicht, wie er sich ausdrücken sollte, war sich nicht sicher, welche Worte sie in ihrem Alter verstehen konnte. Die Psychologin hatte versucht, ihn zu beruhigen, und ihm erklärt, dass sich Emily mit zunehmendem Alter des definitiven Verlusts der Mutter bewusst werden würde. Diese Fragen seien völlig normal und würden es Emily ermöglichen, aus dem Schweigen auszubrechen, Tabus zu vermeiden, und sie letztendlich von der Angst zu befreien.

Aber Emily war ganz offensichtlich noch weit von dieser befreienden Phase entfernt. Ganz im Gegenteil, denn abends beim Zubettgehen stellte sie immer wieder dieselben Fragen, auf die er nur scherzhafte Antworten gab.

»Hopp, ab ins Bett!«

»Großmutter sagt, Mama ist im Himmel ...«, begann sie.

»Mama ist nicht im Himmel, Großmutter erzählt Unsinn«, fiel Matthew ihr ins Wort und verfluchte seine Mutter.

Kate hatte keine Familie mehr gehabt. Und er hatte sich sehr früh von seinen Eltern entfernt, zwei Egoisten, die ihren Ruhestand in Miami verbrachten und seinen Schmerz nicht zu verstehen schienen. Sie hatten Kate ohnehin nie wirklich gemocht und ihr vorgeworfen, ihre Karriere über die Familie zu stellen. Eine Dreistigkeit von Eltern, die immer nur an sich selbst gedacht hatten! Während der ersten Monate nach Kates Tod waren sie zwar aus Boston gekommen, um ihn zu unterstützen und sich um Emily zu kümmern, aber auch diese Fürsorge war nicht von Dauer gewesen. Fortan begnügten sie sich damit, ein Mal die Woche anzurufen, sich nach ihrem Wohlbefinden zu erkundigen und ihrer Enkeltochter derart dummes Zeug zu erzählen.

Das brachte ihn zum Wahnsinn! Die Heuchelei in den Religionen war für ihn ein striktes Tabu. Er glaubte nicht an Gott, hatte niemals an ihn geglaubt, und selbst der Tod seiner Frau würde nichts daran ändern! »Philosoph« zu sein ging für ihn mit einer Form von Atheismus einher – eine Sichtweise, die er mit Kate geteilt hatte. Der Tod bedeutete für ihn das Ende von allem. Es gab nichts anderes, kein Danach, nur die Leere, das totale und absolute Nichts. Es war undenkbar, seine

Tochter, selbst wenn es sie beruhigt hätte, in falschen Illusionen zu wiegen.

»Wenn sie nicht im Himmel ist, wo ist sie dann?«, beharrte das Kind.

»Ihr Körper ist auf dem Friedhof, wie du ja weißt. Aber ihre Liebe ist nicht tot«, erklärte er. »Sie ist und bleibt für immer in unseren Herzen und in unserer Erinnerung. Wenn wir von ihr sprechen, an die schönen gemeinsamen Augenblicke zurückdenken, uns Fotos anschauen oder in stillem Gedenken vor ihrem Grab stehen, pflegen wir diese Erinnerung.«

Emily nickte, schien aber keineswegs überzeugt.

»Du wirst auch sterben, stimmt's?«

»Wie jeder«, erklärte er, »aber …«

»Aber wenn du stirbst, wer wird sich dann um mich kümmern?«, fragte sie voller Panik.

Er nahm sie fest in die Arme.

»Ich werde nicht morgen sterben, Liebes! Ich sterbe frühestens in hundert Jahren. Ich verspreche es dir!«

»Ich versprech's dir«, wiederholte er, auch wenn er wusste, dass es gelogen war.

Die Liebkosungen dauerten noch eine Weile an, dann deckte Matthew seine Tochter zu und löschte das Licht, mit Ausnahme der Nachtlampe über dem Bett. Bevor er die Tür anlehnte, küsste er sie ein letztes Mal und versprach ihr, dass April noch einmal vorbeikommen und ihr gute Nacht sagen würde.

—

Matthew stieg die Treppe ins Wohnzimmer hinab. Das Erdgeschoss war in gedämpftes Licht getaucht. Er wohnte seit drei Jahren in diesem roten Backsteinhaus am Louisburg Square. Ein hübsches *townhouse* mit weißer Eingangstür aus Massivholz und dunklen Fensterläden.

Er trat ans Fenster und starrte auf die blinkenden Lichtgirlanden, die am Gitter des Parks angebracht waren. Kate hatte immer davon geträumt, im historischen Kern von Boston zu leben. Eine kleine Enklave mit ihren Häusern im viktorianischen Stil, ihren gepflasterten Bürgersteigen und Gassen, gesäumt von Bäumen und alten Gaslaternen. Ein magischer Ort, der mit seinem altmodischen Charme den Eindruck vermittelte, die Zeit sei stehen geblieben. Doch ein solcher Lebensraum war kaum erschwinglich für eine Krankenhausärztin und einen Universitätsprofessor, der gerade erst sein Stipendium zurückgezahlt hatte! Aber so leicht ließ sich Kate nicht entmutigen. Monatelang war sie durchs Viertel gestreift und hatte überall kleine Suchanzeigen angebracht. Auf eine davon war eine alte Dame gestoßen, die sich anschickte, in ein Seniorenheim zu ziehen. Eine wohlhabende Bostonerin, die Immobilienmakler hasste und es vorzog, ihr Haus, in dem sie ihr ganzes Leben verbracht hatte, privat zu verkaufen. Kate musste ihr gefallen haben, denn sie hatte von sich aus vorgeschlagen, mit dem Preis herunterzugehen. Sie hatten sich innerhalb von vierundzwanzig Stunden entscheiden müssen. Sogar mit einem bedeutenden Rabatt blieb die Summe stattlich. Doch auch wenn der Preis des Hauses immer noch erheblich war, hatten sich Matthew und Kate, ermutigt von ihrer Liebe und dem Glauben an die Zukunft, zu dem Entschluss durchgerungen, sich für dreißig Jahre zu verschulden, und all ihre Wochenenden damit verbracht, mit Farbe und Gips zu hantieren. Sie, die niemals im Leben handwerklich gearbeitet hatten, waren zu »Spezialisten« in Sachen Klempnerei, Parkettschleifen und Kabelverlegen geworden.

Kate und er hatten ein fast sinnliches Verhältnis zu dem alten Haus entwickelt. Ihr Domizil war zu ihrem intimen Refugium geworden, dem Ort, wo sie ihre Kinder großziehen und selbst alt werden wollten. Sozusagen ein *Shelter from the storm,* wie es in einem Song von Bob Dylan hieß.

Aber welchen Sinn hatte das alles noch, jetzt, da Kate tot war? Auf dem Haus lasteten die noch frischen, schmerzlichen Erinnerungen. Die Möbel, die ganze Einrichtung und sogar gewisse Gerüche von Parfum, Duftkerzen und Räucherstäbchen, die weiter in der Luft hingen, waren mit Kate verbunden. All das vermittelte Matthew den Eindruck, seine Frau würde ständig im Haus herumgeistern. Und trotzdem hatte er weder den Wunsch noch den Mut gehabt, umzuziehen. In dieser Zeit der Orientierungslosigkeit war das *townhouse* einer seiner letzten Bezugspunkte.

Aber nur ein Teil des Hauses verharrte in den Erinnerungen, wurde doch die obere Etage belebt durch April, die dort ein hübsches Schlafzimmer mit Bad und Ankleide und ein kleines Büro angemietet hatte. Im Stockwerk darunter befanden sich das Schlafzimmer von Matthew, von Emily und von dem zweiten Kind, das sich das Ehepaar noch gewünscht hatte. Was das Erdgeschoss betraf, so war es wie ein Loft – mit einem geräumigen Wohnzimmer und einer offenen Küche.

Matthew erwachte aus seiner Benommenheit und blinzelte mehrmals, um diese schmerzhaften Gedanken zu vertreiben. Er trat in die Küche, den Ort, wo sie früher so gerne ihr Frühstück eingenommen und sich abends, Seite an Seite an der Küchentheke sitzend, von den Erlebnissen des Tages erzählt hatten. Er nahm aus dem Kühlschrank einen Sixpack Bier heraus, öffnete eine Flasche, griff nach seinem Angstlöser und spülte ihn mit ein paar kräftigen Schlucken Alkohol hinunter. Ein brisanter Cocktail. Doch er kannte kein besseres Mittel, um sich zu betäuben und schnell einzuschlafen.

»Hey, schöner Mann, sei vorsichtig mit dieser Mischung, die kann gefährlich sein!«, rief April, die gerade die Treppe herunterkam.

Sie hatte sich umgezogen, um auszugehen, und sah wie immer umwerfend aus.

Mit verblüffender Natürlichkeit bewegte sie sich auf ihren schwindelerregend hohen High Heels in ihrem gewagten, schicken, wenn auch geradezu exzentrischen Ensemble mit einem Hauch Fetisch: transparentes Oberteil mit bordeauxfarbener Borte, Shorts aus Lackleder, blickdichte Strumpfhose und dunkle Strickjacke mit Ärmeln, die mit Nägeln verziert waren. Sie hatte das Haar zu einem Knoten hochgesteckt und matt schimmerndes Make-up aufgelegt, das ihren blutroten Lippenstift hervorhob.

»Willst du nicht mitkommen? Ich gehe ins Gun Shop, den neuen Pub an den Docks. Ihr frittierter Schweinekopf ist ein Gedicht. Ganz zu schweigen von ihrem Mojito. Momentan findest du hier die hübschesten Mädchen der ganzen Stadt.«

»Und Emily soll ich wohl allein in ihrem Zimmer zurücklassen?«

April fegte den Einwand gleich vom Tisch.

»Wir können die Nachbarstochter fragen. Die spielt gerne Babysitter.«

Matthew schüttelte den Kopf.

»Ich möchte nicht, dass meine viereinhalbjährige Tochter in einer Stunde aus einem Albtraum aufwacht, um festzustellen, dass ihr Vater sie im Stich gelassen hat, um Mojitos in einer Bar für satanistische Lesben zu trinken.«

Verärgert zog April ihr breites, mit purpurfarbenen Arabesken besetztes Armband zurecht.

»Der Gun Shop ist keine Bar für Lesben«, knurrte sie. »Und außerdem ist es mir ernst, Matt, es würde dir guttun auszugehen, unter Leute zu kommen, wieder zu versuchen, den Frauen zu gefallen, und dir eine ins Bett zu holen ...«

»Aber wie, bitte schön, soll ich mich wieder verlieben? Meine Frau ...«

»Ich rede hier nicht von Gefühlen«, fiel sie ihm ins Wort. »Ich rede vom Vögeln! Von Körpernähe, von Spaß, von Lust. Ich kann dich Freundinnen vorstellen. Aufgeschlossene Mädels, die sich ein wenig amüsieren wollen.«

Er starrte sie an wie eine Außerirdische.

»Gut, wie du willst«, sagte sie und knöpfte ihre Strickjacke zu. »Aber hast du dich nie gefragt, was Kate denken würde?«

»Ich verstehe nicht ganz.«

»Wenn sie dich von dort oben sehen könnte – wie würde sie dein Verhalten finden?«

»Es gibt kein ›Da-oben‹! Fang jetzt bloß nicht auch noch damit an!«

Sie ging nicht darauf ein.

»Egal. Ich werde dir sagen, was sie denken würde: Sie wäre froh, wenn du Fortschritte machen, dich selbst am Kragen packen und dir wenigstens eine Chance geben würdest, wieder Freude am Leben zu finden.«

Er spürte Zorn in sich aufsteigen.

»Wie kannst du in ihrem Namen sprechen? Du kennst sie ja gar nicht! Du bist ihr nicht einmal begegnet!«

»Das stimmt«, musste April zugeben. »Aber ich glaube, auf gewisse Weise gefällst du dir in deinem Schmerz und pflegst ihn geradezu, denn der Schmerz ist das letzte Band, das dich noch mit Kate verbindet …«

»Hör auf mit deinem Frauenmagazin-Psychokram!«, entgegnete er aufgebracht.

Gekränkt machte sie sich nicht einmal die Mühe, zu antworten, und schlug die Haustür hinter sich zu.

—

Allein zurückgeblieben, flüchtete sich Matthew auf die Couch. Er nahm einen Schluck aus der Bierflasche, streckte sich aus und rieb sich die Schläfen.

Verdammter Mist ...

Er hatte nicht die geringste Lust, mit einer Frau zu schlafen, einen anderen Körper zu liebkosen oder einen anderen Mund zu küssen. Er wollte allein sein. Er brauchte niemanden, der ihn verstand, niemanden, der ihn tröstete. Er wollte sich nur seinem Schmerz hingeben, als einzige Begleiter sein Bier und seine Pillen.

Sobald er die Augen schloss, zogen Bilder an ihnen vorbei wie ein Film, den er bereits Hunderte von Malen gesehen hatte. Die Nacht vom 24. auf den 25. Dezember 2010. An diesem Abend hatte Kate bis um einundzwanzig Uhr im Boston Children's Hospital Dienst, einem Nebentrakt des MGH, dem Massachusetts General Hospital. Kate hatte ihn gegen Ende ihrer Dienstzeit angerufen.

»Mein Wagen steht auf dem Krankenhausparkplatz und springt nicht an, Darling. Du hattest wie immer recht: Ich muss mich von dieser Klapperkiste verabschieden.«

»Ich hab's dir schon tausend Mal gesagt ...«

»Aber ich hänge doch so an diesem alten Mazda Coupé! Du weißt, es war der erste Wagen, den ich mir als Studentin leisten konnte!«

»Das war in den Neunzigern, Liebes, und schon damals war es ein Auslaufmodell ...«

»Ich versuche, eine U-Bahn zu erwischen.«

»Du machst wohl Witze? In der Gegend, um diese Zeit, das ist viel zu gefährlich. Ich nehme das Motorrad und hole dich ab.«

»Nein, es ist wirklich sehr kalt. Und bei diesem Schneeregen wäre das viel zu riskant, Matt.«

Da er insistierte, gab sie schließlich nach.

»Okay, aber sei bitte sehr vorsichtig!«

Das waren ihre letzten Worte, bevor sie auflegte.

Matthew hatte sich auf seine alte Triumph geschwungen. Als er eben Beacon Hill hinter sich gelassen hatte, war es Kate gelungen, den Motor ihres kleinen Mazda zu starten. Doch um 21:07 Uhr, als sie eben den Krankenhausparkplatz verlassen wollte, war ein LKW, der Mehl an Bäckereien lieferte, mit voller Wucht auf das Auto geprallt.

Der Wagen war gegen die Mauer geschleudert worden, hatte sich überschlagen und war auf dem Dach gelandet. Zu allem Unglück war der LKW ebenfalls umgekippt und auf den Mazda gefallen. Als Matthew im Krankenhaus eintraf, waren die Feuerwehrleute noch dabei, Kate aus ihrem Gefängnis aus zusammengepressten Blechteilen zu befreien. Über eine Stunde brauchten sie, bis sie Kate ins MGH transportieren konnten, wo sie noch in derselben Nacht verstarb.

Der LKW-Fahrer war unverletzt davongekommen. Die toxikologischen Analysen, die man nach dem Unfall vorgenommen hatte, hatten ergeben, dass er unter Einfluss von Cannabis gestanden hatte. Bei dem Polizeiverhör hatte er allerdings erklärt, Kate habe bei dem Zusammenprall mit dem Handy telefoniert und die Vorfahrt nicht beachtet.

Eine Version, die Fotos der Überwachungskamera am Eingang des Parkplatzes bestätigt hatten.

—

Matthew öffnete die Augen und richtete sich auf. Er durfte sich nicht gehen lassen. Das war er Emily schuldig. Er stand auf und suchte nach einer Beschäftigung. Klausuren korrigieren? Ein Basketball-Spiel im Fernsehen anschauen? Plötzlich blieb sein Blick an der Stofftasche mit dem gebrauchten Laptop hängen, den er wenige Stunden zuvor gekauft hatte.

Er ließ sich an der Küchentheke nieder, zog den Rechner aus dem Karton, schloss ihn ans Netz an und betrachtete erneut das sonderbare Aluminiumgehäuse mit dem »Eva und der Apfel«-Sticker.

Er klappte das Gerät auf und entdeckte ein Post-it, das auf dem Bildschirm klebte. Der Typ vom Flohmarkt hatte ihm das Passwort des Administrators notiert.

Matthew schaltete den Laptop an und tippte das Passwort ein. Auf den ersten Blick war alles normal; Desktop und die üblichen Mac-Symbole. Er gab seine eigenen Daten ein, um sich ins Internet einzuloggen, und schmökerte für einige Minuten in den Programmen herum, um sicherzugehen, dass er alle Apps öffnen konnte: Textverarbeitung, Browser, Mailbox, Fotoverwaltung. Als er diese App anklickte, stieß er zu seinem Erstaunen auf eine Serie von Fotos.

Seltsam. Der Verkäufer hatte ihm doch versichert, die Festplatte neu formatiert zu haben …

Er drückte auf eine Taste und startete eine Diashow. Es war ein Urlaubsalbum mit Postkartenansichten. Türkisfarbenes Meer, senkrecht im weißen Sand steckende Surfbretter, ein Mann und eine Frau, eng umschlungen verewigt im magischen Licht der untergehenden Sonne.

Hawaii? Bahamas? Malediven? Bei der Frage stellte er sich das Tosen der Meereswellen und das Gefühl vor, wie der Wind in den Haaren spielte.

Auf die See folgten begrünte Hügel, Weinberge, Schlösser, ein kleiner Dorfplatz.

Frankreich oder die Toskana.

Neugierig stoppte er die Diashow und klickte auf jedes einzelne Foto, um mehr Informationen zu erhalten. Neben den technischen Merkmalen enthielt jedes von ihnen die Bemerkung »aufgenommen von emma. lovenstein@imperatornyc.com.«

Emma Lovenstein …

Er stellte augenblicklich die Verbindung zu der Signatur unterhalb des »Eva und der Apfel«-Stickers her.

»Emma L.«

Ganz offensichtlich die frühere Besitzerin des Computers.

Er klickte nacheinander alle Fotos an und schob sie in den Papierkorb. Als er sie endgültig löschen wollte, überkam ihn ein leichter Zweifel, und er schrieb, um sein Gewissen zu beruhigen, eine kurze E-Mail.

Von: Matthew Shapiro
An: Emma Lovenstein
Betrifft: Fotos

Guten Abend, Miss Lovenstein,
Ich bin der neue Besitzer Ihres MacBooks.
Es sind ein paar Fotos auf der Festplatte Ihres alten Computers zurückgeblieben.
Soll ich Sie Ihnen mailen, oder kann ich sie löschen?
Geben Sie mir bitte Bescheid.
Mit den besten Grüßen,
Matthew Shapiro

Kapitel 4

Strangers in the night

Ich glaube nicht an das Getrennte.
Wir sind nicht Einzelne.

Virginia Woolfe, *Die Wellen*

Von: Emma Lovenstein
An: Matthew Shapiro
Betrifft: Re: Fotos

Sehr geehrter Herr Shapiro,
Sie müssen sich in der Adresse geirrt haben. Ich
besitze zwar ein MacBook, habe es jedoch nie verkauft! Die Fotos, über die Sie verfügen, sind also nicht
von mir :-)
Herzliche Grüße,
Emma

─────────────────

Emma Lovenstein
Stellvertretende Chef-Sommelière
Imperator
30 Rockefeller Plaza New York, NY 10 020

2 Minuten später

Alles klar, war ein Irrtum, tut mir leid.

Schönen Abend.

Matthew

P. S.: Sie arbeiten im Imperator? Vielleicht haben wir uns dort bereits gesehen. Meine Frau und ich haben den Jahrestag unserer ersten Begegnung dort gefeiert!

45 Sekunden später

Tatsächlich? Wann war das?

1 Minute später

Vor etwas mehr als vier Jahren. Am 29. Oktober.

30 Sekunden später

Dann war es einige Wochen, bevor ich dort angefangen habe! Ich hoffe, Sie haben das Restaurant in guter Erinnerung behalten.

1 Minute später

Ja, es war ganz ausgezeichnet. Ich erinnere mich sogar noch an einige Gerichte: karamellisierte Froschschenkel, Kalbsbries mit Trüffel und eine Milchreis-Makrone!

30 Sekunden später

Und die Weine? Der Käse?

1 Minute später
Auch auf die Gefahr hin, Sie zu enttäuschen,
Emma, aber ehrlich gesagt trinke ich keinen Wein
und esse keinen Käse ...

1 Minute später
Wie traurig! Sie wissen ja gar nicht, was Ihnen entgeht. Wenn Sie wieder einmal ins Restaurant kommen, werde ich Sie von einigen guten Weinen kosten
lassen! Leben Sie in New York, Matthew?

30 Sekunden später
Nein, in Boston. In Beacon Hill.

20 Sekunden später
Das ist ja gleich nebenan! Also, laden Sie Ihre Frau im
kommenden Herbst zur Feier des fünften Jahrestages
Ihres Kennenlernens ein!

3 Minuten später
Das wird schwierig werden, meine Frau ist tot.

1 Minute später
Das ist mir jetzt wirklich peinlich.
Bitte entschuldigen Sie.

1 Minute später
Das konnten Sie ja nicht wissen, Emma.
Einen schönen Abend noch.

Matthew sprang auf und entfernte sich von dem Laptop. Das also kam dabei heraus, wenn man sich mit Unbekannten im Internet unterhielt! Wie hatte er sich nur auf diesen surrealistischen Dialog einlassen können? Ohne Bedauern löschte er die Fotos und öffnete eine neue Flasche Bier.

Der Dialog hatte ihn zwar verstimmt, aber er hatte auch seinen Appetit angeregt. Er öffnete den Kühlschrank, um festzustellen, dass er leer war.

Logisch, von allein wird er nicht voll ... raunte ihm eine kleine Stimme zu.

Im Tiefkühlfach fand er immerhin noch eine Pizza, die er in die Mikrowelle schob. Er stellte die Uhr ein und kehrte an seinen Bildschirm zurück. Er hatte eine neue Nachricht von Emma Lovenstein erhalten ...

—

Mist, was bin ich doch für ein Tölpel! Aber wie hätte ich auch darauf kommen sollen, dass seine Frau tot ist?, haderte Emma mit sich.

Dieser Austausch hatte ihr Interesse geweckt. Auf gut Glück tippte sie in Google »Matthew Shapiro + Boston« ein. Die ersten Ergebnisse, die sich zeigten, verwiesen auf die offizielle Internetseite der Harvard-Universität. Neugierig klickte sie den oberen Link an und landete bei der Kurzbiografie eines Dozenten der philosophischen Fakultät. Ihr geheimnisvoller Gesprächspartner unterrichtete offenbar an dieser angesehenen Fakultät. Der

Lebenslauf des Professors enthielt auch ein Foto: Shapiro war ein attraktiver Brünetter von knapp vierzig Jahren mit dem rassigen Charme eines John Cassavetes. Sie zögerte kurz, bevor sie auf der Tastatur tippte:

Von: Emma Lovenstein
An: Matthew Shapiro

Haben Sie schon zu Abend gegessen, Matthew?

—

Matthew runzelte die Stirn. Diese Einmischung in sein Leben behagte ihm nicht. Dennoch antwortete er spontan:

Von: Matthew Shapiro
An: Emma Lovenstein

Wenn Sie es ganz genau wissen möchten: Ich habe soeben eine Pizza in die Mikrowelle geschoben.

30 Sekunden später
Gut, vergessen Sie die Tiefkühlpizza, Matthew. Ich schlage Ihnen folgende Alternative vor.
Kennen Sie Zellig Food, das große Delikatessengeschäft in der Charles Street? Die Käse- und Wursttheken dort sind fabelhaft.
Wenn Sie einen Feinschmeckerabend verbringen möchten, statten Sie dem Laden einen Besuch ab.

Kaufen Sie etwas von den köstlichen Ziegenkäse-sorten. Wählen Sie beispielsweise eine der Spezialitä-ten mit Feigen oder Wasabi aus. Ja, ich weiß, diese Kombination klingt überraschend, aber zusammen mit einem weißen Sauvignon von der Loire – nehmen wir einen Sancerre oder einen Pouilly-Fumé – wird eine perfekte Harmonie erzielt.

Außerdem empfehle ich Ihnen, die Gänseleber-Blätter-teigpastete mit Pistazien zu probieren, die sich hervor-ragend mit dem samtigen Tanin eines Burgunder-weins der Côte de Nuits verbindet. Sollten Sie einen Gevrey-Chambertin 2006 finden, schlagen Sie zu!

Das sind meine Empfehlungen. Sie werden sehen, eine Tiefkühlpizza kann da nicht mithalten ...

Emma

P. S.: Im Internet habe ich soeben festgestellt, dass Sie von Beacon Hill sogar zu Fuß zu Zellig Food gehen können, aber beeilen Sie sich, der Laden schließt um 22 Uhr ...

Matthew starrte auf den Bildschirm und schüttelte den Kopf. Schon lange hatte sich niemand mehr um sein Wohlergehen gesorgt ... Doch schnell fasste er sich wie-der und rebellierte sofort. Mit welchem Recht erlaubte sich diese Emma Lovenstein, ihm vorzuschreiben, wie er seinen Abend zu verbringen habe?

Verärgert schloss er seine Mailbox und öffnete den Webbrowser. Der Neugier nachgebend, tippte er »Emma Lovenstein + Sommelière« ein. Er klickte gleich das erste Ergebnis an: einen Online-Artikel der Zeitschrift *Wine Spectator*. Die Ausgabe stammte vom letzten Jahr. Unter dem Titel »Zehn junge Talente, deren Namen man sich merken sollte« wurde ein Porträt der neuen Sommelier-Generation gezeichnet. Erstaunlicherweise waren die meisten dieser »jungen Talente« Frauen. Das vorletzte Porträt befasste sich mit Emma. Illustriert war es mit einem Foto, das im Hightech-Weinkeller des Restaurants Imperator aufgenommen worden war. Matthew vergrößerte das Foto mit dem Zoom. Kein Zweifel: Die junge Sommelière war dieselbe Person wie die Frau auf den Urlaubsfotos, die er auf der Festplatte des Laptops gefunden hatte. Eine attraktive Brünette mit strahlenden Augen und einem verschmitzten Lächeln.

Merkwürdig ... Warum hatte sie behauptet, dieser Laptop habe ihr nicht gehört? Verlegenheit? Scham? Das war möglich, aber warum setzte sie in diesem Fall den Dialog fort?

Das Klingeln der Mikrowellen-Schaltuhr meldete, dass die Pizza fertig war.

Anstatt aufzustehen, griff Matthew nach seinem Telefon, um seine Nachbarn anzurufen. Er fragte, ob deren Tochter Elizabeth etwa eine halbe Stunde auf Emily aufpassen könne. Er habe bei Zellig Food etwas zu besorgen und müsse sofort los: Der Laden mache um zweiundzwanzig Uhr zu ...

—

Das Pub Gun Shot vibrierte im Bassrhythmus eines Electro-Dance-Hits. April setzte ihre Ellbogen ein und bahnte sich einen Weg durch die Menge nach draußen, um eine Zigarette zu rauchen.

Hupps, ich bin doch tatsächlich ein bisschen beschwipst ... dachte sie, während sie über den Bordsteinrand stolperte. Die frische Nachtluft tat ihr gut. Sie hatte zu viel getrunken, zu viel getanzt und zu viel geflirtet. Sie rückte ihren BH-Träger zurecht und schaute dabei auf ihre Uhr. Es war schon spät. Mit ihrem Handy bestellte sie sich bei einem Taxiunternehmen einen Wagen, steckte sich eine Zigarette in den Mund und suchte in ihrer Handtasche nach dem Feuerzeug.

Wo ist dieses verdammte Ding nur geblieben?

»Suchst du das?«, fragte eine Stimme hinter ihr.

April wandte sich um und sah eine junge Blondine mit strahlendem Lächeln. Julia, die Schönheit, mit der sie den ganzen Abend über geflirtet hatte und die auf keinen ihrer Annäherungsversuche eingegangen war. Kurz geschnittenes Haar, feuriger Blick, anmutige Sylphiden-Gestalt auf schwindelerregenden High Heels: absolut Aprils Typ.

»Du hast es an der Theke vergessen«, erklärte die junge Frau und entlockte dem mit Perlmutt und rosa Lack verzierten Feuerzeug eine Flamme.

April näherte sich, um ihre Zigarette daran anzuzünden. Von der durchscheinenden Haut, den sinnlichen Lippen und den zarten Zügen ihres Gegenübers wie hypnotisiert, spürte sie ein heftiges Verlangen tief in ihrem Inneren aufkeimen.

»Drinnen kann man sein eigenes Wort nicht verstehen«, bemerkte Julia.

»Das stimmt. Diese Musik ist nichts mehr für Leute in meinem Alter«, scherzte April.

Eine Lichthupe zog die Aufmerksamkeit der beiden Frauen auf sich.

»Das ist mein Taxi«, erklärte April und deutete auf den Wagen. »Wenn du dich anschließen möchtest ...«

Einen Augenblick tat Julia so, als zögere sie. Sie wusste, dass die Initiative bei ihr lag.

»Einverstanden, wirklich nett. Ist auch kein großer Umweg für dich, ich wohne ganz in der Nähe in der Pembroke Street.«

Die beiden Frauen stiegen hinten in das Auto ein. Während das Taxi die Uferstraße am Charles River verließ, ließ Julia ihren Kopf sanft an Aprils Schulter sinken, die fast vor Verlangen verging, sie zu küssen. Sie tat nichts dergleichen, gestört durch den aufdringlichen Blick des Taxifahrers.

Glaub ja nicht, du könntest hier etwas zu sehen bekommen ... dachte sie und starrte ihn im Rückspiegel herausfordernd an.

Nach weniger als fünf Minuten hielt der Wagen an einer von Bäumen gesäumten Straße.

»Wenn du noch auf ein Gläschen mitkommen magst …«, schlug Julia lässig vor. »Eine meiner ehemaligen Studienkolleginnen hat mir ein Getränk mit Aloe-Mark geschickt. Super gut, sie braut es selbst! Es wird dir schmecken.«

Erfreut über die Einladung, deutete April ein Lächeln an. Im entscheidenden Moment jedoch hielt etwas sie zurück – eine nagende Unruhe. Diese Julia hatte es ihr wirklich angetan, aber sie machte sich Sorgen um Matthew. Als sie ihn am frühen Abend verlassen hatte, war er ihr besonders deprimiert erschienen, vielleicht sogar imstande, eine Dummheit zu begehen … Es war sicher absurd, doch sie bekam diesen Gedanken nicht aus dem Kopf. Plötzlich durchzuckte die Vision sie, ihn an einem Dachbalken erhängt oder mit einer Medikamentenvergiftung im Koma vorzufinden.

»Hör mal, eigentlich sehr gerne, aber das geht jetzt nicht«, stammelte sie.

»Okay, verstehe …«, antwortete Julia gekränkt.

»Nein, warte! Gib mir deine Telefonnummer. Wir könnten …«

Zu spät. Die hübsche Blondine hatte bereits die Autotür zugeschlagen.

Mist …

April seufzte, dann bat sie den Taxifahrer, sie zur Ecke Mount Vernon/Willow Street zu bringen. Während der gesamten Fahrt war sie von Angst zerfressen. Sie kannte Matthew erst seit einem Jahr, aber sie hatte ihn und die kleine Emily wirklich ins Herz geschlossen. Seine

Trauer berührte sie, nur wusste sie leider nicht, wie sie ihm helfen könnte. Matthew liebte seine Frau noch so sehr, dass April sich nicht vorstellen konnte, wie eine andere Kandidatin über kurz oder lang einen Platz in seinem Leben erhalten könnte. Kate war brillant, bildschön, jung und altruistisch gewesen. Welche Frau war schon in der Lage, mit einer Herzchirurgin zu konkurrieren, die aussah wie ein Mannequin?

Das Auto hielt vor dem *townhouse* an. April bezahlte und schloss so leise wie möglich die Haustür auf. Sie erwartete, Matthew schnarchend auf dem Sofa vorzufinden, benommen von seinem Cocktail aus Bier und Angstlösern. Stattdessen hockte er mit einem vergnügten Lächeln vor dem Bildschirm seines neuen Laptops und wiegte den Kopf im Rhythmus von Jazzmusik.

»Schon zurück?«, fragte er erstaunt.

»Ist gut, zeig deine Freude, mich zu sehen, nicht allzu deutlich!«, antwortete sie erleichtert.

Auf der Küchentheke entdeckte sie die angebrochenen Weinflaschen sowie die Reste der feinen Käsesorten und der Pastete.

»Wie ich sehe, lässt du's dir gut gehen! Du warst noch einkaufen? Ich dachte, du wolltest deinen Bau nicht mehr verlassen.«

»Ich hatte es satt, Tiefkühlkost zu essen«, rechtfertigte er sich unbeholfen.

Sie musterte ihn zweifelnd und kam näher.

»Du amüsierst dich wohl gut mit deinem neuen Spielzeug«, spöttelte sie und blickte ihm über die Schulter.

Schnell klappte Matthew den Laptop zu. Unbehaglich versuchte er, die Fotos zu verbergen, die er aus dem Papierkorb des Computers wieder hervorgeholt und soeben ausgedruckt hatte. April war jedoch schneller.

»Sehr hübsch«, urteilte sie. »Wer ist das?«

»Die Sommelière eines bekannten Restaurants in New York.«

»Und was ist das für eine Musik? Ich dachte, du magst Jazz nicht.«

»Das ist Keith Jarrett, das Köln Concert. Wusstest du, dass Musik eine Weinprobe beeinflussen kann? Forscher haben herausgefunden, dass bestimmte Jazzstücke die Bereiche im Gehirn anregen, mit denen die Qualitäten edler Weine besser wahrgenommen werden. Verrückt, was?«

»Spannend. Hat dir das deine neue Freundin erzählt?«

»Das ist nicht meine ›Freundin‹. Rede keinen Blödsinn.«

April sah Matthew vorwurfsvoll an.

»Und wegen dir habe ich den Fang des Jahrhunderts verpasst, denn ich habe mir Sorgen um dich gemacht!«

»Ich danke dir für deine Fürsorge, aber ich hatte dich um nichts gebeten.«

Sie fuhr mit erhobener Stimme fort: »Ich hatte mir vorgestellt, du könntest in Depression verfallen und suizidgefährdet sein, dabei machst du hier einen auf Gourmet und verkostest edle Weine mit einem Mädchen, das du im Internet kennengelernt hast!«

»Warte mal, was soll das? Eine Eifersuchtsszene?«

Die schöne Galeristin schenkte sich ein Glas Wein ein und brauchte einige Minuten, um sich wieder zu beruhigen.

»Gut, also wer ist diese Frau?«

Nachdem er sich eine Weile hatte bitten lassen, berichtete Matthew schließlich von seinem Abend, angefangen bei den Fotos auf der Festplatte des Laptops bis zu diesem merkwürdigen Dialog, der sich zwischen Emma und ihm entwickelt hatte. Im Laufe von drei Stunden hatten sie sich in Dutzenden von E-Mails über alle möglichen Themen ausgelassen. Sie hatten sich über ihre gemeinsame Leidenschaft für Cary Grant, Marilyn Monroe, Billy Wilder, Gustav Klimt, für die Filme *Die Venus von Milo*, *Frühstück bei Tiffany* und *Rendezvous nach Ladenschluss* unterhalten und die Jahrhundertdebatten aufgegriffen: Beatles kontra Rolling Stones, Audrey kontra Katharine Hepburn, Red Sox kontra Yankees, Frank Sinatra kontra Dean Martin. Dann hatten sie über den Film *Lost in Translation* gestritten, für Matthew ein »völlig überschätzter« Film, für Emma hingegen »ein unübertreffliches Meisterwerk«. Sie hatten überlegt, welche Novelle von Stefan Zweig die beste sei, welches Bild von Edward Hopper sie am meisten anspräche, welcher Song auf dem Album *Unplugged* von Nirvana der herausragendste sei. Jeder hatte seine Argumente vorgebracht, um darüber zu befinden, ob das Buch *Jane Eyre* dem Titel *Stolz und Vorurteil* vorzuziehen sei, ob das Lesen eines Romans auf einem iPad ebenso angenehm sei wie das Umblättern der Seiten eines gedruckten Buches, ob *Off the Wall* oder *Thriller* der Vorzug zu geben sei, ob *Mad Men* derzeit die beste TV-Serie sei, ob die akustische Version von *Layla* und die Originalversion gleichwertig seien, ob *Get Yer Ya-Ya's Out!* das beste Live-Album aller Zeiten sei, ob ...

»Gut, das reicht, ich habe verstanden«, fiel April ihm schließlich ins Wort. »Und abgesehen davon habt ihr beiden Hübschen euch eine kleine Cybersex-Session gegönnt?«

»Ich glaube, du spinnst!«, rief er empört. »Wir unterhalten uns, das ist alles.«

»Natürlich ...«

Matthew schüttelte den Kopf. Ihm gefiel die Wendung, die dieses Gespräch nahm, ganz und gar nicht.

»Und wer sagt dir, dass tatsächlich diese hübsche Brünette vor dem Bildschirm sitzt?«, fragte April. »Identitätsdiebstahl im Internet ist weitverbreitet. Vielleicht unterhältst du dich seit drei Stunden mit einem dickbäuchigen achtzigjährigen Opa ...«

»Du hast offenbar die Absicht, mir den Abend zu verderben ...«

»Ganz im Gegenteil, ich freue mich, dass du dich wieder aufrappelst. Aber ich möchte nicht, dass du enttäuscht wirst und dich zu stark engagierst, falls diese Person in Wirklichkeit nicht die ist, die du dir vorstellst.«

»Was schlägst du also vor?«

»Dass du sie möglichst bald triffst. Warum lädst du sie nicht in ein Restaurant ein?«

Er schüttelte den Kopf.

»Du bist ja verrückt, das ist viel zu früh! Sie wird glauben, dass ...«

»Sie wird überhaupt nichts glauben! Man muss das Eisen schmieden, solange es heiß ist. So läuft das heute. Man merkt, dass du seit einer Ewigkeit nicht mehr am Spiel der Verführung teilgenommen hast.«

Verlegen, wie er war, brauchte Matthew Zeit zum Nachdenken. Er hatte das Gefühl, dass ihm die Situation entglitt. Weder wollte er die Dinge überstürzen noch vorschnell seiner Begeisterung nachgeben. Letztendlich kannte er diese Emma Lovenstein nicht *wirklich*. Er musste jedoch zugeben, dass es zwischen ihnen eine Art Seelenverwandtschaft gab, beiderseitige Freude an einem Austausch, an einer mehrstündigen Atempause im tristen Alltag. Ihm gefiel zudem die romantische Seite ihrer Begegnung, die Rolle, die der Zufall dabei gespielt hatte oder vielleicht sogar ... das Schicksal.

»Lade sie so bald wie möglich ein«, riet April ihm erneut. »Wenn du mich brauchst, passe ich gerne auf Emily auf.«

Sie unterdrückte ein Gähnen und blickte auf ihre Armbanduhr.

»Ich habe zu viel getrunken, ich gehe schlafen«, sagte sie und hob die Hand zum Abschied.

Matthew winkte zurück und sah ihr nach, wie sie die

Treppe hinaufging. Sobald er wieder allein war, öffnete er den Laptop und beeilte sich, seinen Posteingang anzuklicken. Er hatte keine neue Mail von Emma. Vielleicht war sie der ganzen Sache überdrüssig geworden. Vielleicht hatte April recht. Vielleicht durfte er nicht zu viel erwarten.

Er beschloss, sich Gewissheit zu verschaffen.

Von: Matthew Shapiro
An: Emma Lovenstein
Betrifft: Einladung

Sind Sie noch an Ihrem Computer, Emma?

1 Minute später
Ich bin im Bett, Matthew, aber mein Laptop steht neben mir. Ich habe Ihr *Antilehrbuch der Philosophie* auf meinen E-Book-Reader geladen und verschlinge es. Ich wusste gar nicht, dass Cicero auf Latein »Kichererbse« bedeutet :-)

Wie unter dem Einfluss einer unsichtbaren Kraft, wagte Matthew das Undenkbare.

45 Sekunden später
Ich mache Ihnen einen Vorschlag, Emma.
Es gibt ein kleines italienisches Restaurant im East Village – das Number 5 südlich vom Tompkins Square Park. Es wird von Vittorio Bartoletti und sei-

ner Frau geführt, die ich beide noch aus Kindertagen kenne. Ich esse jedes Mal dort, wenn ich
in New York bin, um die Vorträge in der Morgan
Library zu besuchen. Ich weiß nicht, ob ihre Weinkarte etwas taugt, aber wenn Sie gerne Arancini
bolognese, Lasagne, Tagliatelle al ragù und sizilianische Cannoli mögen, dürfte Ihnen dieses Lokal
gefallen.
Würden Sie dort mit mir essen?

30 Sekunden später.
Mit Vergnügen, Matthew. Wann sind Sie das nächste
Mal in New York?

30 Sekunden später.
Der nächste Vortrag ist am 15. Januar, aber viel-
leicht könnten wir uns vorher schon sehen.
Warum nicht morgen Abend? 20 Uhr?

—

Morgen ...
   Morgen!
   MORGEN!
Emma wäre am liebsten auf ihrem Bett herumge-
hüpft. Das war zu schön, um wahr zu sein!
»Hast du das gehört, Clovis? Ein Wahnsinnstyp, noch
dazu intelligent, möchte mich zum Abendessen einla-
den! Ein sexy Philosophie-Prof hat es auf mich abgese-

hen!«, verkündete sie ihrem Hund, der am Fuß ihres Bettes döste.

Um dem Shar-Pei eine Gemütsbewegung zu entlocken, war schon etwas mehr nötig. Immerhin aber gab er höflichkeitshalber einen Grunzlaut von sich.

Emma jubelte. Sie hatte einen ebenso perfekten wie unerwarteten Abend verbracht. Mit ein paar E-Mails hatte Matthew Shapiro wieder Sonne und Selbstvertrauen in ihr Leben gezaubert. Und morgen Abend würde sie ihm leibhaftig gegenüberstehen. Außer dass sie … arbeiten musste.

Plötzlich beunruhigt, richtete Emma sich auf und hätte dabei beinahe ihre Teetasse umgestoßen. Das war der große Nachteil ihres Berufs: Sie konnte nicht über ihre Abende verfügen. Zwar hatte sie noch Urlaubstage übrig, würde diese aber nicht von heute auf morgen nehmen können, denn in der Gastronomie herrschte im Monat Dezember Hochbetrieb.

Sie überlegte kurz und beschloss, sich keine Sorgen zu machen. Sie würde einen Kollegen bitten, den Abenddienst für sie zu übernehmen. Das war kompliziert, aber machbar. Auf jeden Fall kam es nicht infrage, das »romantische Rendezvous« – wie ihre Großmutter es genannt hätte – zu verpassen.

Daher schrieb sie breit lächelnd ihre für diesen Abend letzte E-Mail:

Einverstanden, Matthew. Ich werde sehen, dass ich freibekomme.

Danke für diesen angenehmen Abend.

Bis morgen also!

Schlafen Sie gut.

P. S.: Ich liebe Lasagne und Arancini ...

Und auch Tiramisu!

Zweiter Tag

Kapitel 5

Zwischen den beiden

Wer seine Rolle im Leben begriffen hat, sucht sich beizeiten ein Double.

Stanislaw Jerzy Lec, *Neue unfrisierte Gedanken*

Am nächsten Tag
Boston
12:15 Uhr

Matthew schloss die Tür hinter sich und stieg die wenigen Stufen zur Straße hinab. In der Nacht hatte es geregnet, doch jetzt war Beacon Hill in strahlendes Sonnenlicht getaucht. Vom Louisbourg Park stieg der Duft von Herbst auf. Die Schultertasche umgehängt, setzte er den aerodynamischen Helm auf, schwang sich auf sein Fahrrad und trat pfeifend in die Pedale. Seit wann war ihm nicht mehr so leicht ums Herz gewesen? Ein Jahr lang hatte er wie ein Phantom gelebt, doch heute Morgen war er mit klarem Kopf aufgewacht. Er hatte drei Vorlesungen abgehalten, mit den Studenten gescherzt und wieder Freude am Unterrichten gefunden.

Die eisenharte Faust, die sein Herz umschloss, lockerte sich zunehmend. Er spürte wieder das pulsierende Leben um sich herum und hatte den Eindruck, daran teilzunehmen. Berauscht von diesem neuen Elan, legte er sich in die Kurve und bog in die Brimmer Street ein. Als er den Public Garden vor sich sah, beschleunigte er das Tempo, ließ sich den Wind um die Nase wehen und genoss das erhebende Gefühl der Freiheit, während er am Park entlang Richtung Newbury Street fuhr.

Diese breite Avenue mit ihren schicken Cafés, den Modeboutiquen und Kunstgalerien war eine der belebtesten von ganz Back Bay. Bei schönem Wetter waren die Terrassen zur Mittagszeit überfüllt. Matthew kettete sein Fahrrad vor einem eleganten Brownstone-Gebäude an, in dessen Erdgeschoss sich ein Restaurant befand. Das Bistro 66 war sein Stammlokal, wenn er mit April zu Mittag aß. Eilig nahm er draußen am letzten freien Tisch Platz und machte dem Kellner ein Zeichen. Sobald er sich niedergelassen hatte, zog er seinen neuen Laptop aus der Tasche und loggte sich in das Wi-Fi des Lokals ein. Mit wenigen Mausklicks buchte er auf der Homepage der Delta Airlines ein Ticket nach New York. Wenn er den Flug um 17:15 Uhr nähme, würde er um neunzehn Uhr auf dem JFK Airport landen. Gerade rechtzeitig, um nicht zu spät zu seinem Essen mit Emma zu kommen. Dann rief er im Number 5 an und hatte seine

Freundin Connie am Apparat. Sie hatten sich lange nicht gesprochen, und sie freute sich und wollte ihm tausend Sachen erzählen, doch es war Mittagszeit, und eine der Bedienungen war krank. Sie merkte seine Reservierung vor und würde den Abend abwarten, um sich in Ruhe mit ihm unterhalten zu können.

»Ist hier noch frei, junger Mann?«

Matthew legte auf und zwinkerte April zu.

»Aber sicher, der Platz wartet nur auf Sie!«

Sie setzte sich unter eine der Wärmelampen, die auf der Terrasse aufgestellt waren, und hob die Hand, um ein Glas Pinot Grigio und einen Teller Crab Cakes zu bestellen.

»Was nimmst du?«

»Einen kleinen Caesar-Salat und ein Glas Wasser.«

»Machst du jetzt Diät?«

»Ich lasse mir Platz für heute Abend, da gehe ich ins Restaurant.«

»Ernsthaft? Hast du deine schöne Sommelière eingeladen? Herzlichen Glückwunsch, Matt, ich bin stolz auf dich!«

Man brachte ihnen die Getränke. April hob ihr Glas, und sie stießen an.

»Was willst du eigentlich anziehen?«, fragte sie leicht beunruhigt.

Matthew zuckte die Schultern.

»Na, irgendwas. Eigentlich wollte ich so gehen.«

Sie runzelte die Stirn und musterte ihn von Kopf bis Fuß.

»Mit dieser schlabbrigen Hose, die dir viel zu weit ist, deinem alten Kapuzen-Sweater, den Converse-Tretern und dem abgewetzten Militär-Parka? Das soll wohl ein Scherz sein, hoffe ich! Mal ganz zu schweigen von deinen viel zu langen Haaren und deinem Neandertaler-Bart.«

»Nun übertreib mal nicht.«

»Nein, ich übertreibe nicht, Matt. Überleg doch mal: Diese junge Frau arbeitet in einem der renommiertesten Restaurants von Manhattan. Ihre Gäste sind Geschäftsleute und Persönlichkeiten der Kunst- und Modewelt. Ein elegantes und erlesenes Publikum, das elegant gekleidet ist. Sie wird dich für einen Landfreak oder einen ewigen Studenten halten.«

»Aber ich will ihr nichts vormachen!«

April verwarf diese Argumentation.

»Ein erstes Rendezvous muss vorbereitet werden, so ist das nun mal. Und das Äußere zählt: Der erste Eindruck ist immer der entscheidende.«

»›Jemanden wegen seines Äußeren zu lieben ist, als würde man ein Buch wegen seines Einbands lieben‹, hat die franko-kanadische Schriftstellerin Laure Conan einmal gesagt«, erwiderte Matthew aufgebracht.

»Genau, versteck dich nur hinter deinen Zitaten. Aber heute Abend wirst du ganz schön alt aussehen ...«

Er seufzte, und seine Züge verfinsterten sich. Er drehte sich eine Zigarette, widerstand aber der Versuchung, sie anzuzünden, und gab nach kurzer Überlegung schließlich nach.

»Na schön, vielleicht kannst du mich ja etwas be-
raten ...«

—

New York
13:00 Uhr

»Lovenstein, Sie sind wohl völlig verrückt geworden«,
brüllte Peter Benedict und stieß die Glastür zum Keller
des Imperator auf.

Der Chef-Sommelier eilte auf seine Stellvertreterin
zu, die die Flaschen in die Metallregale einräumte.

»Wie konnten Sie es wagen, diese Weine zu bestellen?«, schrie er und wedelte mit einem Papier durch die
Luft.

Emma warf einen Blick darauf. Es handelte sich um
die Rechnung eines auf Grand Crus spezialisierten
Internet- Verkaufshauses. Die Bestellung umfasste drei
Flaschen:

1 Domaine de la Romanée-Conti 1991
1 Ermitage Cuvée Cathelin, J. L. Chave 1991
1 Graacher Himmelreich, Auslese, Domaine J. J. Prüm
  1982

Ein legendärer, üppiger Burgunder; ein rassiger, edler
Syrah und ein komplexer, vollmundiger Riesling. Drei
Grand Crus von perfekten Jahrgängen. Die drei besten

Weine, die sie je probiert hatte. Aber sie hatte die Flaschen nicht bestellt.

»Ich versichere Ihnen, dass ich nichts damit zu tun habe, Peter.«

»Halten Sie mich nicht zum Narren, Lovenstein. Der Bestellbon ist von Ihnen unterschrieben und die Rechnung mit der Kreditkarte des Imperator bezahlt worden.«

»Das ist unmöglich!«

Bleich vor Wut, überschüttete Benedict sie mit einer weiteren Flut von Vorwürfen.

»Ich habe gerade den Absender angerufen, und der hat mir die Lieferung der Flaschen hier ins Restaurant bestätigt. Ich will also wissen, wo sie sind, und zwar sofort!«

»Hören Sie, es handelt sich ganz offensichtlich um ein Missverständnis. Das ist nicht weiter schlimm. Man muss nur ...«

»Nicht schlimm? Die Kleinigkeit kostet uns schlappe zehntausend Dollar!«

»Das ist in der Tat eine erhebliche Summe, aber ...«

»Machen Sie, was Sie wollen, Lovenstein. Aber diese Rechnung muss vor heute Abend annulliert sein«, fauchte er und hob drohend den Finger in ihre Richtung: »Sonst fliegen Sie!«

Ohne eine Antwort abzuwarten, drehte er sich um und verließ den Keller.

Verblüfft angesichts der Heftigkeit der Auseinandersetzung, stand Emma eine Weile reglos da. Benedict war ein Sommelier der alten Schule, der die Meinung vertrat, eine Frau habe nichts in einem Weinkeller verloren. Und er hatte gute Gründe, seine Stellvertreterin als Bedrohung zu empfinden: Vor seinem überstürzten Rückzug hatte Jonathan Lempereur Emma zur Chef-Sommelière ernannt. Sie hätte Anfang dieses Jahres Benedicts Stelle übernehmen sollen, doch es war diesem gelungen, die Beförderung bei der neuen Direktion rückgängig zu machen. Seither verfolgte er das Ziel, ihr einen beruflichen Fehler nachzuweisen, um sich ihrer zu entledigen.

Emma betrachtete die Rechnung und kratzte sich am Kopf. Benedict war verbittert und rachsüchtig, aber er war nicht verrückt genug, um ein solches Spielchen zu erfinden.

Wer dann?

Die Weine waren nicht zufällig bestellt worden. Es handelte sich um die drei Referenzen, über die sie in der Woche zuvor mit einem Journalisten der Zeitschrift *Wine Spectator* gesprochen hatte, der die neue Generation von Sommeliers vorstellte. Sie versuchte, sich zu erinnern: Das Interview war im Marketingbüro des Restaurants geführt worden, und dort war anwesend gewesen ...

Romuald Leblanc!

Wütend verließ Emma den Keller, lief zum Aufzug und fuhr zum Empfang hinauf. Unangemeldet platzte sie in besagtes Büro und verlangte den Praktikanten zu sprechen, der für die Softwarewartung des Imperator eingestellt worden war. Dann riss sie die Tür auf und schloss sie hinter sich wieder.

»So, nun zu uns beiden, Brillenschlange!«

Überrascht von ihrem plötzlichen Auftauchen, fuhr Romuald hinter seinem Bildschirm zusammen. Er war ein pummeliger Teenager mit fettigem, zu einem Bubikopf geschnittenem Haar, blassem Gesicht und einer Brille mit dickem, eckigem Gestell. Die nackten Füße steckten in Flip-Flops, er trug eine löchrige Jeans und über seinem T-Shirt eine schmuddelige Kapuzenjacke.

»Hello, Miss, ähm … Lovenstein«, begrüßte er sie mit seinem französischen Akzent.

»Wie ich sehe, erkennst du mich, was ja schon mal ein guter Anfang ist«, meinte sie und kam drohend näher.

Sie warf einen Blick auf den Monitor.

»Wirst du etwa dafür bezahlt, dass du dich an den Bildern nackter Frauen aufgeilst?«

»Nein, ähm … aber ich habe Mittagspause.«

Unbehaglich rutschte der junge Franzose auf seinem Stuhl hin und her und biss, um Haltung zu wahren, in einen Schokoriegel, der auf dem Schreibtisch lag.

»Hör auf zu mampfen, Brillenschlange«, befahl sie.

Dann zog sie die Rechnung aus der Tasche und wedelte damit vor seiner Nase herum.

»Hast du diese Bestellung aufgegeben?«

Der Junge sackte zusammen und senkte den Blick. Doch Emma ließ nicht locker.

»Du hast zugehört, als ich dem Journalisten das Interview gegeben habe, stimmt's?«

Da Romuald nicht antwortete, hob sie die Stimme.

»Hör gut zu, du Vollidiot, ich habe nicht vor, deinetwegen meinen Job zu verlieren. Du musst mir nicht antworten, aber dann werde ich die Geschäftsführung bitten, die Polizei zu holen, und du wirst dich ihnen gegenüber erklären müssen.«

Diese Drohung war für den Jungen wie ein Elektroschock.

»Nein, bitte nicht! Es ... es stimmt. Ihre Art, über diese Weine zu sprechen, hat mich neugierig gemacht, und ich wollte sie probieren.«

»Du wolltest Weine kosten, von denen die Flasche über dreitausend Dollar kostet, du Weichei? Hast du nur Quark im Hirn oder was? Und wie hast du sie überhaupt bestellt?«

Mit einer Kopfbewegung deutete Romuald auf den Bildschirm.

»Nichts einfacher als das, hier sind weder die Computer noch das System gesichert. Ich konnte im Handumdrehen in das Buchhaltungsprogramm des Restaurants eindringen.«

Emma spürte, wie sich ihr Herzschlag beschleunigte.

»Und hast du die Flaschen aufgemacht?«

»Nein, sie sind hier«, antwortete er und erhob sich.

Er schlurfte zu einem Metallschrank, aus dem er eine helle Holzkiste mit den drei kostbaren Jahrgangsweinen holte.

Gott sei Dank!

Emma untersuchte jede Flasche – alle waren unbeschädigt.

Auf der Stelle rief sie den Lieferanten an und erklärte ihm, ein Hacker sei in das Kundenkonto des Imperator eingedrungen. Sie bot an, die Bestellung auf ihre Kosten zurückzuschicken, wenn die Rechnung storniert würde. Mit großer Erleichterung hörte sie, dass ihr Vorschlag angenommen wurde.

Froh, ihren Job gerettet zu haben, schwieg sie eine Weile. Kurz kam ihr die Verabredung in den Sinn, die sie für den heutigen Abend hatte. Um sich zu beruhigen, betrachtete sie ihr Spiegelbild in der Fensterscheibe, doch der Anblick löste eher das Gegenteil aus: Sie sah grauenvoll aus. Ihre Haare waren farblos, ohne Glanz und spröde, der Schnitt war herausgewachsen. So würde sie Matthew Shapiro sicher nicht bezirzen können. Sie seufzte und erinnerte sich plötzlich wieder an den Praktikanten.

»Hör zu, ich muss dein Vergehen der Geschäftsführung melden. Was du getan hast, ist wirklich schlimm.«

»Nein! Bitte nicht!«

Plötzlich schmolz der Junge dahin und brach in Tränen aus.

»Heul nur, dann pinkelst du weniger«, meinte sie seufzend.

Sie reichte ihm ein Taschentuch und wartete, bis sein Schluchzen verebbt war.

»Wie alt bist du, Romuald?«

»Sechzehneinhalb.«

»Woher kommst du?«

»Aus Beaune, südlich von Dijon ...«

»Ich weiß, wo Beaune liegt. Einige der besten Weine Frankreichs kommen aus dieser Gegend. Seit wann arbeitest du im Imperator?

»Seit zwei Wochen«, antwortete er, nahm seine Brille ab und rieb sich die Augen.

»Und interessiert dich dein Job?«

Er schüttelte den Kopf und deutete auf den Bildschirm.

»Das ist das Einzige, was mich wirklich interessiert.«

»Computer? Was hast du dann in einem Restaurant verloren?«

Er erklärte ihr, er sei nach dem Abitur seiner Freundin gefolgt, die in New York einen Job als Au-pair-Mädchen gefunden hätte.

»Und sie hat dich sitzen lassen?«

Beschämt nickte er.

»Wissen deine Eltern wenigstens, dass du in den USA bist?«

»Ja, aber im Moment haben sie andere Sorgen«, antwortete er ausweichend.

»Wie hast du es geschafft, dich hier anstellen zu lassen? Du hast keine Arbeitsgenehmigung, und du bist minderjährig ...«

»Ich habe mir ein Visum mit eingeschränkter Arbeitserlaubnis gebastelt und mich etwas älter gemacht.«

Ein Visum gebastelt. Kein Wunder, dass er Angst vor

der Polizei hatte und nicht die Aufmerksamkeit der Personalabteilung erregen wollte.

Emma betrachtete den Jungen mit einer Mischung aus Mitleid und Faszination.

»Wo hast du das gelernt, Romuald?«

Er holte tief Luft.

»Man kann so manches machen, wenn man mit einem Computer umzugehen weiß.«

Da sie insistierte, erzählte er ihr verschiedene Anekdoten. Mit dreizehneinhalb Jahren hatte er mehrere Stunden in Polizeigewahrsam verbracht, weil er eine Raubkopie der Übersetzung des neuesten *Harry Potter* ins Netz gestellt hatte. Etwas später war er in die Website seiner Schule eingedrungen, hatte die Noten verändert und verrückte Mails an die Eltern der Schüler geschrieben. Im letzten Juni hatte er mit wenigen Mausklicks die Abiturthemen des wissenschaftlichen Zweigs gehackt, um seiner Freundin zu einer glänzenden Note zu verhelfen. Anfang Juli hatte er dann für kurze Zeit Nicolas Sarkozys Facebook-Account umgeleitet. Ein Schülergag, der im Élysée-Palast nicht auf Gegenliebe gestoßen war. Die Behörden hatten ihn schnell enttarnt. Angesichts seiner früheren Vergehen hatte er eine Bewährungsstrafe und den guten Rat bekommen, sich künftig von Computern fernzuhalten.

Während Emma ihm zuhörte, kam ihr eine verrückte Idee.

»Setz dich an deinen Computer«, befahl sie.

Er gehorchte.

Sie zog sich einen Stuhl heran und nahm neben ihm Platz.

»Und jetzt sieh mich an, Romuald.«

Nervös setzte der Junge seine Brille auf, hielt ihrem Blick aber keine zwei Sekunden stand.

»Sie ... Sie sind sehr hübsch«, stammelte er.

»Nein, im Gegenteil, ich sehe schrecklich aus, aber du wirst mir helfen, das in Ordnung zu bringen«, sagte sie.

Sie gab die Webadresse eines bekannten Friseursalons ein.

Auf dem Bildschirm blitzen vor einem hellen, schlichten Hintergrund folgende Worte auf:

Akahiko Imamura
Hairstyle

»Akahiko Imamura ist ein Japaner, der die Welt der Coiffeure revolutioniert hat«, erklärte sie. »In Manhattan ist er *der* angesagte Friseur, der mit Schere und Farbe wahre Wunderwerke vollbringt. Angelina Jolie, Anne Hathaway, Cate Blanchett ... die größten Stars lassen sich von ihm frisieren. Und während der Fashion Week versuchen alle Modeschöpfer, ihn für ihren Auftritt zu engagieren. Man sagt, er sei ein wahrer Magier, und das ist das Mindeste, was ich brauche, um heute Abend vorzeigbar zu sein. Das Problem ist, dass man zwei Monate warten muss, um einen Termin bei ihm zu bekommen.«

Romuald begriff sofort, was Emma von ihm erwartete, und machte sich augenblicklich daran, in das Reservierungssystem einzudringen.

»Imamura hat in New York drei Salons«, fuhr sie fort, während der Computerfreak in atemberaubendem Tempo auf seiner Tastatur tippte. »Einen in Soho, einen in Midtown und einen an der Upper East Side.«

»Dort arbeitet er heute Nachmittag«, verkündete Romuald und rief die Reservierungsliste auf.

Beeindruckt beugte sie sich zum Bildschirm vor.

»Es ist dasselbe Prinzip, als wenn Sie online einen Tisch im Restaurant reservieren«, erklärte er.

»Kannst du die Namen verändern?«

»Natürlich, wozu sollte das Ganze sonst gut sein? Um wie viel Uhr wollen Sie gehen?«

»Wäre es um siebzehn Uhr möglich?«

»Ein Kinderspiel ...«

Er schrieb den Namen von Emma an die Stelle der ursprünglich vorgemerkten Kundin, ohne zu vergessen, diese in einer E-Mail von der Verschiebung des Termins zu informieren.

Emma traute ihren Augen nicht.

»Gut gemacht!«, rief sie begeistert und drückte Romuald einen Kuss auf die Wange. »Du bist anscheinend ein Meister deines Fachs!«

Romuald errötete. »Das war doch einfach«, erwiderte er bescheiden.

»Du bist echt ein cleveres Bürschchen«, rief sie und ging zu Tür, um sich wieder an ihre Arbeit zu machen. »Doch das bleibt natürlich unter uns, *capito*?«

»Du siehst wirklich elegant aus!«, rief April. »So ein klassischer Schnitt steht dir am besten: breite Schultern, schmale Taille, genügend Spielraum im Brustbereich. Sehr schick und zeitlos.«

Matthew betrachtete sich im Standspiegel der Luxusboutique. In seinem perfekt sitzenden Anzug, frisch rasiert und mit kurz geschnittenem Haar war er kaum wiederzuerkennen.

Seit wann habe ich keinen Anzug mehr getragen?

Die Antwort hallte unangenehm und verstörend in seinem Kopf wider.

Seit meiner Hochzeit.

»Da könnte ich glatt das Ufer wechseln!«, beteuerte April und schloss einen Knopf des Sakkos.

Er zwang sich zu einem Lächeln, um ihr für ihre Mühe zu danken.

»Wir werden dein Outfit mit einem geraden Wollmantel vervollständigen, und dann geht's auf zum Flughafen«, erklärte sie und sah auf ihre Uhr. »Um diese Zeit sind überall Staus, und du darfst auf gar keinen Fall deine Maschine verpassen.«

Nachdem er bezahlt hatte, machten sie sich auf den Weg zum Logan Airport. Matthew war die ganze Fahrt über schweigsam. Je mehr Zeit verstrich, desto mehr ließen sein Enthusiasmus und sein Elan nach. Plötzlich schien ihm dieses Treffen mit Emma Lovenstein keine so gute Idee mehr. Bei genauerer Überlegung hatte dieses Rendezvous überhaupt keinen Sinn: Es war die Folge einer übereilten Entscheidung, die er unter dem Einfluss von Alkohol und Medikamenten getroffen hatte. Er kannte diese Frau überhaupt nicht, und sie hatten sich beide von dem kurzen Mail-Austausch mitreißen lassen. So konnte ein reales Treffen für beide nur mit einer Enttäuschung enden.

Der Chevrolet bog in die Zufahrt für Kurzparker ein. April hielt vor dem Terminal, um ihren Freund aussteigen zu lassen. Als sie sich zum Abschied kurz umarmten, versuchte die Galeristin, ein paar aufmunternde Worte zu finden.

»Ich weiß, was du denkst, Matt. Und ich weiß auch, dass du Angst hast und deine Entscheidung bereust. Aber ich flehe dich an, halte diese Verabredung ein.«

Er nickte, schlug die Beifahrertür zu und nahm seine Tasche aus dem Kofferraum. Dann winkte er April ein letztes Mal zu und verschwand im Flughafengebäude.

Er lief durch die Abflughalle. Da er seine Bordkarte online ausgedruckt hatte, begab er sich direkt zur Sicherheitskontrolle und wartete dann an seinem Gate. Als er sich auf den Weg machte, um einzusteigen, überkamen ihn Skrupel, ja, regelrecht Angst. Er schwitzte, und widersprüchliche Gedanken jagten durch seinen Kopf. Kurz tauchte in verblüffender Klarheit Kates Gesicht vor ihm auf, aber er wollte kein schlechtes Gewissen haben, blinzelte mehrmals, um das Bild zu vertreiben, und reichte der Stewardess seine Boarding-Karte.

—

Kaufhaus Bergdorf Goodman
5th Avenue
16:15 Uhr

Etwas verloren lief Emma durch die Etagen des großen New Yorker Nobelkaufhauses. Hier war alles beeindruckend, angefangen bei dem großen weißen Marmorgebäude bis hin zu den eleganten Verkäuferinnen, die so attraktiv waren wie Mannequins, sodass Emma sich erbärmlich vorkam. Im Grunde wusste sie, dass ein solches Geschäft, in dem man nicht nach dem Preis fragte und schön, reich und selbstsicher sein musste, um auch nur ein Kleidungsstück anprobieren zu dürfen, nichts für sie war – heute aber fühlte sie sich in der Lage, ihre Hemmungen zu überwinden. Es war irrational, und trotzdem versprach sie sich viel von diesem Rendezvous. In der letzten Nacht hatte sie kaum geschlafen und war schließlich früh aufgestanden, um ihre Garderobe zu inspizieren und ein passendes Outfit zu finden. Nach verschiedenen Anproben und Zweifeln hatte sie sich für ein Ensemble entschieden, das ihre Figur zur Geltung brachte: eine braune, mit Kupferfäden durchwirkte Korsage und dazu ein schwarzer seidener Bleistiftrock mit hohem Bund, der sehr elegant war. Aber nun fehlte ihr noch ein Mantel, der dieses Namens würdig war. Der ihre war alt und erinnerte mehr an einen Kartoffelsack. Seit sie das Geschäft betreten hatte, zog es sie immer wieder zu einem dreiviertellangen Modell aus Brokat. Sie befühlte den seidigen Stoff, der von Gold- und Silberfäden durchzogen war.

Er war so nobel, dass sie nicht wagte, ihn anzuziehen.

»Kann ich Ihnen helfen?«, erkundigte sich schließlich eine Verkäuferin, die sie schon eine Weile beobachtete.

Emma fragte, ob sie den Mantel anprobieren könne. Er stand ihr ausgezeichnet, kostete allerdings zweitausendsiebenhundert Dollar! Das war reiner Wahnsinn, den sie sich absolut nicht leisten konnte. Auf den ersten Blick schien ihr Gehalt zwar nicht schlecht, aber sie lebte im überteuerten Manhattan, und ein guter Teil ihrer Ersparnisse ging für die wöchentlichen Sitzungen bei ihrer Psychologin drauf. Doch diese Ausgabe war lebenswichtig, denn Margaret Wood, ihre Therapeutin, hatte sie gerettet, als es ihr sehr schlecht ging. Sie hatte ihr beigebracht, sich abzugrenzen, einen Wall zu errichten, um sich nicht von ihrer Angst in den Abgrund reißen zu lassen.

Und jetzt brachte sie sich in Gefahr.

Emma zwang sich zur Vernunft und trat aus der Umkleidekabine.

»Ich nehme ihn nicht«, erklärte sie.

Zufrieden, ihrem Impuls nicht nachgegeben zu haben, ging sie zum Ausgang. Unterwegs warf sie noch einen kurzen Blick in die Schuhabteilung. Bewundernd betrachtete sie die Brian-Atwood-Pumps aus blass rosa-farbenem Leder. Das ausgestellte Paar war genau in ihrer Größe. Sie schlüpfte hinein und hatte das Gefühl, sich in Cinderella zu verwandeln. Die High Heels im Python-Look schimmerten leicht violett und hatten lackierte Absätze. Schuhe, die jedes Outfit aufwerteten. Emma vergaß all ihre guten Vorsätze, zückte ihre Kreditkarte und bezahlte den ebenfalls schwindelerregenden Preis von eintausendfünfhundert Dollar. Kurz bevor sie die Kasse erreichte, kehrte sie um, entschlossen, auch den Brokatmantel zu kaufen. Die Bilanz ihrer kleinen Shoppingtour: Im Handumdrehen hatte sie eineinhalb Monatsgehälter aus dem Fenster geworfen!

Als sie auf die Fifth Avenue trat, schlug ihr beißende Kälte entgegen. Sie band ihren Schal um und senkte den Kopf, um sich zu schützen, aber der Wind war zu schneidend. Ihre Augen tränten, ihre Wangen brannten. Sie trat an den Bordstein und hielt ein Taxi an, gab dann dem Fahrer die Adresse des Friseursalons und bat ihn, zunächst am Rockefeller Center vorbeizufahren, wo sie beim Pförtner des Imperator die Tüte mit ihrem alten Mantel und den alten Schuhen abgab.

Der helle, lichterfüllte Coiffeur-Salon von Akahiko Imamura lag an der Upper East Side: beigefarbene Wände, helle Holzregale, große Ledersofas, Plexi-Konsolen mit Orchideen.

Emma nannte der Empfangsdame ihren Namen,

woraufhin diese den Termin auf ihrem Touchscreen-Tablet überprüfte. Alles war in Ordnung, Romualds Computermanipulation hatte funktioniert. Während sie auf den Meister wartete, wusch ihr ein Assistent behutsam die Haare. Unter der Massage seiner geschickten Finger entspannte sich Emma, vergaß ihre Bedenken und gab sich ganz dem raffinierten Komfort ihrer Umgebung hin. Dann erschien Imamura und begrüßte sie mit einer steifen Verbeugung. Emma zog ein Foto von Kate Beckinsale aus der Tasche, das sie aus einer Zeitschrift ausgeschnitten hatte.

»Können Sie mir so etwas Ähnliches machen?«

Imamura würdigte das Bild keines Blickes. Stattdessen betrachtete er lange das Gesicht seiner Kundin und murmelte dann, an seinen Assistenten, den Spezialisten fürs Färben, gewandt, etwas auf Japanisch. Anschließend griff er zur Schere und begann zu schneiden. Nach etwa zwanzig Minuten entließ er sie in die Hände des besagten Assistenten, der ihr Haar in einem aufregenden Kastanienbraun tönte. Als er fertig war, wusch Imamura die Farbe eigenhändig aus und widmete sich erneut dem Schnitt. Dann rollte er ihre Haare Strähne für Strähne auf dicke Lockenwickler, trocknete sie, entfernte die Wickler und machte sich mit den Fingern an ihrer Haarpracht zu schaffen.

Das Ergebnis war umwerfend. Ihre Mähne war zu einem eleganten geflochtenen Knoten frisiert. Der raffinierte Schnitt ließ ihr Gesicht weiblicher erscheinen und brachte ihre hellen Augen zur Geltung. Emma näherte sich dem Spiegel und betrachtete fasziniert ihr neues Aussehen. Einige rebellische Strähnen kräuselten sich außerhalb des Knotens und ließen ihn natürlicher wirken. Was die Farbe anging, so war sie einfach perfekt. Das war noch viel besser als die Frisur von Kate Beckinsale! Noch nie war sie so hübsch gewesen.

Also stieg sie leichten Herzens in ein Taxi, das sie ins East Village brachte. Während der Fahrt zog sie ihr Schminktäschchen heraus, legte etwas Rouge, goldenen Lidschatten und einen Hauch korallenroten Lippenstift auf.

Um 20:01 Uhr öffnete sie die Tür zum kleinen italienischen Restaurant Number 5, das an der Südseite des Tompkins Square Park lag …

—

Die Maschine der Delta Airlines 1816 landete mit wenigen Minuten Verspätung auf dem Kennedy Airport. Matthew, der im hinteren Teil des Flugzeugs saß, blickte nervös auf seine Uhr – 19:18. Sobald er ausgestiegen war, lief er zum Taxistand und wartete etwa zehn Minuten auf einen freien Wagen. Er gab dem Fahrer die Adresse und versprach ihm ein gutes Trinkgeld, wenn er rechtzeitig ankäme – wie im Film! In New York war das Wetter für einen Dezembertag erstaunlich mild. Der Verkehr war zwar dicht, aber längst nicht so sehr, wie er befürchtet hatte. Rasch verließ das Yellow Cab Queens, überquerte die Williamsburg Bridge und fuhr durch die kleinen Straßen vom East Village. Um 20:03 Uhr hielt es vor dem Number 5.

Matthew holte tief Luft. Er war pünktlich. Vielleicht wäre er sogar der Erste. Er bezahlte den Fahrer und stieg aus. Er war freudig erregt und nervös zugleich. Um sich zu beruhigen, atmete er noch einmal tief durch und öffnete dann die Tür des italienischen Restaurants.

Kapitel 6

Zufall der Begegnungen

Wohl seh ich, Zeit ist Herrscherin der Menschen,
Erzeugt sie erst, um dann sie zu begraben,
Gibt, was sie will, nicht was sie möchten haben.

William Shakespeare, *Perikles*, 2. Akt, 4. Szene

Restaurant Number 5
New York
20:01 Uhr

Mit klopfendem Herzen trat Emma an den Empfang des Restaurants. Sie wurde von einer hübschen jungen Frau mit einem freundlichen Lächeln begrüßt.

»Guten Abend, ich bin mit Matthew Shapiro verabredet. Er hat einen Tisch für uns reserviert.«

»Ach, Matthew ist in New York?«, rief die Frau. »Das ist ja eine gute Neuigkeit!«

Sie sah in ihr Reservierungsbuch, doch offensichtlich tauchte Matthews Name nicht auf.

»Er hat sicher meinen Mann Vittorio direkt auf dem

Handy angerufen. Und dieser Traumtänzer hat vergessen, es mir zu sagen, aber das macht nichts, ich habe einen schönen Platz im Zwischengeschoss für Sie«, versprach sie und kam hinter der Theke hervor.

Emma bemerkte, dass sie schwanger war, hochschwanger sogar.

»Soll ich Ihnen den Mantel abnehmen?«

»Ich behalte ihn bei mir.«

»Er ist traumhaft!«

»Angesichts des Preises, den ich bezahlt habe, bin ich froh, dass er Aufsehen erregt!«

Die beiden Frauen lächelten sich an.

»Ich heiße Connie.«

»Sehr erfreut, ich bin Emma.«

»Kommen Sie mit.«

Sie stiegen die Holztreppe zum Zwischengeschoss mit der Gewölbedecke hinauf.

Die Chefin führte ihren Gast zu einem Tisch am Geländer, von dem aus man das Restaurant überblickte.

»Darf ich Sie zu einem Aperitif einladen? Was halten Sie bei dieser Kälte von einem Glühwein?«

»Ich warte lieber auf Matthew.«

»Gut«, meinte Connie, reichte ihr die Karte und verschwand.

Emma sah sich um. In dem Restaurant herrschte eine angenehme Atmosphäre. Eine kleine Notiz auf der Karte erklärte, das Lokal trage seinen Namen zu Ehren von Joe DiMaggio. Als er für die Yankees gespielt hatte, hatte der legendäre Baseballspieler ein Trikot mit der

Nummer 5 getragen. Ein Foto an der Ziegelwand, das den Champion und Marilyn Monroe zeigte, ließ vermuten, dass die beiden in diesem Restaurant gegessen hatten. Das war zwar schwer zu glauben, aber eine hübsche Vorstellung.

Emma sah auf ihre Uhr – 20:04.

Restaurant Number 5
New York
20:04 Uhr

»Matthew! Was für eine Überraschung!«, rief Vittorio, als er seinen Freund das Restaurant betreten sah.

»Vittorio, ich freue mich!«

Die beiden Männer umarmten einander.

»Warum hast du nicht Bescheid gesagt, dass du kommst?«

»Ich habe heute Morgen Connie angerufen. Ist sie nicht da?«

»Nein, sie ist zu Hause geblieben. Paul hat momentan eine Mittelohrentzündung nach der anderen.«

»Wie alt ist er jetzt?«

»Nächsten Monat feiern wir seinen ersten Geburtstag.«

»Hast du ein Foto?«

»Ja, sieh nur, wie groß er geworden ist.«

Vittorio zog aus seiner Brieftasche das Bild eines pausbackigen, hübschen Babys.

»Ein kräftiges Kerlchen«, erwiderte Matthew lächelnd.

»Ja, sicher wegen der Pizza, die ich in sein Fläschchen gebe!«, scherzte der Wirt und sah in das Reservierungsbuch.

»Wie ich sehe, hast du Connie um unseren Tisch ›für Verliebte‹ gebeten. Na, ich hoffe, dein Gast ist hübsch!«

»Nun übertreib mal nicht!«, erwiderte Matthew verlegen. »Ist sie noch nicht da?«

»Nein, der Tisch ist leer. Komm, ich bringe dich hin. Kann ich dich zu einem Aperitif einladen?«

»Nein, danke, ich warte auf Emma.«

—

Restaurant Number 5
New York
20:16 Uhr

Matthew Shapiro, Ihre Eltern haben Ihnen offenbar nicht beigebracht, dass Pünktlichkeit das oberste Gebot der Höflichkeit ist, dachte Emma vorwurfsvoll nach einem Blick auf ihre Uhr.

Vom Zwischengeschoss aus konnte sie die Eingangstür des Restaurants sehen. Jedes Mal, wenn diese sich öffnete, hoffte sie, Matthew zu erkennen, und jedes Mal wurde sie enttäuscht. Sie sah aus dem Fenster. Es hatte angefangen zu schneien. Einige flauschige, silbrige Flocken wirbelten im Schein der Straßenlaternen. Sie seufzte leise und zog ihr Smartphone heraus, um zu sehen, ob sie eine Nachricht bekommen hatte.

Nichts.

Sie zögerte kurz und beschloss dann, Matthew zu schreiben. Ein paar lockere Sätze, die ihre Ungeduld kaschierten.

Lieber Matthew,
ich sitze im Number 5.
Ich warte drinnen auf Sie. Pizza mit Artischocken,
Parmesan und Rucola, das klingt himmlisch!
Kommen Sie schnell, ich habe Hunger!
Emma

—

Restaurant Number 5
New York
20:29 Uhr

»Na, deine Prinzessin lässt aber auf sich warten«, meinte Vittorio, der zu seinem Freund ins Zwischengeschoss kam.

»Kann man wohl sagen!«, stimmte Matthew zu.

»Willst du sie nicht anrufen?«

»Wir haben unsere Nummern nicht ausgetauscht.«

»Mach dir keine Gedanken, wir sind in Manhattan. Du weißt ja, dass wir New Yorker eine dehnbare Auffassung von Pünktlichkeit haben ...«

Matthew lächelte nervös. Da er Emma nicht anrufen konnte, schickte er ihr eine Nachricht.

Liebe Emma,
mein Freund Vittorio möchte unbedingt, dass Sie seinen Wein aus der Toskana probieren. Einen Sangiovese von einem kleinen Winzer aus Siena. Er ist nicht zu schlagen, wenn es um italienische Weine geht, die er für die besten der Welt hält. Kommen Sie schnell, um ihn eines Besseren zu belehren.
Matt

—

Restaurant Number 5
New York
20:46 Uhr

Emma fühlte sich zutiefst gekränkt. Was für ein Flegel! Eine Dreiviertelstunde Verspätung und nicht eine Mail oder ein Anruf im Restaurant, um sich zu entschuldigen!

»Soll ich versuchen, Matthew auf seinem Handy anzurufen?«, fragte Connie.

Die Wirtin hatte ihr Unbehagen bemerkt. Verlegen stammelte Emma: »Ja ... ja, gerne.«

Connie wählte Matthews Nummer und geriet an die Mailbox. »Machen Sie sich keine Gedanken, er kommt sicher gleich. Es ist vermutlich wegen des Schnees.«

Ein leiser Piepton verkündete den Eingang einer Nachricht. Emma blickte auf das Display ihres Smartphones. Es war ein E-Mail-Rückläufer, der ihr mitteilte, die Adresse der Nachricht, die sie gerade verschickt hatte, sei unbekannt.

Merkwürdig . . .

Sie überprüfte die Adresse und versuchte es ein zweites Mal – ohne Erfolg.

—

Restaurant Number 5
New York
21:13 Uhr

»Ich denke, sie kommt nicht mehr«, sagte Matthew und nahm die Bierflasche, die Vittorio ihm reichte.

»Ich weiß nicht, was ich sagen soll«, meinte sein Freund bedauernd. *»La donna è mobile, qual piuma al vento . . .«*

»Da hast du aber wirklich recht.« Matt seufzte.

Er hatte Emma zwei neue Nachrichten geschickt und keine Antwort bekommen. Er blickte auf die Uhr und erhob sich.

»Rufst du mir ein Taxi zum Flughafen?«

»Bist du sicher, dass du nicht bei uns übernachten willst?«

»Nein, danke. Tut mir leid, dass ich dir deinen Tisch blockiert habe. Grüß Connie von mir.«

Um 21:30 Uhr verließ Matthew das Restaurant und war um 22:10 Uhr am Flughafen. Auf der Fahrt checkte er für den Rückflug ein. Es war der vorletzte Flug des Tages.

Die Maschine verließ New York pünktlich und landete um 00:23 Uhr in Boston. Um diese Zeit befand sich der Logan-Airport im Halbschlaf. Sobald er ausgestiegen war, nahm Matthew ein Taxi und traf noch vor ein Uhr nachts zu Hause ein.

Als er sein Haus in Beacon Hill betrat, war April schon zu Bett gegangen. Er warf einen Blick in das Zimmer seiner Tochter, um sich zu vergewissern, dass sie tief und fest schlief, und kehrte dann in die Küche zurück. Er holte sich ein Glas Wasser und schaltete automatisch seinen Laptop ein, der auf der Küchentheke stand. Als er seine Nachrichten durchsah, bemerkte er, dass er eine E-Mail von Emma Lovenstein bekommen hatte, die merkwürdigerweise nicht auf seinem Handy, sondern nur auf dem Computer angezeigt wurde.

—

Restaurant Number 5
New York
21:29 Uhr

Emma schloss die Tür des Restaurants hinter sich und setzte sich in das Taxi, das Connie ihr gerufen hatte. Der Wind hatte sich gelegt, aber der Schnee fiel jetzt immer dichter und begann, am Boden liegen zu bleiben. Während der Fahrt versuchte sie, sich von den negativen Gedanken zu befreien, doch ihr Zorn war stärker. Sie fühlte sich gedemütigt und verraten. Und sie machte sich Vorwürfe, schon wieder auf einen Mann hereingefallen zu sein, seinen schönen Worten geglaubt zu haben und so naiv gewesen zu sein. Sie betrat die Halle der Nummer 50 am North Plaza und ging ins Untergeschoss des Hauses. Der Waschmaschinenkeller war trist und düster. Sie lief weiter durch die grauen Gänge mit den schmutzigen Wänden bis zum Müllraum, der im dunkelsten und tristesten Teil des Gebäudes lag. Wütend brach sie die Absätze ihrer Pumps ab und schleuderte sie in einen Metallcontainer. Nachdem sie mit bloßen Händen den sündhaft teuren Mantel zerfetzt hatte, erfuhr dieser dasselbe Schicksal.

Schluchzend stieg sie in den Aufzug, der sie zu ihrer Wohnung brachte. Sie schloss die Tür auf, ignorierte das Jaulen ihres Hundes, zog sich aus und stürzte unter die eiskalte Dusche. Erneut spürte sie den unwiderstehlichen Wunsch, sich zu verletzen, die Wut, die sie erfüllte, gegen sich selbst zu richten. Sie litt furchtbar darunter, nicht in der Lage zu sein, ihre Gefühle zu beherrschen. Es war ermüdend und erschreckend zugleich. Wie konnte sie innerhalb weniger Minuten vom Überschwang in die Depression abgleiten? In so kurzer Zeit von den höchsten Freuden zu den finstersten Gedanken wechseln? Erst himmelhoch jauchzend und gleich darauf zu Tode betrübt.

Zähneklappernd stieg sie aus der Duschkabine, schlüpfte in ihren Bademantel, nahm ein Schlafmittel aus dem Arzneischränkchen und flüchtete sich ins Bett. Trotz des Medikaments fand Emma keine Ruhe. Sie wälzte sich hin und her, suchte die richtige Stellung zum Einschlafen, und starrte schließlich resigniert und verzweifelt an die Decke. Sie war viel zu aufgeregt, um schlafen zu können. Gegen ein Uhr nachts hielt sie es nicht mehr aus und schaltete ihren Laptop ein, um dem Mann, der ihr den Abend verdorben hatte, eine letzte E-Mail zu schicken. Wütend öffnete sie den Deckel, der durch einen Aufkleber, eine stilisierte Eva, die zwischen ihren Händen das Apfel-Logo hielt, personalisiert war.

—

Bestürzt las Matthew die E-Mail, die er von Emma bekommen hatte.

Von: Emma Lovenstein
An: Matthew Shapiro
Betreff: Dreckskerl

Im Gegensatz zu dem, was Sie mir vorgegaukelt haben, sind Sie unhöflich und unerzogen. Schreiben Sie mir nicht mehr, schicken Sie mir keine Nachrichten mehr.

Aber was meinen Sie, Emma? Ich habe den ganzen Abend im Restaurant auf Sie gewartet! Und ich habe Ihnen zwei SMS geschickt, auf die Sie mir nicht geantwortet haben!

Genau, machen Sie sich nur über mich lustig! Was soll dieses Spielchen? Sie könnten zumindest eine vorgetäuschte Entschuldigung erfinden: die Kälte, der Schnee. Ganz wie Sie wollen …

Der Schnee? Ich verstehe nicht, was Sie mir vorwerfen, Emma. Immerhin haben Sie mich sitzen lassen.

Ich war da, Matthew. Ich habe den ganzen Abend auf Sie gewartet. Und ich habe keine E-Mail von Ihnen bekommen!

Dann haben Sie sich vielleicht im Restaurant geirrt?

Nein, es gibt nur ein Number 5 im East Village. Ich habe sogar mit Ihrer Freundin Connie, der Frau von Vittorio, gesprochen.

Sie lügen. Connie war heute Abend nicht im Restaurant!

Und ob sie da war! Sie ist hübsch, hat kurz geschnittenes dunkles Haar und ist im achten Monat
schwanger!

Das ist doch Unsinn. Das Kind wurde vor fast
einem Jahr geboren!

Ehe er auf »senden« drückte, um die Nachricht abzu-
schicken, hob Matthew den Kopf. Emma schien guten
Willens zu sein, aber ihre Argumente machten nicht
den geringsten Sinn. Ihre Beweisführung war völlig un-
logisch.

Er trank einen Schluck Wasser und rieb sich die
Augen.

*Warum spricht sie von Schnee? Und wieso von Connies
Schwangerschaft?*

Er runzelte die Stirn und betrachtete aufmerksam die
Mails, die Emma ihm seit dem Vorabend geschickt
hatte. Und mit einem Mal bemerkte er etwas Unglaub-
liches – eine Kleinigkeit, die dennoch keine war –, und
plötzlich kam ihm eine verrückte Idee. Er fragte:

Welches Datum haben wir heute, Emma?

Das wissen Sie ganz genau, den 20. Dezember.

Welches Jahr?

Machen Sie sich nur weiter über mich lustig.

Sagen Sie mir bitte das Jahr!

Der Kerl ist total verrückt, dachte sie, und ihre Finger verkrampften sich. Sicherheitshalber sah sie sich aber dennoch die E-Mails an, die sie von Matthew erhalten hatte. Alle waren vom Dezember datiert … Dezember 2011. Genau ein Jahr später als das heutige Datum …

—

Entsetzt schaltete sie ihr Notebook aus.

Sie brauchte eine Weile, bis sie es wagte, die Situation zusammenzufassen.

Sie lebte im Jahr 2010.

Matthew im Jahr 2011.

Aus einem ihr unverständlichen Grund konnten sie offensichtlich nur über ihre Laptops miteinander kommunizieren.

Zweiter Teil
Die Parallelen

Dritter Tag

Kapitel 7

Die Parallelen

Es gibt keine Hoffnung ohne Angst, aber auch keine Angst ohne Hoffnung.

Baruch de Spinoza

Am nächsten Tag
21. Dezember

Beim Aufstehen am nächsten Morgen hatten Emma und Matthew denselben Reflex: Sie öffneten fieberhaft ihr elektronisches Postfach und waren erleichtert, keine Nachricht vorzufinden.

»Papa, schauen wir heute Vormittag nach meinen Weihnachtsgeschenken?«, fragte Emily, die wie der Blitz in die Küche gestürzt kam und sich in seine Arme warf.

Er hob sie auf den Hocker neben sich.

»Zuerst einmal sagt man Guten Morgen«, ermahnte er sie.

»Morgen, Papa«, murmelte sie und rieb sich die Augen.

Er beugte sich zu ihr, um ihr einen Kuss zu geben. Sie ließ nicht locker.

»Also, sag, gehen wir? Du hattest es versprochen!«

»Einverstanden, Liebling. Wir werden in den Geschäften deine Geschenke anschauen, damit du dem Weihnachtsmann einen Brief mit deinen Wünschen schreiben kannst.«

Dieses Ritual mit dem Weihnachtsmann ... Sollte man Emily die Illusion und den Glauben daran tatsächlich lassen? Er hatte in dieser Frage keine feste Meinung. Generell gefiel es ihm nicht, seine Tochter zu belügen, und unter diesem Gesichtspunkt wäre es ein Schritt zum Erwachsenwerden und zur Bildung ihres rationalen Denkens, würde man den Glauben an den Weihnachtsmann abschaffen. Andererseits aber war es vielleicht noch etwas zu früh, ihr diesen märchenhaften Zauber zu nehmen. Nach dem tragischen Verlust der Mutter hatte Emily ein sehr schwieriges Jahr hinter sich. Es konnte sich auf die Gemütsverfassung des kleinen Mädchens nur günstig auswirken, den Glauben an Wunder noch eine Weile aufrechtzuerhalten. Für das diesjährige Weihnachtsfest hatte Matthew daher beschlossen, an dem magischen Ritual festzuhalten und das »große Geheimnis« erst im nächsten Jahr zu lüften.

»Wer möchte einen Müslijoghurt?«, fragte April, die vergnügt die Treppe herabkam.

»Ich! Ich!«, rief Emily, sprang von ihrem Hocker und stürzte los, um die junge Frau zu umarmen.

Diese schloss sie in die Arme und gab ihr einen Kuss.

»Kommst du mit ins Spielwarengeschäft?«, fragte Emily.

»April muss heute arbeiten«, antwortete Matthew.

»Aber es ist doch Sonntag!«, widersprach die Kleine.

»Es ist das letzte Wochenende vor Weihnachten«, erklärte April. »Wir haben jeden Tag geöffnet, damit auch die Erwachsenen ihre Geschenke besorgen können. Ich gehe aber erst mittags in die Galerie, also kann ich euch vormittags begleiten.«

»Super! Kannst du mir auch einen großen Becher heiße Schokolade mit Mini-Marshmallows machen?«

»Wenn dein Papa damit einverstanden ist ...«

Matthew hatte nichts dagegen. April zwinkerte ihm zu und schaltete das Radio ein, während sie das Frühstück zubereitete.

»Wie war denn der Abend?«, fragte sie.

»Ein Fiasko«, murmelte er und schob eine Kaffeekapsel in die Espressomaschine.

Er schaute kurz zu Emily, die mit ihrem Touchscreen-Tablet spielte und mit ihren *Angry Birds* grüne Schweine abknallte. Leise erzählte Matthew seiner Untermieterin von seinem unglaublichen Abenteuer am Vorabend.

»An der Geschichte ist was faul«, gab sie zu. »Was hast du nun vor?«

»Gar nichts. Die Enttäuschung vergessen und hoffen, von dieser Frau nichts mehr zu hören.«

»Ich hab dich ja gewarnt: Internetbekanntschaften sind zu riskant.«

»Na hör mal! Schließlich warst du diejenige, die mich dazu ermuntert hat, sie ins Restaurant einzuladen!«

»Damit du nicht in einer Illusion lebst! Du musst doch zugeben, dass das alles viel zu schön gewesen ist, um wahr zu sein. Eine Frau, die denselben Humor hat wie du, deine Vorlieben teilt und dich so schnell jegliche Vorsicht hat vergessen lassen.«

»Ich hätte misstrauischer sein müssen«, gab er zu.

Als wollte sie noch weiter mit dem Messer in der Wunde bohren und sein Unbehagen steigern, erzählte April ihm eine Reihe düsterer Begebenheiten, Betrügereien, die sich im Netz zugetragen hatten. Schlimme Geschichten von gutgläubigen Menschen, die überzeugt gewesen waren, im Internet dem oder der Erwählten ihres Herzens begegnet zu sein und etwas später feststellen mussten, dass sie in eine Falle getappt waren und man sie nur hatte abzocken wollen.

»Entweder ist dieses Mädchen verrückt, oder sie hat böse Absichten«, fuhr sie fort. »In beiden Fällen muss sie Erkundigungen über dich eingezogen haben, um dich so leicht ködern zu können. Oder es ist eine, die dich gut kennt und sich eine falsche Identität zugelegt hat.«

Eine meiner Studentinnen?, fragte sich Matthew.

Er erinnerte sich plötzlich an einen dramatischen Vorfall, der sich im Vorjahr am Emmanuel College ereignet hatte, einer katholischen Universität in Boston. Eine Studentin hatte in der Annahme, mit ihrem Freund zu chatten, eingewilligt, sich auszuziehen und sich vor der Webcam zu streicheln. Nur leider war es nicht ihr Verlobter, der sich auf der anderen Seite befand, sondern jemand, der sich widerrechtlich dessen Profil angeeignet hatte. Der Dreckskerl hatte die Szene aufgezeichnet, um das junge Mädchen zu erpressen. Er hatte eine große Geldsumme von ihr verlangt, andernfalls würde er das Video im Netz verbreiten. Um seine Drohung glaubwürdig zu machen, hatte er noch in derselben Nacht Auszüge des Films an einige Freunde der Studentin geschickt. Von Scham überwältigt und entsetzt über die Folgen ihres Verhaltens, hatte sie sich in ihrem Zimmer erhängt ...

Die Erinnerung an diese Tragödie jagte Matthew einen kalten Schauer über den Rücken.

Ich war viel zu gutgläubig!, warf er sich erneut vor. Wenn er es allerdings genau bedachte, wäre es ihm lieber gewesen, dass diese Frau *nur* eine Betrügerin war, er tendierte aber doch mehr zu der Ansicht, es mit einer Verrückten zu tun zu haben. *Jemand, der glaubt, im Jahr 2010 zu leben, muss doch gestört sein.*

Also potenziell gefährlich.

Er erstellte im Geist eine Liste mit allen Fakten, die er ihr anvertraut hatte: seinen Namen, die Straße, in der er wohnte, die Universität, an der er unterrichtete. Sie wusste auch, dass er eine viereinhalbjährige Tochter hatte, dass er jeden Dienstag- und Donnerstagvormittag im Park joggte, dass seine Tochter den Montessori-Kindergarten besuchte, unter welchen Umständen er seine Frau verloren hatte …

Sie wusste alles … genug jedenfalls, falls sie die Absicht haben sollte, ihm zu schaden oder ihn zu belästigen. Oder Emily etwas anzutun. Plötzlich hatte er das Gefühl, sich in Gefahr gebracht zu haben, indem er so viel von sich preisgegeben hatte.

Du leidest ja an Wahnvorstellungen, rief er sich zur Ordnung. Wahrscheinlich würde er nie wieder etwas von dieser Emma Lovenstein hören, und das Missgeschick würde ihm in Zukunft eine Lehre sein. Er stellte die Tasse, die April ihm reichte, auf ein Tablett und beschloss, diese Geschichte endgültig zu vergessen.

»Komm, setz dich, Liebes, dein Kakao ist fertig.«

—

»Lächeln!«

Eine Stunde später machte April vor dem Eingang zu Toys Bazaar, einer Institution in der Stadt, Fotos von Emily und Matthew.

Der Bazaar an der Ecke Copley Square und Clarendon Street war der Spielzeugtempel von Boston. Wenige Tage vor Weihnachten war die Stimmung hier auf dem Höhepunkt angelangt: Animationen, Musik, Bonbons wurden verteilt … Emily gab ihrem Vater die eine und April die andere Hand. Beidseits der Pendeltür wurden sie von Türstehern empfangen, die als Figuren aus dem Film *Wo die wilden Kerle wohnen* verkleidet waren und ihnen Lutscher schenkten. Entzückt gingen sie durch die ersten Regalreihen. Während die oberen Stockwerke den Hightech-Geräten vorbehalten waren (Spielkonsolen, Figuren mit Spracherkennung, elektronische Spiele ...), war das Erdgeschoss noch die Domäne der traditionellen Spielsachen: Hier gab es Plüschtiere, Holzbaukästen, LEGO, Puppen ...

Beim Anblick der lebensgroßen Plüschtiere riss Emily verwundert die Augen auf.

»Wie weich die ist!«, rief sie entzückt, während sie eine sechs Meter hohe Giraffe streichelte.

Keine Frage: Dieser Ort war magisch, spektakulär und versetzte auch die Erwachsenen sehr rasch zurück in ihre Kindheit. April begeisterte sich angesichts der eindrucksvollen Barbie-Puppensammlung, während Matthew vor einer riesigen elektrischen Eisenbahn ins Staunen geriet, deren Gleise sich mehrere Dutzend Meter durch den Raum schlängelten.

Er ließ Emily noch eine Zeit lang zwischen den Auslagen herumlaufen. Dann hockte er sich vor sie hin, um auf einer Höhe mit der Kleinen zu sein.

»Du kennst die Regeln: Du darfst dir zwei Geschenke aussuchen, aber sie müssen in dein Zimmer passen.«

»Also nicht die Giraffe«, erriet Emily und biss sich auf die Lippe.

»Ich sehe, du hast es verstanden, Liebes.«

In Begleitung von April verbrachte Emily lange Minuten damit, unter den etwa hundert angebotenen Modellen einen Teddybär auszuwählen. Zerstreut schlenderte Matthew durch den Bereich, in dem Metallmodelle der Firma Meccano ausgestellt waren, und unterhielt sich kurz mit einem Zauberer, der vor der Rolltreppe seine Tricks zum Besten gab. Selbst aus der Ferne behielt er seine Tochter immer im Blick, und er war froh, sie so begeistert zu sehen. Diese glücklichen Momente ließen jedoch auch den Schmerz über Kates Verlust wieder aufleben. Er empfand es als sehr ungerecht, sie nicht mit ihr teilen zu können. Gerade als er sich anschickte, zu April zurückzukehren, klingelte sein Handy. Auf dem Display sah er die Nummer von Vittorio Bartoletti. Er nahm das Gespräch an und versuchte, den Lärm ringsumher zu übertönen.

»Hallo, Vittorio.«

»Guten Tag, Matt. Wo bist du denn – in einer Kinderkrippe?«

»Mitten drin in den Weihnachtseinkäufen, mein Bester.«

»Möchtest du mich lieber zurückrufen?«

»Ja, in zwei Minuten.«

Er bedeutete April aus der Ferne, dass er draußen eine Zigarette rauchen würde, dann verließ er das Geschäft und überquerte die Straße, um auf den Copley Square zu gelangen.

Der mit Bäumen bepflanzte Platz, der um einen Brunnen herum angelegt war, war bekannt für seine architektonischen Kontraste. Alle Touristen fotografierten dieselbe faszinierende Ansicht: Die Bögen, Portiken und Fenster der Trinity Church, die sich in der Glasfassade des Hancock Towers, dem höchsten Gebäude der Stadt, spiegelten. An diesem sonnigen Sonntag war der Platz zwar belebt, es war aber doch sehr viel ruhiger als im Geschäft. Matthew setzte sich auf eine Bank und rief seinen Freund zurück.

»Also, Vittorio, wie geht es Paul? Was macht seine Mittelohrentzündung?«

»Es geht ihm besser, danke. Und du, hast du dich von deinem seltsamen Abend erholt?«

»Ich habe ihn schon vergessen.«

»Aber eigentlich rufe ich dich genau deswegen an. Heute Morgen habe ich Connie von deinem Missgeschick erzählt, und sie war sehr aufgeregt.«

»Wirklich?«

»Ihr fiel plötzlich etwas ein. Vor etwa einem Jahr hat Connie an einem Abend, an dem ich nicht im Lokal war, eine junge Frau im Number 5 empfangen. Sie behauptete, mit dir verabredet zu sein. Sie hat über eine Stunde auf dich gewartet, aber du bist nicht gekommen.«

Matthew spürte, wie ihm plötzlich das Blut in den Kopf schoss.

»Aber warum hat sie mir nie davon erzählt?«

»Es war nur wenige Tage vor Kates Unfall. Connie hatte dich anrufen wollen, um dir davon zu berichten, aber durch den Tod deiner Frau wurde dieser Vorfall nebensächlich. Sie hatte das Ganze sogar vergessen, bis ich ihr heute Morgen von dieser Sache erzählte.«

»Weißt du, wie diese Frau aussah?«

»Connie meinte, es sei eine etwa Dreißigjährige aus New York gewesen, recht hübsch und elegant gekleidet. Connie ist mit Paul bei ihrer Mutter, aber ich habe sie gebeten, dich nachmittags anzurufen. Sie wird dir mehr erzählen können.«

»Hast du eine Möglichkeit, das genaue Datum herauszufinden, an dem diese Frau zum Abendessen gekommen ist?«

»Hör zu, ich bin im Auto unterwegs zum Restaurant. Ich werde versuchen, die Reservierung in unserer Datenbank zu finden. Connie erinnerte sich, dass es der Abend war, an dem ihr Cousin aus Hawaii zum Essen kam.«

»Danke, Vittorio. Ich warte auf deinen Rückruf. Es ist wirklich wichtig.«

—

New York
Restaurant Imperator
Mittagsdienst

Emmas Hand zitterte leicht, als sie den Weißwein in die rautenförmigen Kristallgläser einschenkte.

»Meine Damen und Herren, zu den karamellisierten Froschschenkeln an gebratenen Saubohnen in Lebkuchenpanade stelle ich Ihnen einen Wein aus dem Rhônetal vor: einen Condrieu Jahrgang 2008, Rebsorte Viognier.«

Sie räusperte sich. Nicht nur ihre Hand zitterte. Alles in ihr war ins Wanken geraten. Der Vorabend hatte sie schwer erschüttert. Nachts hatte sie kaum ein Auge zugetan, und jetzt plagte sie heftiges Sodbrennen.

»Schmecken sie die Frische der Condrieu-Rebe, die ausgewogene Weichheit. Es ist ein aromatischer Wein mit blumiger Note.«

Sie beendete ihren Tischdienst und machte ihrem Assistenten ein Zeichen, dass sie eine Pause brauchte.

Von heftigem Schwindel ergriffen, eilte sie aus dem Speisesaal und schloss sich auf der Toilette ein. Sie fühlte sich fiebrig, schwitzte, unter ihrer Schädeldecke bohrte und hämmerte es anhaltend und schmerzhaft. Immer wieder spürte sie die brennende Säure aufsteigen. Warum ging es ihr so schlecht? Warum fühlte sie sich derartig schwach? So erschöpft? Sie brauchte unbedingt Schlaf. Wenn sie müde war, beschleunigte sich alles in ihrem Kopf. Negative Gedanken bedrängten und stürzten sie – jenseits aller Realität – in eine bizarre und erschreckende Welt.

Von Krämpfen geschüttelt, beugte sie sich über die Toilettenschüssel und übergab sich. Sie verharrte eine Weile in dieser Haltung und versuchte, durchzuatmen. Diese Geschichte mit der elektronischen Post aus der Zukunft jagte ihr höllische Angst ein. Es war *Dezember 2010*. Sie konnte doch nicht mit einem Mann korrespondieren, der im *Dezember 2011* lebte! Also musste dieser Mann entweder geisteskrank sein oder etwas im Schilde führen. In beiden Fällen war er eine Bedrohung für sie. Für sie und ihre eigene mentale Verfassung. Sie hatte genug von Typen mit allen möglichen Macken. Doch das ging wirklich zu weit! In den letzten Monaten hatte sich ihr Zustand zwar stabilisiert, doch jetzt überkam sie erneut Panik. Sie hätte Medikamente benötigt, um etwas zur Ruhe zu kommen. Sie hätte mit ihrer Therapeutin darüber sprechen müssen, aber Margaret Wood hatte sich abgesetzt und war über die Weihnachtsferien nach Aspen gefahren.

Verdammter Mist!

Sie rappelte sich auf, ging zum Waschbecken und betrachtete sich im Spiegel. Ein Tropfen Gallenflüssigkeit hing an ihren Lippen. Sie wischte ihn mit einem Papierhandtuch ab und benetzte sich ihr Gesicht mit Wasser. Sie musste Vernunft annehmen und sich wieder beruhigen. Dieser Mann konnte ihr nichts anhaben. Falls er versuchen sollte, erneut Kontakt mit ihr aufzunehmen, würde sie seine Nachrichten ignorieren. Sollte er nicht locker lassen, würde sie sich an die Polizei wenden. Und falls er versuchen sollte, sich ihr zu nähern, wusste sie, wie sie ihn empfangen würde: In ihrer Handtasche trug sie immer einen Elektroschocker bei sich. Mit seiner bonbonrosa Farbe glich ihr Taser eher einem Sexspielzeug als einer Selbstverteidigungswaffe, war jedoch teuflisch wirksam. Ein wenig beruhigt, atmete Emma noch einmal tief durch, kämmte sich und kehrte an ihre Arbeit zurück.

—

»Bekomme ich einen Lobster Roll mit Pommes?«, fragte Emily.

»Lieber mit Salat«, schlug Matthew vor.

»Bah, warum? Mit Pommes schmeckt er doch viel besser!«

»Okay«, gab er nach, »dann aber keinen Nachtisch. Einverstanden?«

»Einverstanden«, willigte die Kleine ein und versuchte, ihrem Vater zuzuzwinkern.

Matthew gab beim Kellner die Bestellung auf und reichte ihm die Speisekarte zurück. Sie hatten auf der Terrasse des Bistro 66 an der Newbury Street Platz genommen. Nach ihrer Tour durch das Spielzeuggeschäft hatte April sie verlassen, um in ihre Galerie zu gehen. Matthew war glücklich zu sehen, dass Emilys Augen noch immer vor Begeisterung funkelten. Er fragte sie, welche Geschenke sie denn nun in ihrem Brief an den Weihnachtsmann nennen würde. Emily zog ihr iPad aus ihrem kleinen Rucksack und fragte, ob man dem Weihnachtsmann nicht besser eine E-Mail schicken sollte, aber das lehnte Matthew ab. Diese Bereitschaft, in allen Bereichen des Alltags die Technik einziehen zu lassen, ging ihm zunehmend auf die Nerven. Vor allem heute!

Als man ihnen gerade ihr Hummersandwich gebracht hatte, klingelte sein Handy. Es war Vittorio. Connie war noch nicht zurück, er hatte jedoch seinerseits

Nachforschungen angestellt und den genauen Tag herausgefunden, an dem die junge Frau gekommen war, die behauptet hatte, mit ihm verabredet zu sein.

»Genau gestern vor einem Jahr: am zwanzigsten Dezember 2010.«

Matthew schloss die Augen und seufzte. Der Albtraum ging weiter.

»Das ist aber noch nicht alles«, fuhr der Restaurantbesitzer fort. »Stell dir vor, ich habe einen Film, auf dem man sie sieht!«

»Wen?«

»Diese Frau.«

»Soll das ein Witz sein?«

»Lass es dir erklären: Letztes Jahr im November wurde unser Restaurant im Abstand von wenigen Tagen zweimal nachts ausgeraubt und verwüstet.«

»Ich erinnere mich. Du dachtest, die Mancini-Brüder steckten dahinter.«

»Ja, sie haben nie akzeptiert, dass wir ihnen Konkurrenz machten, aber ich konnte es ihnen nicht beweisen. Kurz, in dieser Zeit hatten uns die Polizei und auch unsere Versicherungsgesellschaft empfohlen, eine Videoüberwachung zu installieren. Etwa drei Monate lang haben diese Kameras rund um die Uhr alles aufgezeichnet. Alles wurde gespeichert, auf einen Server übertragen und auf Festplatten archiviert.«

»Und dir ist es nun gelungen, die Bilder vom Abend des zwanzigsten Dezembers zu finden?«

»Ganz genau. Und ich habe auch die junge Frau entdeckt. Sie war die Einzige, die an diesem Abend ohne Begleitung kam.«

»Das kommt so unerwartet, Vittorio! Kannst du mir eine Kopie davon schicken?«

»Die Mail ist bereits rausgegangen, mein Lieber.«

Matthew beendete das Gespräch, holte seinen Laptop aus der Umhängetasche und loggte sich über die Wi-Fi-Verbindung des Bistro 66 ins Netz ein. Noch immer keine Nachricht von Emma Lovenstein, aber die E-Mail von Vittorio war bereits angekommen. Da das Video im Anhang ein großes Datenvolumen hatte, dauerte es eine kleine Ewigkeit, bis es hochgeladen war.

»Papa, bekomme ich ein Schokoladensoufflé, bitte?«

»Nein, Liebling, wir haben gesagt, keinen Nachtisch. Iss dein Sandwich auf.«

Matthew startete das Video im Vollbildmodus. Da es von einer Videokamera aufgenommen war, überraschte ihn die grobkörnige, schlechte Bildqualität nicht. Die Sequenz, die Vittorio herausgeschnitten hatte, dauerte keine zwei Minuten. Die Kamera war oben in einer Ecke des Speisesaals installiert. Eine kleine digitale Uhr am unteren Bildrand zeigte 20:01 Uhr, als eine junge, elegant gekleidete Frau die Tür des Restaurants öffnete. Man sah sie kurz mit Connie sprechen, bevor sie aus dem Bildausschnitt verschwand. Das Flimmern auf dem Bildschirm zeigte an, dass die Szene hier unterbrochen worden war und eineinhalb Stunden später fortgesetzt wurde, um genau 21:29 Uhr. Deutlich sah man dieselbe Frau das Restaurant verlassen, ohne sich weiter aufzuhalten. Dann verschwamm das Bild, und der Film endete. Matthew startete die Szene noch einmal und drückte dann auf PAUSE, um in dem Augenblick anzuhalten, als die junge Frau das Restaurant betrat. Es gab keinen Zweifel. So verrückt es auch scheinen mochte, es handelte sich tatsächlich um Emma Lovenstein.

»Zieh deinen Mantel an, Liebes, wir gehen.«

Matthew zog drei 20-Dollar-Scheine aus der Tasche und verließ das Restaurant, ohne auf das Wechselgeld zu warten.

—

»Ich habe etwas Dringendes zu erledigen, April. Kannst du mir dein Auto leihen und ein oder zwei Stunden auf Emily aufpassen?«

Seine Tochter an der Hand, platzte Matthew in die Galerie, die von seiner Untermieterin geführt wurde. Die Wände des Ausstellungsraums waren mit erotischen japanischen Farbholzschnitten und freizügigen Fotos bedeckt, die Anfang des 20. Jahrhunderts aufgenommen worden waren. In der Mitte des Raums standen dazu passende afrikanische Statuen, eine Ausstellung von Penishüllen und moderne Skulpturen in Form riesiger Phalli. Auch wenn die Galerie nichts mit einem Sexshop zu tun hatte, war sie doch weder ein Ort für prüde Gemüter noch für Kinder.

Matthew durchquerte den Raum daher im Laufschritt, um Emily in Aprils Büro zu bringen.

»Du bist schön brav und wartest hier auf mich, einverstanden, ja, mein Liebes?«

»Nein! Ich möchte nach Hause!«

Er zog das iPad aus ihrem Rucksack und schlug seiner Tochter vor: »Möchtest du einen Film anschauen? *Aristocats*? *Cap und Capper*?«

»Nein, das ist langweilig! Ich möchte *Game of Thrones* sehen!«

»Kommt überhaupt nicht infrage, das ist zu gewalttätig und nichts für kleine Mädchen.«

Emily senkte den Kopf und brach in Tränen aus. Matthew massierte sich die Schläfen. Er hatte Migräne, und seine Tochter war müde und überreizt, weil sie kreuz und quer durch Toys Bazaar gelaufen war. Was sie brauchte, war ein Schläfchen, ruhig in ihrem Bett, und nicht ein Film für Erwachsene im Vorzimmer zu einem Pornoland.

April kam ihm zu Hilfe.

»Ich denke, es ist besser, wenn ich mit Emily nach Hause gehe.«

»Ich danke dir! Ich brauche eine oder höchstens eineinhalb Stunden.«

»Was hast du denn Dringendes zu erledigen?«

»Ich erzähle es dir später, versprochen.«

»Und dass du mir schön auf meine Kiste aufpasst!«, warnte sie ihn, als sie ihm die Autoschlüssel reichte.

—

Matthew holte den Camaro, der unter den hohen Bäumen der Commonwealth Avenue geparkt war. Wie auf seinem Weg zur Arbeit verließ er Back Bay über die Brücke der Massachusetts Avenue und fuhr weiter Richtung Cambridge, dann an der Universität und dem großen See Fresh Pond vorbei, anschließend setzte er die Fahrt noch mehrere Kilometer weiter fort bis Belmont. Er musste den Mann wiederfinden, der ihm den Laptop verkauft hatte. Die Adresse von Aprils Kunde war noch im Navi eingespeichert, sodass es für ihn ein Leichtes war, die von Villen gesäumte Straße wiederzufinden. Dieses Mal parkte er direkt vor dem neuenglischen holzverkleideten Haus. Am Tor wurde er vom Knurren des Shar-Pei mit dem hellen Fell empfangen, den er bereits am Tag des Flohmarkts bemerkt hatte. Der Hund, der in seinen Hautfalten steckte wie in einem zu großen Mantel, hielt aufmerksam und aggressiv Wache.

»Clovis! Hierher!«, rief der Besitzer, als er aus der Tür trat.

Während der Mann über den Rasen auf ihn zukam, entdeckte Matthew den Namen auf dem Klingelschild: Lovenstein.

»Sie wünschen?«

Es war der Mann, der ihm den gebrauchten Mac verkauft hatte. Derselbe finstere Blick, dieselbe eckige Brille, derselbe Leichenbestatter-Anzug.

»Guten Tag, Mister Lovenstein, hätten Sie ein paar Minuten Zeit für mich?«

»Worum geht es?«

»Sie haben mir vor zwei Tagen beim Flohmarkt einen Laptop verkauft, der ...«

»Ja, ich erkenne Sie, aber ich kann Ihnen gleich sagen, ich mache keinen Kundendienst.«

»Darum geht es auch nicht. Ich würde Ihnen nur gerne ein paar Fragen stellen. Darf ich eintreten?«

»Nein. Was für Fragen?«

»Sie hatten mir gesagt, der Computer habe Ihrer Schwester gehört, ist das richtig?«

»Hm ...«, kam die Antwort.

Ohne sich entmutigen zu lassen, zog Matthew die Fotos, die er ausgedruckt hatte, aus seiner Manteltasche.

»Ist diese junge Frau auf den Fotos Ihre Schwester?«

»Ja, das ist Emma. Woher haben Sie die Bilder?«

»Sie waren noch auf der Festplatte des Computers gespeichert. Ich kann Sie Ihnen per E-Mail schicken, wenn Sie möchten.«

Der Mann nickte wortlos.

»Können Sie mir sagen, wo ich Emma jetzt finde?«, fuhr Matthew fort. »Ich würde sehr gerne mit ihr sprechen.«

»Sie möchten mit ihr sprechen!«

»Ja, etwas Persönliches. Und es ist wichtig.«

»Sie können es ja gerne versuchen, aber ich bezweifle, dass Emma Ihnen antworten wird.«

»Und warum?«

»Weil sie tot ist.«

Kapitel 8

Anastasis

Die Angst hat auf dieser Welt mehr zerstört,
als die Freude schaffen konnte.

Paul Morand

»Seit ihrer frühen Jugend hat ... war meine Schwester sprunghaft und melancholisch, ein Charakterzug, den ich als ›Zyklothymia‹ bezeichnen würde.«

Daniel Lovenstein hatte eine affektierte Ausdrucksweise. Angesichts von Matthews Hartnäckigkeit hatte er schließlich eingewilligt, ihn eintreten zu lassen und ihm Emmas Geschichte zu erzählen.

»Ihre Gemütsverfassung war starken Schwankungen unterworfen«, fuhr Lovenstein fort. »Mal war sie die glücklichste junge Frau der Welt, die vor Begeisterung und Plänen nur so sprühte. Dann wieder sah sie alles schwarz, und nichts machte in ihren Augen Sinn. Dieser Wechsel zwischen den euphorischen, manischen Zuständen und den depressiven Phasen erfolgte bald in immer kürzeren Abständen. In den letzten Jahren wurde mir klar, dass sie an einer Persönlichkeitsstörung litt. Monatelang konnte man den Eindruck haben, es ginge ihr gut, dann jedoch kam es zu einem Rückfall, der noch schwerer war als der vorherige.«

Er verstummte für eine Weile, um einen Schluck Tee zu trinken. Die beiden Männer saßen einander gegenüber, jeder in seinen Polstersessel versunken. Das triste und kalte Zimmer war in ein unheimliches Dämmerlicht getaucht, als würde es von Emmas Geist heimgesucht.

»Es waren in erster Linie ihre Liebesbeziehungen, die ihr den Boden unter den Füßen wegzogen«, vertraute Lovenstein Matthew in bitterem Tonfall an. »Emma verliebte sich Hals über Kopf, was jedes Mal mit einer Enttäuschung endete. Sie hat uns über die Jahre nichts erspart: hysterische Anfälle, Suizidversuche, Selbstverletzungen, Aufenthalte in der Psychiatrie ... Offiziell wurde die Diagnose ›bipolare Störung‹ nie gestellt, für mich aber gab es keinen Zweifel daran.«

Je vertraulicher das Gespräch wurde, desto unwohler fühlte sich Matthew, denn der Groll, den der Bruder seiner Schwester gegenüber hegte, war fast greifbar. Doch welchen Wahrheitsgehalt hatte diese Beschreibung? Lovenstein zögerte nicht, seine Vermutungen zu äußern, die, soweit Matthew das heraushörte, allerdings medizinisch nicht bestätigt worden waren.

Daniel beugte sich vor, um die Fotos vom Couchtisch zu nehmen.

»Im Sommer hatte sie die Beziehung zu einem ehemaligen Liebhaber wieder aufgenommen. Zu diesem Typen da«, präzisierte er und deutete auf den Mann, der neben Emma auf den Fotos zu sehen war. »Er ist Franzose, François Giraud, der Erbe eines Weinguts im Bordelais. Er hat ihr viel Leid zugefügt. Einmal mehr war Emma zu gutgläubig. Sie war überzeugt, dieses Mal sei er tatsächlich bereit, seine Frau zu verlassen. Das stimmte natürlich nicht, und so unternahm sie einen erneuten Selbstmordversuch, der leider tödlich endete und ...«

Seine Ausführungen wurden durch das plötzliche Gebell des Shar-Pei unterbrochen.

»Der Hund gehörte Emma, nicht wahr?«, fragte Matthew.

»Ja, Clovis. Sie hing sehr an ihm. Er war, wie sie immer betonte, die einzige ›Person‹, die sie nie enttäuscht hat.«

Matthew erinnerte sich, dass Emma in den E-Mails, die sie ausgetauscht hatten, dieselbe Formulierung verwendet hatte.

»Ich möchte nur ungern die schmerzlichen Erinnerungen wieder aufwühlen, Mister Lovenstein, aber wie ist Emma gestorben?«

»Sie hat sich am fünfzehnten August in White Plains vor einen Zug geworfen. Wahrscheinlich unter dem Einfluss eines Medikamentencocktails. Jedenfalls lagen in ihrer Wohnung überall entsprechende Packungen herum: Benzodiazepine, Schlafmittel und weiteres Dreckszeug ...«

Von den schmerzlichen Erinnerungen überwältigt, erhob sich Lovenstein plötzlich aus seinem Sessel, um seinem Gegenüber zu bedeuten, dass das Gespräch beendet sei.

»Warum liegt Ihnen so viel daran, mit meiner Schwester zu sprechen?«, fragte er, als er Matthew zur Tür begleitete.

Matthew, der seine wahren Gründe lieber für sich behalten wollte, wich der Frage mit einer Gegenfrage aus.

»Warum haben Sie den Verkauf all ihrer Sachen organisiert?«

Die Frage traf Lovenstein ins Mark.

»Um reinen Tisch zu machen! Um mich von Emma zu befreien!«, antwortete er erregt. »Die Erinnerungen zermürben mich, sie bringen mich langsam um. Sie binden mich an eine Vergangenheit, die schon so schlimm genug war!«

Matthew nickte.

»Verstehe«, sagte er und trat ins Freie.

In Wirklichkeit aber dachte er genau das Gegenteil. Er wusste, dass ein solcher Kampf illusorisch war. Man kann seine Erinnerungen nicht einfach mit einem Besen wegkehren. Sie bleiben im Dunkeln verborgen, lauern auf einen Augenblick mangelnder Wachsamkeit, um mit zehnfacher Wucht wieder hervorzubrechen.

Von: Matthew Shapiro
An: Emma Lovenstein
Betrifft: Lassen Sie uns miteinander reden
Datum: 21. Dezember 2011 – 13:45:03

Liebe Emma,
können Sie sich, falls Sie online sind, bei mir melden?
Ich denke, wir sollten über das, was mit uns
geschieht, sprechen.
Matt

Von: Matthew Shapiro
An: Emma Lovenstein
Betrifft:
Datum: 21. Dezember 2011 – 13:48:14

Emma,
ich verstehe, dass diese Situation Sie verwirrt und
beunruhigt. Auch mir macht sie Angst, aber wir
müssen wirklich darüber sprechen. Bitte antworten
Sie mir.
Matt

—

Matthew klickte auf »Senden«, um Emma die zweite
Nachricht zu schicken. Fieberhaft wartete er eine endlos
scheinende Minute auf eine Antwort.

Nach seinem Besuch bei Daniel Lovenstein hatte er sich wieder in den Camaro gesetzt, um nach Boston zurückzukehren, nach einigen Kilometern jedoch hatte er am Ufer des Charles River in einem Diner haltgemacht. Das Brand New Day war ein chromblitzendes Waggon-Restaurant, das sowohl von Spaziergängern als auch von Harvard-Studenten nach dem Rudertraining frequentiert wurde. Matthew hatte auf einer der mit Kunstleder bezogenen Bänke Platz genommen, seinen Laptop herausgeholt und sich ins Netz eingewählt.

Noch nie in seinem Leben war er so verwirrt gewesen, noch nie so erschüttert in seinen Überzeugungen. Die Beweise häuften sich: das Datum der Mails, das Video, das ihm Vittorio gemailt hatte, die Aussage von Emmas Bruder … Alles wirkte darauf hin, ihn das Unfassbare glauben zu machen: Dank dieses Computers konnte er mit einer Frau in Verbindung treten, die schon tot war, seine Nachrichten aber ein Jahr früher erhielt, als sie noch lebte.

Wie war das möglich? Er konnte es sich nicht erklären, erkannte jedoch bereits ein paar Regeln. Er holte den Kugelschreiber und das Notizbuch heraus, das er immer in seiner Tasche hatte, und schrieb einige Überlegungen nieder.

1. Emma Lovenstein erhält meine Mails mit einer Zeitverschiebung von exakt einem Jahr.

2. Der Laptop, den ich auf dem Flohmarkt gekauft habe, ist unser einziges Kommunikationsmittel.

Matthew hob den Kopf und fragte sich, ob der zweite Punkt wirklich den Tatsachen entsprach. Eines lag auf der Hand: Emma hatte die Nachrichten, die er ihr von seinem Handy aus geschickt hatte, ebenso wenig erhalten wie er ihre mit dem Smartphone versandten. Warum?

Er dachte einen Augenblick angestrengt nach. Wenn Emma seit drei Monaten tot war, mussten jene Mails, die er ihr von einer anderen Kommunikationsquelle als dem Laptop schickte, auf einem Account landen, den niemand mehr konsultierte. Logisch.

Was aber geschah mit den Mails, die Emma ihm im Jahr 2010 von ihrem Handy aus schickte? Die hätte er normalerweise vor einem Jahr erhalten haben müssen, er konnte sich jedoch nicht erinnern, im Dezember 2010 irgendetwas von einer Emma Lovenstein bekommen zu haben.

Trotz der vielen Mails, die bei ihm eingingen, hätten ihm diese auffallen müssen. Er dachte angestrengt nach und fand die Lösung: Er hatte genau im Dezember 2010 den Anbieter gewechselt – und mit ihm seine Mail-Adresse! Die Adresse, an die sie ihm von ihrem Smartphone aus schrieb, hatte damals noch gar nicht existiert. Beruhigt, in all dem Chaos einen Hauch von Rationalität zu finden, notierte er in seinem Büchlein einen weiteren Fakt:

3. Heute, im Dezember 2011, habe ich keine Möglichkeit, physisch mit Emma in Kontakt zu treten …

Leider, sie ist tot.

4. … umgekehrt wäre dies jedoch möglich. Emma könnte mit mir Kontakt aufnehmen …

Er durchdachte diese Hypothese: Wenn sie wollte, konnte die »Emma aus dem Jahr 2010« jederzeit ein Flugzeug nach Boston besteigen und den »Matthew aus dem Jahr 2010« treffen. Würde sie das tun? Sehr unwahrscheinlich in Anbetracht des »Eifers«, mit dem sie ihm antwortete.

Nervös warf er einen Blick auf den Bildschirm des Laptops. Noch immer keine Nachricht von der Sommelière. Er versuchte, sich in Emma hineinzuversetzen: eine intelligente, aber emotional instabile Frau. Sie war äußerst dünnhäutig und sicher verunsichert durch die Situation. Er verfügte über Vittorios Video und hatte das Gespräch mit ihrem Bruder geführt, um sich von der Realität dessen, was er erlebte, zu überzeugen. Nicht so Emma. Also hielt sie ihn für verrückt und antwortete ihm daher nicht. Demnach musste er eine Möglichkeit finden, ihr Beweise zu liefern.

Aber welche?

Er blickte aus dem Fenster. Jogger und Fahrradfahrer teilten sich die Piste entlang des Flusses, während die Ruderer zum Geschrei der Wildgänse die Fluten teilten.

Das Lokal hatte sich seit seiner Ankunft geleert. Matthew bemerkte die *New York Times* des heutigen Tages, die einer der Gäste auf dem Nachbartisch hatte liegen lassen. Er griff nach der Zeitung, und plötzlich kam ihm eine Idee. Mit der Webcam des Laptops fotografierte er die Titelseite der Zeitung, und zwar so, dass man das Datum deutlich erkennen konnte, und schickte das Foto mit einer kleinen Notiz an Emma:

Von: Matthew Shapiro
An: Emma Lovenstein

Emma,
wenn Sie einen Beweis dafür haben möchten, dass ich im Jahr 2011 lebe, hier ist er.
Geben Sie mir ein Zeichen.
Matt

New York

Emma überflog die Mail und öffnete die Anlage. Sie zoomte das Foto heran und schüttelte den Kopf. Nichts war heute einfacher, als ein Foto via Photoshop zu manipulieren ...

Das beweist gar nichts, Idiot!

Der Donner grollte. Der Himmel hatte sich plötzlich zugezogen, und sintflutartiger Regen prasselte auf den Diner nieder. Innerhalb weniger Minuten drängten lärmende Menschen in das Restaurant, um vor dem Regen Schutz zu suchen.

Die Augen auf seinen Bildschirm geheftet, ignorierte Matthew das Treiben.

Noch immer keine Antwort.

Offenbar hatte das Foto Emma nicht überzeugt. Er musste etwas anderes finden. Und zwar schnell.

Er ging auf die Internetseite der *New York Times* und gab im Archiv der Tageszeitung einen Suchbegriff ein. Mit wenigen Klicks hatte er die gewünschte Information gefunden. Dieses Mal würde Emma Lovenstein ihn nicht ignorieren können ...

Von: Matthew Shapiro
An: Emma Lovenstein

Ich störe Sie noch einmal, Emma.
Auch wenn Sie mir nicht antworten, bin ich doch sicher, dass Sie am Bildschirm sitzen ...
Mögen Sie Sport? Basketball? In diesem Fall wissen Sie sicher, dass heute (ich spreche von »Ihrem« heute) ein mit Spannung erwartetes Spiel stattfindet: die Begegnung zwischen den New Yorker Knicks und den Bostoner Celtics.

Schalten Sie Ihr Radio ein oder stellen Sie den Fernseher an, Kanal 9, dann werde ich Ihnen den Beweis liefern, auf den Sie warten …
Matt

Emma spürte, wie sich ihr Herzschlag beschleunigte. Bei jeder Mail von Matthew hatte sie den Eindruck, als schlössen sich die Backen eines Schraubstocks ein wenig enger um sie und drohten, sie zu zermalmen. Unter die Angst mischte sich jedoch auch eine gewisse Erregung. Sie klappte ihren Laptop zu, klemmte ihn unter den Arm und verließ ihr Büro, um den Lift in die obere Etage zu nehmen, wo sich der Ruhebereich für das Personal des Imperator befand. Sie stieß die Tür auf und betrat einen großen Raum mit weißen Wänden, eingerichtet in hellem Holz, mit Sofas und Wassily-Sesseln.

Emma grüßte die Leute, die sie kannte: Mehrere Angestellte, die miteinander plauderten oder, auf einer weichen Couch sitzend, in Zeitschriften blätterten, eine Gruppe von Männern, die sich vor einem großen Flachbildschirm, der an der Wand hing, versammelt hatte, um … ein Basketballmatch zu verfolgen.

Emma ließ sich an einem Tisch nieder, schaltete ihren Laptop ein und erhob sich dann wieder, um sich an einem Automaten ein Getränk zu holen. Sie öffnete die Dose und trat näher zum Fernseher.

»Soeben hat die Partie im Madison Square Garden erneut begonnen«, berichtete der Journalist begeistert.

»*Zu Beginn dieses letzten Viertels führen die New Yorker Knicks mit 90 zu 83. Von Anfang an boten uns beide Mannschaften eine faszinierende Partie. Die Spieler beider Teams überbieten sich ...*«

Emmas Magen krampfte sich zusammen. Es war genau das Match, von dem Matthew gesprochen hatte. Sie kehrte an ihren Tisch zurück, um aus der Ferne den weiteren Verlauf der Partie zu verfolgen. Nach einigen Minuten tauchte auf dem Bildschirm ihres Laptops eine neue Mail auf.

Von: Matthew Shapiro
An: Emma Lovenstein

Haben Sie einen Fernseher oder ein Radio gefunden, Emma? Momentan liegt New York weit vorn, nicht wahr? Wenn Sie das Match in einer Kneipe oder an einem öffentlichen Ort verfolgen, bin ich sogar sicher, dass die Männer um Sie herum bereits davon überzeugt sind, dass ihre Mannschaft gewinnen wird ...

Sie unterbrach die Lektüre der E-Mail, um den Kopf in Richtung der Angestellten zu heben, die wie gebannt das Match verfolgten. Begeistert klatschten sie sich auf die Schenkel und applaudierten bei jedem Punkt, den ihre Mannschaft holte. Sie waren offensichtlich im siebten Himmel. Sie las weiter:

... und doch wird Boston gewinnen mit 118 zu 116. Und zwar in der letzten Sekunde. Merken Sie sich den Spielstand gut, Emma:
New York 116 – Boston 118.
Sie glauben mir nicht?
Dann verfolgen Sie das Spiel weiterhin aufmerksam ...

Das Herz hämmerte heftig in ihrer Brust. Inzwischen machte ihr dieser Typ wirklich Angst. Verkrampft und wie gelähmt, rappelte sie sich auf und näherte sich dem Fernseher, um das Ende des Spiels zu sehen, wobei sie stumm betete, die Vorhersage von Matthew möge sich nicht bewahrheiten.

»Nur noch fünf Minuten. New York führt noch immer mit 104 zu 101.«

Diese letzten Minuten durchlebte sie voller Angst. Um sich von ihrer Unruhe abzulenken, versuchte sie, tief durchzuatmen. Noch zwei Minuten, und New York lag noch immer in Führung.

Eine Minute dreißig Sekunden.

Ein Korb der Celtics führte zum Gleichstand beider Mannschaften, 113 für beide, dann sorgten zwei aufeinanderfolgende Treffer mit je drei Punkten auf beiden Seiten für einen erneuten Punktegleichstand: 116 zu 116.

Emma biss sich auf die Lippe. Es blieben noch weniger als zehn Sekunden, als Paul Bierce, ein Spieler von Boston, geschickt die Verteidigung durchbrach und sich seinem Gegner durch einen Step-Back entzog, bevor er den Ball warf … und für seine Mannschaft zwei Punkte holte.

»Boston führt mit zwei Punkten! 118 zu 116! Die Knicks haben das Glück nicht auf ihrer Seite!«

Während der Spieler seinen Erfolg feierte, begannen die Zuschauer im Stadion vor Enttäuschung zu schimpfen. Voller Panik beobachtete Emma den Zeitmesser.

Dieser zeigte »00.4« an. Es blieben nur noch vier Zehntelsekunden. Es war verloren.

Nein! Denn seit dem Abschlag versuchte ein Spieler der Knicks das Unmögliche: einen Direktwurf aus acht Metern Entfernung. Und der Ball landete tatsächlich nach einer wunderbaren Flugbahn im Korb.

»Ein atemberaubender Wurf!«, schrie der Kommentator. *»Stoudemire hat damit sicher den wichtigsten Treffer seiner Karriere gelandet!« New York gewinnt das Match! Es steht 118 zu 119!«*

Emma jubelte mit all ihren Kollegen, allerdings nicht aus demselben Grund. Alles in ihr entspannte sich plötzlich. Matthew hatte nicht recht! Er lebte nicht in der Zukunft! Er konnte den Ausgang der Partie nicht vorhersagen! Sie war nicht verrückt!

Auf dem Bildschirm sah man, wie die Zuschauer auf dem Gelände des Madison Square Garden vor Begeisterung tobten. Die New Yorker Spieler drehten ihre Ehrenrunde im Stadion. Die Zuschauer waren aufgesprungen und skandierten Siegesrufe … bis sich der Schiedsrichter die Videoaufzeichnung noch einmal zeigen ließ, und da bewiesen die Bilder, was niemand hatte sehen wollen: Der Ball hatte die Hände des Spielers erst einige Hundertstelsekunden nach dem Abpfiff verlassen!

»Was für ein Glück! Am Ende einer unglaublich intensiven Partie, so spannend wie ein Hitchcock-Thriller, hat Boston die Knicks tatsächlich mit 118 zu 116 geschlagen und damit deren Siegesserie über acht Spiele beendet!«

Emma wurde es übel, und sie flüchtete auf die Toilette.

Ich werde verrückt!

Sie war von Angst erfüllt, unfähig, gegen den inneren Dämon zu kämpfen, der ihren Verstand vernichtete. Wie sollte sie einen Sinn in diesem Chaos finden? Eine Täuschung erschien unwahrscheinlich: Das Spiel war eine Direktübertragung, und es war nicht möglich, eine so erbitterte Partie zu fälschen. Einfach nur Glück? Vielleicht hatte Matthew das Ergebnis geraten. Einen Moment lang klammerte sie sich an diesen Gedanken.

Mist!

Man kann nicht mit einem Mann kommunizieren, der in der Zukunft lebt. Das ist ganz einfach unmöglich!

Emma betrachtete sich im Spiegel. Ihr Mascara war verlaufen, ihr Teint wächsern, leichenartig. Sie wischte das Make-up mit etwas Wasser ab und versuchte, wieder eine gewisse Ordnung in ihre Gedanken zu bringen. Dabei tauchte ein Detail erneut auf, das sie irritiert hatte. Warum hatte Matthew in seiner ersten Mail ge-

schrieben: »Ich bin der neue Besitzer Ihres MacBook?«
Was hatte das zu bedeuten? Dass sie ihren Computer
in der Zukunft verkaufen würde? Dass dieser Typ ihn
gebraucht erworben hatte und sie durch eine Art Zeitsprung miteinander kommunizieren konnten, wobei
jeder von ihnen sich in einem anderen Jahr befand? Das
hatte weder Hand noch Fuß.

Außer Atem wie nach einem Hundertmeterlauf
lehnte sie sich an die Wand und wurde sich plötzlich
ihrer Verletzlichkeit und Einsamkeit bewusst. Sie hatte
niemanden, den sie um Rat fragen oder bei dem sie
Trost suchen konnte. Keine wirkliche Familie, der sie
sich anvertrauen konnte, abgesehen von einem strengen und verächtlichen Bruder. Keine echten Freunde.
Keinen Partner. Selbst ihre Therapeutin, der sie ein Vermögen bezahlte, hatte sie verlassen.

Plötzlich tauchte in ihrem Gedächtnis ein unverhoff-
ter Name auf: der von … Romuald Leblanc.

Wenn es einen Menschen gab, der ihr bei dieser Com-
putergeschichte vielleicht helfen konnte, war es dieses
kleine Informatikgenie!

Mit plötzlich neuem Auftrieb verließ sie die Toilette
und nahm den Lift zur Etage des Marketingbüros. An
diesem Samstag gab es nur eine Notbesetzung, und der
Praktikant arbeitete am Wochenende nicht. Mit der ihr
eigenen Hartnäckigkeit gelang es ihr, der Person die
Handynummer des Franzosen abzuluchsen, woraufhin
sie ihn sofort anrief. Nach dem zweiten Klingeln antwortete der Junge mit unsicherer Stimme: »Hallo?«

»Ich brauche dich, Brillenschlange. Wo steckst du? Sitzt du immer noch am Bildschirm und begaffst Mädels in String-Tangas?«

Kapitel 9

Reisende in der Zeit

Begrüßet die Zukunft, die sich schmeichelnd naht,
grüßet dies Gespenst mit leeren Händen,
das viel verspricht und gar nichts hat.

Victor Hugo, *Innere Stimmen*

New York 2010
Meatpacking District
Eine Viertelstunde später

Auf den Kais des Hudson River herrschte eisige Kälte.

Emma schlug die Tür des Taxis zu. Kalter Wind peitschte ihr ins Gesicht. Fröstelnd schob sie die Hände tiefer in die Manteltaschen. An diesem späten Nachmittag lag dichter Nebel über dem ehemaligen Schlachthofviertel. Sie zog ihren Schal fester zusammen und lief unter dem eisernen Bogen hindurch, der zum Pier 54 führte, jenem historischen Anleger, an dem früher die Überseeschiffe festmachten. Hier wollte Romuald sie treffen.

Bei einem plötzlichen Motorengeräusch hob Emma den Kopf, und sie entdeckte ein wahres Geschwader aus etwa zwanzig ferngesteuerten Miniatur-Hubschraubern, die am trüben, schneeverhangenen Himmel ihre Kreise zogen. Auf dem geteerten Pier wetteiferten Männer unterschiedlichen Alters darin, ihre Flugzeuge geschickt zu steuern.

Emma blickte sich suchend nach Romuald um, und es dauerte eine Weile, bis sie ihn entdeckt hatte. Der Junge war in einen dicken Parka gehüllt und hatte seine Skimütze tief ins Gesicht gezogen. Er versuchte vergeblich, seine mit vier Propellern versehene Maschine zum Abheben zu bringen.

»Hallo, Brillenschlange«, rief sie, während sie sich ihm von hinten näherte.

Er fuhr herum und rückte seine Brille zurecht.

»Hello, Miss Lovenstein.«

»Wo sind wir denn hier? Bei einer Zusammenkunft anonymer Modellflugzeug-Freaks?«

»Das sind Drohnen«, erklärte der Junge.

»Was?«

»Diese kleinen Apparate sind zivile Drohnen.«

Fasziniert beobachtete Emma einen der Quadrocopter, der hoch in den Himmel aufstieg – so wie früher in ihrer Kindheit die Drachen –, bevor er an Tempo zulegte und schließlich auf der Mole landete. Emma bemerkte, dass sie alle unterschiedlich aussahen: Flugzeuge, Helikopter mit vier oder sechs Rotoren, andere erinnerten an fliegende Untertassen … selbst gefertigte UFOs, die von einer Gemeinschaft faszinierter Fans gebaut worden waren. Sie stellte sich diese Leute in ihren Garagen vor: Informatiker und Roboterfans, die die Einzelteile und Elektronik zusammenschweißten und ihren Maschinen eine persönliche Note verliehen, ehe sie sie mit ihren Freunden zusammen draußen testeten.

Wie die Kinder.

Sie lief von einer Gruppe zur anderen und stellte fest, dass die meisten Piloten ihre Drohnen mit ihrem Smartphone verbunden hatten, um so über ein mobiles Terminal zu verfügen. Einige der Flugkörper waren sogar mit ultraleichten Kameras versehen, die ihre Bilder direkt auf das Display des Handys schickten.

Sie ging zurück zu Romuald, der noch immer mit seinem Quadrocopter kämpfte. Niemand kam ihm zu Hilfe. Keine gute Seele innerhalb dieser »Gemeinschaft«, die ihm unter die Arme gegriffen hätte. Das tat ihr leid für ihn. Er wirkte einsam, intelligent und ein wenig verloren.

Wie ich …

»Warum fliegt deiner nicht?«

»Ich weiß es nicht«, erwiderte er beunruhigt. »Es ist zu windig, und vielleicht ist die Einstellung nicht richtig, ich …«

»Das macht nichts.«

»Doch!«, rief er und senkte den Blick.

Wahrscheinlich ist er es nicht gewohnt, bei Informatik oder Mechanik auf Probleme zu treffen, dachte Emma bei sich. Sie wechselte das Thema.

»Ist das wenigstens legal?«, fragte sie, hin- und her-gerissen zwischen Bewunderung und Skepsis.

»Drohnen? Ja, mehr oder minder …«, meinte er schniefend. »Es gibt ein paar Regeln, die man beachten muss: Man darf nicht über Menschen oder höher als hundert Meter fliegen und muss die Maschine im Blick-feld behalten …«

Sie nickte. Eigentlich war sie überrascht, dass diese Technologie nicht dem Militär und der Forschung vor-behalten war. Was hinderte die Leute daran, mit diesen Dingern ihre Nachbarn auszuspionieren und deren pri-vaten Lebensraum zu überfliegen? Ihre paranoide Seite erwachte, und sie stellte sich den nächsten Schritt vor: Winzige Drohnen von der Größe eines Insekts, die unbemerkt die Privatsphäre der Menschen ausspähen und ihre Gespräche aufnehmen könnten. Eine Welt der allgemeinen Überwachung. Eine Welt, in der sie nicht leben wollte.

Sie vertrieb diese Gedanken und blickte gen Norden, wo sich in der Ferne über den Kais die New Yorker High-Line, ein Konstrukt aus Beton und Stahl, erhob. Zu deren Füßen befand sich das Café Novoski, das die beste heiße Schokolade der Stadt servierte.

»Los, pack dein Zeug ein«, befahl sie Romuald. »Ich lade dich zu einem Kakao ein.«

—

Romuald verdrückte ein dickes Stück Kirschstrudel und trank dazu einen Schluck heiße Schokolade.

»Sag mal, hast du in den letzten drei Tagen nichts zu essen bekommen?«

Der Junge schüttelte den Kopf und machte sich an die zweite Hälfte des Kuchenstücks.

»Irgendwann bringe ich dir bei, wie du zivilisiert isst, wenn du einer jungen Frau gegenübersitzt«, versprach sie und wischte mit einer Papierserviette die Kuchenkrümel von Romualds Mund.

Er senkte den Blick, als wäre er so etwas nicht gewohnt, und zupfte verlegen an den Ärmeln seines Pullovers, um die pummeligen Arme zu verbergen. Sie machte sich Sorgen um ihn.

»Wo wohnst du, Romuald?«

»In der Jugendherberge von Chelsea.«

»Hast du dich in letzter Zeit bei deinen Eltern gemeldet?«

»Machen Sie sich keine Gedanken«, wich er aus.

»Doch, das tu ich aber. Hast du wenigstens Geld?«

»Genug«, versicherte er. Er kratzte sich nervös am Kopf und wechselte eilig das Thema.

»Warum wollten Sie mich sprechen?«

»Ich möchte, dass du dir meinen Computer genau ansiehst«, erklärte sie, zog den Laptop aus ihrer Tasche und stellte ihn vor den Jungen hin.

Romuald klappte ihn auf, und auf dem Bildschirm erschien das geöffnete E-Mail-Programm.

»Wo ist das Problem?«

»Ich bekomme seit einiger Zeit so eigenartige Mails. Kannst du den Absender überprüfen?«

»Normalerweise ist das nicht schwierig«, versicherte Romuald.

»Also gut«, sagte sie herausfordernd, »dann zeig mal, was du kannst. Es betrifft meine gesamte Korrespondenz mit Matthew Shapiro.«

Schnell hatte Romuald einen eigenen Ordner angelegt und die Nachrichten hineingeschoben. Er ging chronologisch vor, öffnete die Kopfzeile der ersten Mail und untersuchte die IP-Adresse des Absenders: den verwendeten Mail-Account und die verschiedenen Server, über die die Nachricht vom Absender bis zum Empfänger lief.

Im Prinzip war es ein Kinderspiel, eine E-Mail zurückzuverfolgen, doch in diesem Fall stimmte etwas nicht. Romualds Gesicht bekam einen verärgerten Ausdruck.

Er nahm seine Brille ab, um die schmutzigen Gläser an seinem Pullover abzuwischen. Entnervt entriss Emma sie ihm, suchte in ihrer Handtasche nach einem speziellen Putztuch, reinigte die Gläser und setzte dem Jungen die Brille wieder auf.

»Und?«, fragte sie ungeduldig.

Ohne zu antworten, öffnete Romuald die zweite Nachricht, analysierte sie auf die gleiche Art, dann die

dritte: eine Antwort, die Emma auf Matthews Mail geschrieben hatte.

»Hey, Brillenschlange, findest du was?«

»Das ... das Datum«, murmelte Romuald. »Sieht
ganz so aus, als würde Ihnen jemand Nachrichten aus
der Zukunft schreiben ...«

»Ja, das habe ich auch schon bemerkt, vielen Dank.
Und wie erklärst du dir das?«

Er schüttelte den Kopf.

»Eben gar nicht.«

»Nun streng dich doch mal an!«

Romuald wählte eine von Matthews E-Mails aus und
öffnete die verborgene Header-Zone.

»Im Netz vollziehen sich die Datenübertragungen
zwischen zwei IP-Adressen, okay?«

Emma nickte. Der junge Franzose fuhr fort: »Auf
dem Weg vom Sender-Computer zum Empfänger-Com-
puter passiert jede Nachricht verschiedene Server. Und
jeder Server markiert die Nachricht mit Datum und
Uhrzeit.«

Auf dem Bildschirm konnte man den Weg der E-Mail
von Matthews Computer bis zu ihrem verfolgen.

»Wenn dieser Mann Ihnen eine Nachricht schickt,
datieren die ersten Server diese mit 2011, und plötzlich,
irgendwo in der Mitte, macht ein Server eine Art ›Zeitsprung‹, und wir sind im Jahr 2010. Wenn Sie ihm
schreiben, geschieht dasselbe in umgekehrter Reihenfolge.«

»Dafür muss es doch eine rationale Erklärung geben«, beharrte sie. »Hast du in deinem Umfeld nie von einem ähnlichen Fall gehört? Vielleicht in den Foren oder in den Blogs der Hacker?«

Romuald schüttelte den Kopf und sagte nach einer Weile:

»Aber die Sache mit dem Datum ist nicht das einzig Merkwürdige ...«

»Was meinst du damit?«

»In beiden Fällen sind Ausgangs- und Empfangsserver identisch ... so als würde die E-Mail 2011 abgeschickt, um 2010 auf *demselben* Server wieder anzukommen.«

Als er sah, wie Emma zusammenzuckte, wurde Romuald die Ungeheuerlichkeit dieser Enthüllung bewusst. Um sie zu beruhigen, versprach er ihr, weitere Nachforschungen anzustellen und sich bei kompetenteren Freunden zu erkundigen.

Kaum hatte er sein Angebot ausgesprochen, als ein leiser Ton den Eingang einer neuen E-Mail ankündigte.

—

Emma drehte den Bildschirm zu sich her. Wie sie befürchtet hatte, kam die Mail von Matthew.

Emma, ich kann mir Ihr Schweigen nicht erklären.
Ich kann mir nicht vorstellen, dass Sie nicht mehr
über das erfahren möchten, was uns da widerfährt.
Herausfinden, was wir tun können und was nicht.
Ich verstehe zwar ihre Angst, aber die Neugier sollte
stärker sein.
Vielleicht brauchen Sie noch einen Anstoß, um diesen
Schritt zu tun ... Was wollen Sie? Einen weiteren
Beweis? Geld? Ich liefere Ihnen hier, wenn ich so
sagen darf, beides.
Bitte antworten Sie mir.
Matt

Die Nachricht hatte einen Anhang. Es war ein Artikel
aus der *New York Times* vom Montag, den 23. Dezember
2010, im PDF-Format.

Eine schwedische Touristin gewinnt an ihrem hundertsten Geburtstag 5 Millionen Dollar im Spielcasino.

Eine glückliche Touristin hat in der Nacht von Samstag auf Sonntag im Casino des Hotels New Blenheim
in Atlantic City an einem einarmigen Banditen »Little
Mermaid« über 5 Millionen Dollar gewonnen – und
das an ihrem hundertsten Geburtstag! Die Stockhol-

merin Lina Nordqvist hatte mit einer schwedischen
Rentnergruppe eine Reise in den amerikanischen
Norden unternommen. Die Gewinnerin hat uns
erzählt, sie habe um 20:45 Uhr zwei Jetons im Wert
von zwei Dollar in den einarmigen Banditen geworfen. Mrs Nordquist, die vom gesamten Casino des
New Blenheim umjubelt wurde, vertraute uns an, mit
einem Teil dieses Geldes würde sie sich einen lang
gehegten Traum erfüllen: Eine Weltreise mit ihrem
Ehemann in einem Fesselballon ...

Auf dem Foto posierte die extravagante Hundertjährige
in einem T-Shirt mit dem Aufdruck »I Love Stockholm«
und einem seltsamen Strohhut, auf ihren Rollator gestützt, vor den Glücksspielautomaten.

Emma sah auf ihre Uhr.

17:30 Uhr.

Es blieb ihr kaum Zeit, um zu handeln.

Sie musste sich beeilen. Sie konnte nicht länger in
diesem Zustand des Zweifelns verharren. Sie musste es
herausfinden. Gewissheit haben.

»Weißt du, wo es hier eine Autovermietung gibt,
Romuald?«

»Ich glaube, ein paar Hundert Meter entfernt. An der
Ecke Gansevoort und Greenwich Street ist ein First
Car.«

»Ich weiß, wo das ist«, rief sie und warf eine Zwan-
zig-Dollar-Note auf den Tisch.

Sie erhob sich, knöpfte ihren Mantel zu und sagte,

bevor sie in die Kälte trat: »Danke für deine Hilfe, Romuald. Pass gut auf dich auf …«

»Ich rufe Sie an, wenn ich etwas Neues herausgefunden habe. Und … ähm … passen Sie auch auf sich auf!«

Sie verließ das Café und winkte ihm von draußen durch die Scheibe zu.

—

Als Emma die Autovermietung erreichte, war es bereits dunkel. Sie musste zwanzig Minuten in einem schlecht geheizten Raum warten und wurde schließlich von einem Angestellten bedient, der so unsympathisch und arrogant war, dass sie ihr Vorhaben fast aufgegeben hätte. Also nahm sie den erstbesten Wagen, den er ihr anbot: einen orangefarbenen SUV General Motors. Sie bezahlte mit ihrer Kreditkarte und verließ Manhattan über den Holland Tunnel.

Emma fuhr ungern nachts, noch dazu auf einer Straße, die sie nicht kannte, doch der Weg von New York nach Atlantic City war gut ausgeschildert: Eigentlich musste sie immer nur dem Garden State Parkway folgen, einer Autobahn, die an der Küste entlang durch New Jersey führte. Die ganze Fahrt über zwang sie sich, ihre Angst zu unterdrücken. Sie schaltete einen Musiksender ein und versuchte mitzusingen, um sich abzulenken. Dennoch überschlugen sich ihre Gedanken.

Da sie fürchtete, zu spät zu kommen, sah sie dauernd auf die Uhr am Armaturenbrett. Als sie glaubte, ihr Ziel erreicht zu haben, geriet sie in einen Stau. Mehrere Fahrzeuge waren in einen Auffahrunfall verwickelt und blockierten die Zufahrt zum Expressway.

Sie musste sich eine gute Weile gedulden, bis der Zubringer wieder frei war und sie endlich das Spielerparadies an der East Coast erreichte. Dieser Ort hatte sie stets abgestoßen, und sie hatte nie hierherkommen wollen.

Erneuter Blick auf die Uhr.

20:25 Uhr.

Sie erreichte die Atlantic Avenue, die parallel zu dem berühmten Boardwalk verlief, jener langen hölzernen Strandpromenade, an der die meisten großen Spielcasinos des Badeorts lagen.

An diesem frühen Abend brodelte die Stadt vor Aktivität: Auf der Hauptstraße, an der sich Hotels, Restaurants und Theater aneinanderreihten, wimmelte es von Reisebussen, Luxuslimousinen und lächerlichen Rikschas.

20:29 Uhr.

Als sie an einer roten Ampel halten musste, nutzte Emma die Gelegenheit, um sich in diesem Feuerwerk von Lichtern und Neonreklamen zu orientieren. In der Mitte des Boardwalks erkannte sie die auffällige Silhouette des New Blenheim, des neuesten Casinos der Stadt, von dem sie in Zeitschriften Fotos gesehen hatte. Im Jahr 2000 erbaut, war der Komplex angelegt wie eine Marina und zog sich ähnlich einer großen blauen Welle um vier Pyramiden, die sich sechzig Meter über dem

Meer erhoben. Nachts waren die vier Gebäude mit ihren über zweitausend Zimmern in türkisfarbenes Licht getaucht und erinnerten an eine Staffel intergalaktischer Segelschiffe, bereit, einen unsichtbaren Feind anzugreifen.

20:34 Uhr.

Emma überholte ein Taxi und arbeitete sich bis zur sechsgeschossigen Tiefgarage des New Blenheim vor. Sie stellte den Mietwagen ab und lief zu einem der zahlreichen Aufzüge, die in die Hotelhalle fuhren. Dort angekommen, nahm sie sich die Zeit, auf einem interaktiven Plan den Saal mit den Geldspielautomaten zu suchen.

20:39 Uhr.

Der riesige Hotelkomplex umfasste ein Dutzend Restaurants, eine Spa-Abteilung, ein Schwimmbad, zwei Nachtclubs, drei Bars und einen über zehntausend Quadratmeter großen Casinobereich. Sie hatte sich den Sektor gemerkt, der die Glücksspielautomaten beherbergte, sowie den Weg, der dorthin führte.

20:40 Uhr.

Sie eilte durch die Halle, nahm zwei verschiedene Aufzüge und hastete durch einen gläsernen Tunnel, der die Pyramiden miteinander verband. Eine letzte Rolltreppe, die sie eine Etage tiefer brachte, ein Wachmann, dem sie ihren Ausweis zeigte, und sie hatte die Hochburg der Automaten erreicht.

20:41 Uhr.

Die Spielhölle war ein riesiger Saal mit niedriger

Decke. Der fensterlose Ort hatte trotz des fröhlichen Ge-
klimpers der Automaten etwas Deprimierendes. Emma
kaufte für fünfzig Dollar Jetons und lief eiligen Schrittes
durch die Geräusch- und Lichtkulisse der Heerschar
von einarmigen Banditen: Jackpot, Candy, Cleopatra,
Three Kings, White Orchid, Dangerous Beauty ... Hunderte von Maschinen bildeten ein verzweigtes Netz, das
Tag und Nacht in Betrieb war. Sie stürzte sich in die lärmende Menge, die von einer »Attraktion« zur nächsten wechselte: Männer, die sich als Vabanquespieler
inszenierten; Familienausflüge, die das Ziel hatten, die
Bank zu knacken; süchtige Spieler mit Zombiemienen,
die systematisch ihre gesamte Habe verspielten; junge
Männer, die sich mit ihren Freunden vom Junggesellen-
leben verabschiedeten; zahnlose Greise, die noch einmal den Jahrmarkt ihrer Kindheit erleben wollten ...

20:43 Uhr.

Emma hatte nie begriffen, was einen solchen Ort
so attraktiv machte. Schweißtropfen traten ihr auf die
Stirn, und sie schwankte leicht. Trotz der Größe der
Räume hatte man den Eindruck, in einem zeitlosen
Universum eingesperrt zu sein. Sie kämpfte gegen die
aufsteigende Übelkeit an und lehnte sich kurz an die
Wand, um wieder zu Atem zu kommen.

Da entdeckte sie plötzlich inmitten all der Basecaps
einen Strohhut! Sie näherte sich der schwedischen
Rentnergruppe. Kein Zweifel, da war sie: Lina Nordqvist, die Hundertjährige, mit ihrem »I love Stockholm«-T-Shirt. Mit der rechten Hand drückte sie einen

großen Topf mit Jetons an ihre Brust, mit der linken stützte sie sich auf einen Rollator. Im Schneckentempo bewegte sie sich auf eine Reihe von Automaten zu, an deren Ende »Little Mermaid« stand. Emma vergaß ihre guten Manieren und drängte sich vor, um als Erste vor dem einarmigen Banditen zu stehen.

»Du gick in i mig! Jag är en gammal dam! Tillbaks till skolan med dig sa att du kan lära dig lite hyfs!«, schimpfte die Alte verärgert.

20:44 Uhr.

Mir egal, was du da erzählst ... dachte Emma und entschuldigte sich halbherzig. Sie wartete, bis die Schwedin sich abgewandt hatte, um ihren ersten Jeton in den Schlitz des Automaten zu werfen.

20:45 Uhr.

Diese Geschichte ist völlig verrückt, sagte sie sich und drückte den Startknopf, um die simulierten Walzen in Gang zu setzen.

Les jeux sont faits ... dachte sie, als die fünf Walzen sich blitzschnell zu drehen begannen.

—

Boston 2011
22 Uhr

»Fuck! Fuck! Fuck!«, schrie April und zog eine heiße Backform aus dem Ofen.

Da sie sich die Finger verbrannt hatte, ließ sie den

Glasbehälter fallen, der mit ohrenbetäubendem Getöse auf dem Boden zerschellte.

Matthew, der auf dem Sofa eingenickt war, schrak zusammen und sprang auf. Nachdem er seine Tochter ins Bett gebracht hatte, war er erschöpft vor der x-ten Wiederholung von Frank Capras Weihnachtsklassiker *It's a Wonderful Life* eingeschlafen.

»Geht es noch etwas lauter?«, rief er. »Ich bin nicht sicher, ob Emily wach geworden ist.«

»Ach, sei still, mein schönes Gewürzbrot ist total verbrannt!«, klagte April. »Wo ich mich ausnahmsweise mal am Backen versuche!«

Matthew rieb sich die Augen. Ihm war kalt, und er fühlte sich fiebrig und ängstlich. Er hatte den ganzen Nachmittag damit verbracht, Emma Nachrichten zu schicken, und immer neue Beweise dafür erbracht, dass das, was sie hier erlebten, real war, doch er hatte keine einzige Antwort bekommen. Er verließ das Wohnzimmer und ging in die Küche, um April zu helfen, den Schaden zu beheben, dann überprüfte er zum hundertsten Mal an diesem Tag seine Mails.

Dieses Mal blinkte der Posteingang! Jetzt, wo er schon nicht mehr damit gerechnet hatte, schickte Emma ihm einige lapidare Zeilen.

Von: Emma Lovenstein
An: Matthew Shapiro
Betreff: Jackpot

Matthew,
Sie lieben doch Zeitungen so sehr, also werfen
Sie einen kurzen Blick auf den Artikel aus der
New York Times ...
Emma

Was hatte das zu bedeuten? Warum sollte er diesen Artikel noch einmal lesen? Sollten etwa ...

Er spürte, wie sein Adrenalinspiegel stieg, zog sich einen Barhocker heran und setzte sich vor den Computer, der auf der Küchentheke stand. Er brauchte jetzt einen klaren Kopf. Während er den Link zum Archiv der *New York Times* anklickte, schob er eine Kapsel in die Kaffeemaschine und machte sich einen starken Espresso. Er fand ohne Schwierigkeiten die Ausgabe vom 23. Dezember 2010, lud die PDF-Datei herunter und blätterte auf der Suche nach dem Artikel durch die Seiten. Zunächst fand er ihn nicht, dabei erinnerte er sich genau an das skurrile Foto von der schwedischen Rentnerin, die, auf ihren Rollator gestützt, stolz vor den blinkenden Glücksspielautomaten posierte. Doch das Bild war verschwunden. Er suchte weiter und fand schließlich einen Artikel – einen wesentlich einfacheren ohne Foto, der über den geknackten Jackpot in Atlantic City berichtete.

**Eine junge New Yorkerin gewinnt im Casino mit nur
einem Jeton 5 Millionen Dollar!**

Eine junge Frau, die anonym bleiben möchte, hat am
Samstagabend im Casino des New Blenheim in Atlantic City an einem Glücksspielautomaten »Little Mermaid« über fünf Millionen Dollar (5 023 466) gewonnen. Für diese ansehnliche Summe hat sie nur einen
einzigen Jeton im Wert von 2 Dollar eingesetzt. Die
Gewinnerin hat uns erzählt, sie habe gerade erst das
Casino betreten und gegen 20:45 Uhr ihren Jeton in
den Einarmigen Banditen geworfen. Unter dem
Applaus der Casinobesucher vertraute sie uns an, sie
würde sich mit dem Geld vielleicht ein neues Auto,
sicher aber einen neuen Computer kaufen.

Verblüfft las er den Artikel ein zweites Mal, und plötzlich wurde ihm bewusst, was das bedeutete. Seine Kehle
wurde trocken, Schweißperlen traten ihm auf die Stirn.
Er wollte Kaffee trinken, hatte aber Mühe zu schlucken.
Als er gerade aufstehen wollte, ging eine zweite Nachricht ein.

Von: Emma Lovenstein
An: Matthew Shapiro
Betreff:

Also, Matthew. Was sollen wir jetzt tun?
Emma

Die Frage hallte in seinem Kopf wider wie ein Echo. Ja, was sollten sie jetzt tun? Das wusste er auch nicht, aber wenigstens war er nicht mehr der Einzige, der sich die Frage stellte.

Plötzlich durchzuckte ihn eine Erkenntnis: In dem Moment, als Emma ihm diese E-Mail schickte, hatte Kate noch gelebt ...

Dritter Teil
Der Schein

Vierter Tag

Kapitel 10

Die Hand an der Wiege

Die Hand, die die Wiege schaukelt,
ist die Hand, die die Welt regiert.

William Wallace

Boston
22. Dezember 2010
11:00 vormittags

Neid.
Verbitterung.
Eifersucht.

Das war der Gefühlscocktail, den Emma beim Anblick der glücklichen Familie Shapiro empfand.

An diesem Sonntagvormittag ging Matthew mit seiner Frau und der kleinen Emily im verschneiten Public Garden spazieren. Der große Bostoner Park war von einer feinen Schicht Pulverschnee überzogen, der am frühen Morgen gefallen war. Es war der erste Schnee in diesem Winter, und er hüllte die Stadt in ein Festtagsgewand.

»Komm auf meinen Arm, Liebes«, rief Matthew und hob seine Tochter hoch, um ihr einen silbrig schimmernden Schwan zu zeigen, der auf dem ruhigen Wasser einer Gruppe von Enten folgte.

Wenige Meter entfernt saß Emma, die nicht einmal versuchte, sich zu verstecken, auf einer Bank und beobachtete die Szene. Sie lief nicht Gefahr, entdeckt zu werden, denn der »Matthew aus dem Jahr 2010« kannte ihr Gesicht nicht und wusste nichts von ihrer Existenz. Eine völlig paradoxe Situation, die Emma ebenso unwahrscheinlich wie aufregend erschien. Der Schlaf hatte sie ein wenig entspannt. Die ganze Nacht über hatte sie in dem Greyhound Bus geschlummert, der sie von Atlantic City nach Boston gebracht hatte. Nachdem es ihr am Vorabend gelungen war, den Jackpot zu knacken, hatte sie einige Papiere für die Casinoverwaltung ausfüllen müssen. Notwendige Formalitäten, damit der Gewinn auf ihr Konto überwiesen werden konnte. Durch die Fenster des New Blenheim hatte sie die ersten Flocken am Himmel von Atlantic City gesehen. Da sie keine Lust hatte, stundenlang bei Schneetreiben zu fahren, hatte sie die Schlüssel des Mietwagens an der Hotelrezeption abgegeben, damit er in die örtliche Zweigstelle zurückgebracht würde. Dann war sie mit einem Taxi zum Busbahnhof gefahren und hatte sich ein Ticket nach Boston gekauft. Der halb leere Überlandbus war um 23:15 Uhr abgefahren und die ganze Nacht über in gemäßigtem Tempo seinem Ziel entgegengerollt. Bei einem Zwischenstopp in Hartford war Emma kurz hochgeschreckt, richtig aufgewacht war sie aber erst, als der Greyhound um acht Uhr morgens die Hauptstadt von Massachusetts erreichte.

Emma war im Four Seasons, das genau am Park lag, abgestiegen. Das konnte sie sich jetzt, da sie mehrere Millionen Dollar auf ihrem Konto hatte, problemlos leisten. Sie hatte im Imperator angerufen, um sich für die ganze Woche krankzumelden. Nach dem Duschen hatte sie in der Hotelboutique warme Kleidung gekauft und war dann durch die verwinkelten Straßen von Beacon Hill gelaufen. Einen genauen Plan hatte sie nicht. Nur Fragen. Sollte sie Matthew ansprechen? Aber was hätte sie ihm sagen sollen? Er hätte sie in jedem Fall für verrückt erklärt.

Ehe sie eine Entscheidung traf, musste sie ihn zunächst beobachten. Seine Adresse kannte sie: ein Brownstone-Haus an der Ecke Louisburg Square und Willow Street. Auf dem Weg dorthin war sie fasziniert von Beacon Hill mit seinem einzigartigen Charme. Als sie über den mit Backsteinen gepflasterten Bürgersteig lief, fühlte sie sich wie eine Heldin des Schriftstellers Henry James. Das ganze Viertel schien im 19. Jahrhundert verhaftet. Die Fassaden der Geschäfte waren mit gestrichenem Holz verkleidet, die Gaslaternen verströmten ein Licht, das aus einer anderen Zeit zu kommen schien, und die schmalen, gewundenen Gässchen führten zu verborgenen Gärten, von denen man hinter den schmiedeeisernen Toren nur einige Bäume erahnte.

Mühelos fand sie das Haus der Shapiros. Es war dekoriert mit Girlanden und Tannenkränzen, die mit Zapfen und Bändern verziert waren. Während sie fast eine Stunde warten musste, war sie erfüllt von dem Gefühl, sich außerhalb der Zeit unter einer *snow globe* ihrer Kindheit zu bewegen, in einer gigantischen Schneekugel, die man geschüttelt hatte, um glitzernden Schnee auf die roten Backsteinhäuser rieseln zu lassen. Eine unsichtbare Kuppel, die ihr Schutz vor den Aggressionen und dem Wahnsinn der Welt bot ...

Gegen zehn Uhr öffnete sich dann endlich die Tür, und sie sah ihn zum ersten Mal in Fleisch und Blut. Ihn, Matthew. Mit einer Wollmütze auf dem Kopf und seiner Tochter auf dem Arm, stieg er vorsichtig die vereisten Stufen der Außentreppe hinab. Unten angekommen, setzte er sie in einen Buggy und sang dabei einen lustigen Abzählreim. Emma fand ihn noch charmanter, als sie ihn sich vorgestellt hatte. Er hatte etwas Gesundes, Offenes und Bodenständiges, das ihr bereits in seinen E-Mails aufgefallen war. Ihn so aufmerksam mit seiner Tochter umgehen zu sehen machte ihn noch anziehender.

Und dann kam sie heraus. Die andere Frau, Kate Shapiro. Sie war jung, blond, hochgewachsen, schlank und nicht nur hübsch, sondern einfach ... perfekt. Eine klassische Schönheit, die etwas von einer Patrizierin hatte, umgeben mit einem Nimbus mütterlicher Sanftheit und Rätselhaftigkeit: große, klare Augen, hohe Wangenknochen, helle Haut, volle Lippen und ein Haarknoten wie der einer Heldin aus einem Hitchcock-Film ...

Nachdem sie den ersten Schock überwunden hatte –
Kate war dieser Typ Frau, neben dem sie sich nur erbärmlich fühlen konnte –, folgte Emma der kleinen
Familie zum Boston Public Garden, der zwischen Beacon Hill und Back Bay lag.

»Sieh nur, Liebes«, rief Kate und zeigte ihrer Tochter
ein Eichhörnchen, dessen buschiger Schwanz hinter
einem Baum hervorschaute.

Die Kleine sprang aus ihrem Buggy, um hinter dem
Tier herzulaufen, stolperte aber nach zwei Schritten
und landete mit dem Gesicht im Schnee. Aus Ärger und
nicht, weil sie sich wehgetan hätte, brach sie in Tränen
aus.

»Komm, mein Schatz, komm zu Papa.«

Matthew setzte sie wieder in den Wagen, und das
Trio spazierte über die Charles Street zum Boston Common Park, wo während der Wintermonate eine Eislaufbahn angelegt war. Um Emily zu trösten, kaufte Kate
bei einem fliegenden Händler heiße Maronen. Sie ließen sie sich schmecken und beobachteten dabei die
Schlittschuhläufer, deren kühne Sprünge nicht selten
mit einer Bauchlandung endeten, was Emily amüsierte.

»Es ist immer sehr viel lustiger, wenn andere hin-
fallen, nicht wahr?«, neckte ihr Vater sie.

Anschließend liefen sie gemächlich zur Mitte der
großen Wiese, wo sich die meisten Spaziergänger versammelt hatten. Matthew hob seine Tochter auf die
Schultern. Mit strahlenden Augen bewunderte sie den
riesigen, reich geschmückten Weihnachtsbaum, den die

Stadt Halifax den Bewohnern von Boston gemäß einer alten Tradition alljährlich schenkte.

Emma, die nur wenige Schritte entfernt stand, wandte den Blick nicht von Emily ab. Ihre Augen glänzten ebenso wie die der Kleinen. Doch das Feuer war von einer Spur Bitterkeit getrübt.

Sie hatte dieses familiäre Glück nie kennengelernt, diese Ruhe, die von ihnen ausging, diese Liebe zwischen ihnen. Warum? Was stimmte nicht mit ihr, dass ihr solches Glück verwehrt blieb?

Boston
22. Dezember 2011
Mitten in der Nacht

Bekleidet mit einer Pyjamahose und einem T-Shirt der Red Sox, knipste Matthew die Spiegelbeleuchtung im Bad an.

Er konnte einfach nicht schlafen. Seine Kehle war trocken, sein Herz raste, und eine heftige Migräne kündigte sich an. Er nahm zwei Tabletten aus dem Arzneischrank und schluckte sie mit einem Glas Wasser. Dann lief er hinunter in die Küche. Seit drei Stunden, die er sich im Bett hin und her gewälzt hatte, ging ihm ein Gedanke nicht mehr aus dem Kopf. Eine Gewissheit, die ihm nach und nach immer klarer geworden war. Eine völlig verrückte Idee, viel zu schön, um realistisch zu erscheinen. Er musste wirklich alles versuchen, um

Emma davon zu überzeugen, Kates Unfall zu verhindern. Angesichts dieser Vorstellung kam ihm immer wieder ein Wort in den Sinn. *Anastasias:* der Begriff, mit dem die Griechen die Wiederauferstehung der Toten bezeichneten. Wie in einem Science-Fiction-Roman. Gab es wirklich die Möglichkeit, den Lauf des Lebens nachträglich zu ändern? Es war eine schwache Hoffnung, aber eine Chance, die er nutzen musste.

Er dachte an jenen aberwitzigen Traum, den die Menschheit seit jeher hegte: Die Zeit zurückdrehen zu können, um die Fehler und Ungerechtigkeiten des Daseins zu korrigieren. Das erinnerte ihn an den Mythos von Orpheus, und er sah sich in der Gestalt des Lyraspielers, der in die Unterwelt hinabstieg, um die Götter zu bitten, ihm seine verstorbene Frau zurückzugeben. Kate wäre seine Eurydike, aber um sie wieder zum Leben zu erwecken, brauchte er unbedingt die Hilfe von Emma Lovenstein.

Im Halbdunkel schaltete er die Lichtleiste der Einbauküche ein, öffnete den Laptop, setzte sich auf einen Barhocker und schrieb eine Nachricht an Emma, in die er all seine Gefühle und seine Überzeugungskraft legte.

—

Boston
22. Dezember 2010

Die Familie Shapiro verließ die Wiesen des Boston Common und spazierte weiter in Richtung Osten. Emma folgte ihnen in gebührendem Abstand und versuchte, sich zurechtzufinden und mit der Stadt vertraut zu machen. Boston hatte ihr auf Anhieb gefallen: Es war schicker und zivilisierter als New York, weniger rau und hektisch. An jeder Straßenkreuzung schienen zwischen klassischer Architektur und moderner Baukunst Vergangenheit und Gegenwart in friedlicher Harmonie zu verschmelzen.

Als sie sich dem italienischen Viertel North End näherten, hing der Duft nach frisch geröstetem Kaffee in der Luft. Auf der Hanover Street ließen die Auslagen der Feinkostgeschäfte und Bäckereien den Passanten das Wasser im Mund zusammenlaufen: Büffelmozzarella, Artischocken auf römische Art, knuspriger Mandelkuchen, Struffoli mit Honig, Cannoli mit Cremefüllung…

Hand in Hand betraten Matthew und seine Frau ein Restaurant mit verglaster Fensterfront, in dem sie Stammgäste zu sein schienen. The Factory war eine In-Trattoria mit einer Mischung aus familiärem und schickem Ambiente, das sowohl bei Studenten angesagt war als auch bei alternativen Wohlstandsbürgern. Damit hatte Emma nicht gerechnet, aber sie trat hinter ihnen ein und bat um einen Tisch.

»Sind Sie allein?«, fragte die Kellnerin mit vorwurfs-vollem Unterton.

Emma nickte. Es war noch früh, und wenn sich das Restaurant auch zu füllen begann, gab es doch ganz offensichtlich genügend freie Plätze.

»Und Sie haben nicht reserviert?«

Zweiter Vorwurf.

Diesmal antwortete sie nicht und ertrug schweigend die Arroganz dieses Mädchens mit den feinen Gesichts-zügen, den langen, glatten Haaren und den superkur-zen Shorts, die die Beine der Zwanzigjährigen vorteil-haft zur Geltung brachten.

»Warten Sie bitte einen Moment, ich werde sehen, was ich tun kann.«

Emma sah sie durch das Restaurant stolzieren, als befände sie sich auf einem Laufsteg. Um Haltung zu bewahren, trat sie an die Bar – einen Block aus Faser-zement mit Metallhockern – und bestellte einen Caipi-roska.

Die Sonne tauchte den Raum in ein schönes, warmes Licht. Das Restaurant zog sich über mehrere Ebenen und erinnerte mit seinem unbehandelten Holz und den Grautönen an das Industrie-Design verschiedener New Yorker Lokalitäten. Auf der Theke war neben einer Handschneidemaschine ein gereifter Parmaschinken ausgestellt wie ein Kunstwerk, und im hinteren Teil des Raums prasselte in einem großen Pizzaofen ein Feuer.

»Kommen Sie bitte mit, Signorina«, bat die Kellnerin und eilte ihr voraus.

Mit einem Augenzwinkern gab der Barkeeper Emma zu verstehen, er würde ihr den Cocktail bringen. Sie hatte Glück, denn der Tisch, den man ihr zuwies, war keine zehn Meter von Matthew und seiner Frau entfernt. Zufrieden, einen so guten Beobachtungsposten gefunden zu haben, leerte sie ihr Glas in einem Zug und bestellte zusammen mit einem Dorade-Tatar und einer Pizzetta mit Rucola und Artischocken einen neuen Drink.

Die Augen leicht zusammengekniffen, beobachtete sie die Shapiros. Ganz offensichtlich eine glückliche Familie, die scherzte und einen ansteckenden Humor verbreitete. Um seine Tochter zu amüsieren, spielte Matthew den Clown, und auch Kate musste lachen. Offenbar gab es eine starke Verbundenheit zwischen dem Paar. Zwei Menschen, von denen man nichts anderes behaupten konnte, als dass »sie wirklich gut zusammenpassten«. Emmas Blick verweilte auf der kleinen Emily.

E-MI-LY. Die drei Silben hallten eigenartig in ihrem Inneren wider. Schon immer hatte sie sich gesagt, dass sie *diesen Vornamen* später einmal ihrer Tochter geben würde, sollte sie Mutter werden. Ein Zufall, der jedoch eine alte Angst und eine schlecht verheilte Wunde in ihr aufbrechen ließ.

Sie hatte mit niemandem darüber gesprochen, nicht einmal mit ihrer Therapeutin, aber während der zweijährigen lockeren Beziehung zu François hatte sie mehrmals heimlich versucht, schwanger zu werden. Sie hatte ihren Liebhaber angelogen und ihm vorgemacht, sie würde die Pille nehmen. Dabei hatte sie in Wirklichkeit genau die fruchtbaren Tage ihres Zyklus berechnet und nach Möglichkeiten gesucht, genau zu diesem Zeitpunkt Sex mit ihm zu haben. Anfänglich hatte sie sich gesagt, dass, wenn sie ein Kind von ihm bekäme, François seine Frau endlich verlassen würde. Doch dann hatte sie begriffen, dass dies nicht den geringsten Einfluss auf die Unentschlossenheit ihres Liebhabers haben würde, der Wunsch, Mutter zu werden, war hingegen geblieben.

Doch das erhoffte Baby war nie gekommen.

Das hatte sie nicht weiter beunruhigt. Schließlich war sie erst dreiunddreißig Jahre alt. Doch dann hatte sie im Wartezimmer ihrer Therapeutin in einer Ausgabe der *Newsweek* geblättert und war auf einen Artikel gestoßen, in dem es um das Phänomen der »vorzeitigen Wechseljahre« ging. Die Berichte jener Frauen, deren Fruchtbarkeit bereits mit Anfang dreißig abnahm, hatten sie sehr berührt. Eigentlich gab es keinen Grund für sie, sich betroffen zu fühlen, denn sie hatte nie Probleme mit ihrer Regel gehabt. Dennoch war nach dieser Lektüre eine quälende Unruhe in ihr zurückgeblieben. Um ihre Ängste zum Schweigen zu bringen, kaufte sie sich in der Apotheke einen Hormontest. Die Methode war seriös. Sie erforderte eine Blutabnahme am zweiten Tag der Regel, die dann in ein Labor eingeschickt wurde. Anhand der Analyse dreier verschiedener Hormontypen wurde die Anzahl der Eizellen bestimmt und mit der für eine Frau ihres Alters normalen Anzahl verglichen.

Eine Woche später hatte Emma das Ergebnis mit der Post erhalten und erfahren, dass ihr Vorrat an Eizellen dem einer Vierzigjährigen entsprach! Diese Enthüllung war niederschmetternd für sie gewesen. Eigentlich hätte sie den Test wiederholen oder zu ihrem Gynäkologen gehen sollen, doch stattdessen hatte sie diese Information verdrängt, die sie jetzt mit der zerstörerischen Kraft eines Bumerangs einholte.

Emma spürte Wut und Angst in sich aufsteigen und begann, am ganzen Körper zu zittern. Um die Erinnerung zu vertreiben, konzentrierte sie sich erneut auf den Tisch der Shapiros.

Doch der Zorn wollte nicht verebben. Wieder fühlte sie sich als Opfer einer Ungerechtigkeit und wurde von Fragen bestürmt, auf die es keine Antwort gab. Warum begegnen manche Menschen zum richtigen Zeitpunkt dem richtigen Partner? Warum haben manche Anrecht auf die Liebe und Geborgenheit einer Familie? War dafür Verdienst, Glück, Zufall oder Schicksal zuständig? Was hatte sie im Leben falsch gemacht, dass sie heute so einsam, so labil und ohne jegliches Selbstvertrauen war?

Sie bat die Bedienung mit einem Handzeichen, den Tisch abzuräumen, und zog ihren Laptop heraus. Boston war eine vernetzte Stadt, und so stellte das Restaurant seinen Gästen einen kostenlosen Internetzugang zur Verfügung. Sie öffnete ihr Postfach, um ihre E-Mails zu lesen, und fand, wie erwartet, eine Nachricht von Matthew.

Von: Matthew Shapiro
An: Emma Lovenstein
Betreff: *Sustine et abstine*

»Ertrage und entsage.«
Kennen Sie diesen Leitsatz der Stoiker, Emma?
Er fordert uns auf, die Fatalität des
Schicksals zu akzeptieren. Für diese Philosophen ist
es sinnlos, sich gegen die von der »Vorsehung« fest-
gelegte Ordnung der Dinge aufzulehnen.
Warum? Weil wir keinen Einfluss auf Krankheit, den
Lauf der Zeit oder den Tod eines geliebten Wesens
haben. Wir sind absolut machtlos gegenüber diesem
Leid. Wir können es nur so demütig wie möglich
ertragen.
Genau das versuche ich seit einem Jahr zu tun: Den
Tod meiner Frau Kate, der großen Liebe meines
Lebens, zu akzeptieren, das hinzunehmen, was nicht
zu akzeptieren ist, Trauerarbeit zu leisten und für
meine Tochter Emily weiterzuleben.
Doch seit ich Ihren Computer gekauft habe, hat
sich alles verändert. Ich bin ebenso wenig wie Sie in
der Lage, diese Diskrepanz der Zeit zu verstehen.
Es gibt sicherlich Phänomene, die sich jeglicher
rationalen oder wissenschaftlichen Erklärung entziehen, und ein solches durchleben wir beide wohl im

Moment. Einen »Zeitsprung«, wie Einstein sagen würde.

Aber heute erhalte ich vielleicht mit Ihrer Hilfe die Möglichkeit, in den Genuss einer Gnade zu kommen, die der Himmel noch niemandem gewährt hat: Ein geliebtes Wesen wieder zum Leben erwecken.

Ich flehe Sie an, helfen Sie mir, Emma!

Das Leben meiner Frau liegt in Ihrer Hand. Ich habe Ihnen die Umstände ihres Todes bereits geschildert: Als sie am 24. Dezember kurz nach neun Uhr abends ihren Dienst beendet hatte und den Krankenhausparkplatz verlassen wollte, wurde ihr Wagen von einem Mehltransporter angefahren. Sie haben die Macht, diesen Unfall ungeschehen zu machen, Emma.

Tun Sie irgendetwas, damit sie sich zu diesem Zeitpunkt nicht in ihr Auto setzt: Stechen Sie die vier Reifen des Mazda auf, geben Sie Zucker in den Benzintank, reißen Sie ein Zuleitungskabel im Motor heraus. Oder erfinden Sie irgendetwas, damit sie an diesem Tag nicht zur Arbeit geht. Egal, was, doch verhindern Sie diesen verhängnisvollen Augenblick!

Sie können mir meine Frau, vor allem aber meiner Tochter die Mutter zurückgeben. Sie können unsere Familie wieder vereinen. Ich weiß, dass Sie ein großherziger Mensch sind. Ich habe keinen Zweifel daran, dass Sie mir helfen werden, und dafür werde ich Ihnen ewig dankbar sein.

Sie können mich um ALLES bitten, Emma. Wenn Sie

mehr Geld wollen, kann ich Ihnen die Gewinnzahlen der Lotterie, die Börsenkurse oder die Tore des nächsten Basketball-Matchs mitteilen. Welche Summe Sie auch wollen, ich werde dafür sorgen, dass Sie sie bekommen.

Ich umarme Sie.

Matt

Diese Mail brachte sie förmlich zum Ausrasten. Unfähig, ihre Impulsivität zu zügeln, antwortete sie mit wenigen Worten, in denen all ihr Zorn und ihre Frustration steckten.

Von: Emma Lovenstein
An: Matthew Shapiro
Betreff: Re: *Sustine et abstine*

Ich will kein Geld, Sie Idiot!
Ich will Liebe! Ich will eine Familie!
Ich will Dinge, die man nicht kaufen kann!

Kaum hatte sie auf »Senden« geklickt, bemerkte sie, dass Matthew und seine Familie das Lokal verlassen hatten. Sie klappte den Laptop zu und verlangte die Rechnung. Da sie kein Bargeld mehr hatte, zahlte sie mit ihrer Kreditkarte, musste sich aber eine Weile gedulden, bis man sie ihr zurückbrachte.

—

Sie eilte auf den North Square hinaus und fand die Shapiros bei ihrem Bummel auf der Hanover Street wieder. Sie folgte ihnen bis zu einer langen Esplanade mit Bäumen, Brunnen, Wasserspielen und Straßenlaternen. Nach fünfzehnjährigen gewaltigen Bauarbeiten war es der Stadt gelungen, die breite Autobahn, die Boston verschandelt hatte, unter die Erde verschwinden zu lassen, sodass die acht Spuren jetzt in den Eingeweiden der Stadt verliefen. Auf dem so an der Oberfläche gewonnenen Platz waren mehrere, den Fußgängern vorbehaltene »grüne Inseln« entstanden.

Emma setzte ihre Verfolgung bis zur Ecke Cambridge und Temple Street fort. Am Zebrastreifen tauschten Kate und Matthew einen flüchtigen Kuss und entfernten sich dann in entgegengesetzte Richtungen. Überrascht zögerte Emma. Offensichtlich kehrten Matthew und seine Tochter nach Hause zurück. So entschloss sie sich, Kate zu folgen. Diese lief an der Old West Church vorbei und zu einem moderneren Viertel, in dem unterkühlte Glas- und Stahlarchitektur den altmodischen Charme der roten Ziegelbauten verdrängt hatte. Emma hob den Kopf und entdeckte ein erleuchtetes Schild: Sie befand sich vor dem Haupteingang des MGH, des Massachusetts General Hospital, eines der größten und ältesten Krankenhäuser des Landes.

Es handelte sich um einen weitverzweigten Gebäudekomplex, zusammengewürfelt ohne Harmonie oder offenkundige Logik. Allem Anschein nach hatte sich das Krankenhaus im Laufe der Jahre wie eine schnell wachsende Stadt vergrößert. Um das ursprüngliche alte Gebäude hatten sich verschiedene neue, immer größere und höhere Häuser gruppiert. Und noch immer wurde weitergebaut, inmitten von Kränen, Kippern, Baggern und Baucontainern wuchs ein gewaltiger Betonklotz aus dem Boden.

Kate bewegte sich mit Leichtigkeit durch diese feindselige Kulisse und steuerte auf einen türkisfarbenen Glaswürfel zu, in dem das Heart Center untergebracht war. Mit athletischem Schritt lief die Chirurgin die Stufen zu der automatischen Eingangstür hinauf und verschwand im Inneren. Emma sagte sich, dass Kate wohl gerade ihren Dienst im Herzzentrum des Krankenhauses antrat.

Sie zögerte. Sie konnte ihr unmöglich in die Station folgen, sie würde sofort bemerkt und hinausgeworfen werden. Und warum sollte sie es überhaupt versuchen? Emma war eigentlich bereit, aufzugeben, doch dann war die Neugier stärker. Übermächtig. Und der steigende Adrenalinspiegel rief eine Erregung hervor, die sie enthemmte und unerschrocken machte.

Auf der Suche nach einer Idee blickte sie sich um. Obwohl es Sonntag war, war der Parkplatz in Doppelreihen mit Lieferwagen zugeparkt. In chaotischem Durcheinander wurden durch weit geöffnete Türen alle möglichen Waren ausgeladen: Lebensmittel, Medikamente, Putzzubehör, Wäsche, die aus der Wäscherei kam …

Sie näherte sich dem Kastenwagen der Reinigung und warf einen raschen Blick ins Innere. Die Ladung bestand aus verpackten Laken, Patientenhemden und Arztkitteln, die in große Körbe gestapelt waren. Suchend sah sie sich nach dem Fahrer um. Vermutlich stand er bei der kleinen Gruppe von Männern, die sich vor dem Getränkeautomaten eine Pause gönnten. Mit klopfendem Herzen streckte sie die Hand aus und griff nach einem der Kittel. Es war ein Herrenmodell und viel zu groß für sie, doch Emma gab sich damit zufrieden, krempelte die Ärmel auf und betrat das kardiologische Zentrum.

—

Die helle, dezent beleuchtete Eingangshalle bildete einen starken Kontrast zu dem Tumult, der draußen herrschte. Das natürliche Dekor – Bambus, Orchideen, exotische Pflanzen, Wasser, das über eine Schieferwand rann – sorgte für eine beruhigende Atmosphäre.

Emma entdeckte Kate mitten in der Halle im Gespräch mit einer Kollegin, das allerdings nicht lange andauerte. Schon bald eilte sie eine Treppe hinauf und zeigte einem Security-Mann, der den Zugang zum Komplex des Pflegepersonals kontrollierte, ihren Ausweis.

Da Emma aber nicht über einen solchen Ausweis verfügte, griff sie rasch nach einer Broschüre, die in einem Ständer steckte. Wie als Jugendliche in ihrem Theaterkurs versuchte sie, glaubhaft zu wirken, indem sie die anderen nachahmte. Mit ihrem Rucksack, ihrem Kittel und der entschlossenen Miene unterschied sie sich eigentlich nicht von den Assistenzärzten, die hier herumliefen. Sie senkte den Blick scheinbar konzentriert auf die Broschüre, so als würde sie vor einer Operation eine Krankenakte studieren. Der Security-Mann beachtete sie gar nicht, und sie konnte Kate ungehindert bis in die Personalkantine folgen. Dort setzte sich die Chirurgin zu zwei Assistenzärzten, einer Mestizin mit feinen Gesichtszügen und einem hübschen Jungen von athletischem Körperbau, den man sich eher im Fußballtrikot als mit einem Stethoskop um den Hals vorstellen konnte.

Emma nahm am Nachbartisch Platz, um das Gespräch verfolgen zu können. Ohne auch nur ein Lächeln anzudeuten, begrüßte Kate die beiden, für deren Ausbildung sie offenbar zuständig war. Den Kaffee, den sie ihr anboten, lehnte sie in schroffem Tonfall ab und begann eine Litanei von Vorwürfen, mit denen sie schonungslos ihre Unzulänglichkeiten hervorhob. Ihre Bewertung war sehr hart, es fielen Worte wie: »inkompetent«, »faul«, »dilettantisch«, »nicht den Anforderungen entsprechend«, »Nichtstuer«, »Nullen«, »eine Gefahr für die Patienten«. Schockiert versuchten die beiden, sich zu verteidigen, konnten aber Kates heftigen Angriffen nicht standhalten. Diese erhob sich im Übrigen rasch wieder und beendete das Gespräch, nicht ohne zuvor eine echte Drohung geäußert zu haben.

»Wenn Sie Ihre Einstellung nicht grundlegend ändern, wenn Ihnen nicht klar wird, dass hier wirklich hart gearbeitet werden muss, können Sie sich vom Traum des Facharztes für Chirurgie verabschieden! Ich zumindest werde Ihnen das Abschlusszeugnis für das klinische Jahr verweigern!«

Sie musterte die beiden durchdringend, um zu sehen, ob die Botschaft angekommen war, wandte sich dann ab und steuerte auf einen der Aufzüge zu.

Diesmal verzichtete Emma darauf, ihr zu folgen, und blieb an ihrem Tisch sitzen, um das Gespräch der beiden Assistenzärzte zu belauschen, die ihrem Ärger freien Lauf ließen.

»Dieses Miststück ist so unausstehlich wie attraktiv!«

»Sehr elegant ausgedrückt, Tim, das hättest du ihr mal ins Gesicht sagen sollen ...«

»Verdammt, Melissa, wir schuften hier achtzig Stunden die Woche, und die nennt uns Nichtstuer!«

»Stimmt, sie verlangt wirklich sehr viel – von anderen wie von sich selbst. Immerhin ist sie die einzige Oberärztin, die selbst Nachtschichten schiebt ...«

»Das ist noch lange kein Grund, uns wie Hunde zu behandeln. Für wen hält die sich eigentlich, verflucht noch mal!«

»Für das, was sie ist: Ziemlich sicher die beste Chirurgin dieses Krankenhauses. Wusstest du, dass sie beim Zulassungstest zum Medizinstudium dreitausendzweihundert Punkte erreicht hat? Das ist seit Einführung des Tests die höchste Bewertung, die je ein Kandidat erreicht hat.«

»Findest du sie wirklich so außergewöhnlich?«

»Sie ist brillant, ganz sicher«, räumte Melissa widerstrebend ein. »Ich frage mich, wie sie das alles unter einen Hut bekommt – ihre Arbeit hier im Heart Center, die Leitung der Abteilung für Kinderchirurgie, die sie im Jamaica Plain eingerichtet hat, die Vorlesungen und Artikel für die angesehensten medizinischen Fachzeitschriften, und noch dazu ist sie immer über die neuesten Operationstechniken informiert.«

»Du bewunderst sie also?«

»Natürlich. Und außerdem ist sie eine Frau ...«

»Ich wüsste nicht, was das ändert.«

»Alles, natürlich. Hast du noch nie etwas von ›Doppelbelastung‹ gehört? Sie kümmert sich noch dazu um ihre Familie, ihren Mann, ihre Tochter, ihr Haus ...«

Tim reckte sich und gähnte ausgiebig.

»Für mich ist diese Frau Robocop.«

Melissa sah auf die Uhr und trank einen letzten Schluck Kaffee.

»Wir sind nicht auf ihrem Niveau und werden es wahrscheinlich auch nie sein«, räumte sie hellsichtig ein und erhob sich. »Aber genau das werfe ich ihr vor. Sie versteht einfach nicht, dass nicht jeder ihre Fähigkeiten besitzen kann.«

Die beiden jungen Assistenzärzte seufzten niedergeschlagen. Dann liefen sie zu den Aufzügen, offenbar wenig begeistert, ihre Arbeit wieder aufzunehmen.

Emma, die allein zurückgeblieben war, sah sich misstrauisch um. Sie hatte genug gehört.

Ich sollte nicht zu lange hierbleiben, sonst falle ich nur auf.

Sie griff nach ihrem Rucksack, entschloss sich aber im letzten Moment, doch noch ihre Mails abzurufen.

Sie hatte eine neue Nachricht von Matthew ...

Kapitel 11

Eine Art Krieg

Liebe ist eine Art von Kriegszustand.

Ovid, Die Liebeskunst

Von: Matthew Shapiro
An: Emma Lovenstein

Ich verstehe Ihren Zorn nicht, Emma. Ich finde ihn
sogar eher befremdlich und deplaziert. Wie können
Sie sich weigern, mir zu helfen?
Matt

Von: Emma Lovenstein
An: Matthew Shapiro

Ich habe nicht gesagt, dass ich Ihnen nicht helfen
will.
E.

10 Sekunden später
Aber das Gegenteil haben Sie auch nicht gesagt!
Wenn Sie sich weigern, den Unfall von Kate zu verhindern, machen Sie sich an ihrem Tod mitschul-
dig!

10 Sekunden später
Hören Sie auf, in diesem Ton mit mir zu reden,
mich zu bedrohen oder Schuldgefühle in mir zu
wecken!

Aber es geht doch um das Leben meiner Frau,
Sie Verrückte!

Unterstehen Sie sich, mich noch einmal als verrückt
zu bezeichnen!

Dann tun Sie, was ich Ihnen sage. Sonst ...

Wollen Sie mich anzeigen und verhaften lassen?
Wollen Sie im Jahr 2011 bei mir aufkreuzen?

Wird wohl schwer möglich sein ...

Warum?

2 Minuten später
Warum?

1 Minute später
Weil Sie 2011 tot sein werden, Emma ...

Warum sagen Sie das?

Weil es die Wahrheit ist. Leider.

Sie lügen ...

1 Minute später
Sie lügen!

Völlig perplex wartete sie noch fünf Minuten, bis eine neue E-Mail auf ihrem Bildschirm erschien. Sie kam von Matthew, bestand aber nur aus einer angehängten PDF-Datei. Sie öffnete sie ängstlich. Es handelte sich um einen Artikel aus der *White Plains Daily Voice*, dem Lokalblatt eines New Yorker Vororts.

DRAMA IN WHITE PLAINS:
Junge Frau wirft sich vor den Zug
Eine Vierunddreißigjährige hat sich gestern Nachmittag kurz nach 15 Uhr in White Plains in suizidaler Absicht vor einen Zug geworfen. Der North Railroad, der in Richtung Wassaic-New York fuhr, hatte den Bahnhof etwa einen Kilometer hinter sich gelassen, als die junge Frau nach einer Kurve vor den Triebwagen des Zugs sprang. Der Lokführer machte zwar eine Vollbremsung, konnte das Drama aber nicht verhindern.

Polizei und Rettungskräfte trafen zur selben Zeit ein, doch jegliche Hilfe kam zu spät: Der zerfetzte Körper der jungen Frau lag auf den Schienen.

Das Opfer, Emma L., gebürtig aus New York, konnte dank der bei ihr gefundenen Papiere und eines Briefes, in dem sie die Gründe für ihre verzweifelte Tat erklärte, schnell identifiziert werden.

Die psychisch labile junge Frau wurde seit mehreren Jahren von einer Therapeutin betreut.

Nach dem Drama war der Zugverkehr in beide Richtungen für über zwei Stunden unterbrochen, damit die Polizei ihre Arbeit tun und die Leiche in die Gerichtsmedizin einliefern konnte.

Erst kurz nach 17 Uhr wurde der Verkehr auf der Harlem Line wieder freigegeben.

The White Plains Daily Voice – 16. August 2011

—

Emma fühlte, wie sich ihre Kehle zusammenschnürte. Ein Schauder lähmte sie für einige Sekunden. Benommen klappte sie ihren Laptop zu und verließ überstürzt das Krankenhaus. Auf dem Parkplatz begann sie zu rennen, als wäre ihr der Teufel auf den Fersen. Ihr Blick verschleierte sich. Orientierungslos und voller Panik irrte sie durch die Straßen, den Kopf gesenkt. Das gleißende Sonnenlicht, der Schnee und ihre Tränen trübten ihre Wahrnehmung. In ihrer Verwirrung rempelte sie Passanten an und überquerte blindlings eine breite

Straße, begleitet von einem Hupkonzert und einem Schwall von Flüchen. Außer Atem flüchtete sie sich in das erstbeste Café.

Sie ließ sich ganz hinten in dem Lokal nieder und verharrte benommen auf ihrem Stuhl. Als die Kellnerin an ihren Tisch trat, trocknete sie sich die Augen, zog ihren Mantel aus und bestellte einen Wodka Tonic. Noch bevor man ihr das Getränk servierte, wühlte sie fieberhaft in ihrer Tasche auf der Suche nach ihren Medikamenten. Zum Glück hatte sie ihr »Arzneischränkchen« immer dabei. Sie kannte die Produkte und deren Dosierung. Zwei Pillen mit Benzodiazepinen, ein paar Tropfen Chlorpromazin. Sie spülte den Cocktail aus Angstlösern und Neuroleptika hinunter und – Magie der Chemie! – fand fast augenblicklich zu einer gewissen Ausgeglichenheit zurück. Genug jedenfalls, um ihren Laptop aus der Tasche zu ziehen und den Artikel, der von ihrem Selbstmord berichtete, noch einmal zu lesen.

Es war ein sonderbares Gefühl, aus einer Tageszeitung von seinem eigenen Tod zu erfahren. Sonderbar, aber nicht überraschend. Also hatte sie es erneut versucht. Und diesmal war es nicht schiefgegangen.

Bravo, meine Liebe, offensichtlich hast du aus deinen Fehlern gelernt ... dachte sie zynisch. *Und es lässt sich nicht leugnen, dass der Sprung vor den Zug sicherer ist als das Schlucken von Pillen oder das Aufschneiden der Pulsadern ...*

Sie betrachtete das Datum der Zeitung: Sie hatte sich am 15. August des folgenden Jahres, also mitten im Sommer, das Leben genommen. Die Jahreszeit, die sie in New York am meisten fürchtete: Die feuchte, stickige Hitze löste bei ihr jedes Mal eine schwere Migräne aus, die sie aus dem seelischen Gleichgewicht brachte.

Doch das Datum spielte keine Rolle. Sie lebte schon so lange mit dem Gedanken, ihrem Leben ein Ende zu setzen, dass es ihr eines Tages auch gelingen musste. Sie dachte an ihre erste Selbstmordkrise zurück. Die Gefühle während dieses Zustands hatten sich für immer in ihr Gedächtnis eingeprägt. Ein unerträgliches psychisches Leiden, das sie nicht hatte eindämmen können. Eine Verzweiflung, die sie völlig überflutet hatte. Extreme Einsamkeit, absolute Verwirrung, dazu eine Panik, die ihr ganzes Wesen vereinnahmt hatte. Ihr Bewusstsein war von morbiden Gedanken beherrscht gewesen, die sie nicht in den Griff bekam.

Irgendwann hatte sie den Kampf aufgegeben und diese einzige Freiheit gewählt, die doch nicht wirklich eine war. Sie klappte den Laptop wieder zu, putzte sich die Nase mit einer Papierserviette und bestellte einen weiteren Cocktail.

Inzwischen zeigten die Medikamente ihre volle Wirkung. All diese chemischen Substanzen, die sie seit Jahren schluckte, hatten wenigstens den Vorteil, schnell zu wirken und ihr jederzeit einen Halt zu bieten, der das vollständige Abgleiten verhinderte. Sie versuchte, die Dinge unter einem neuen Blickwinkel zu betrachten. Und wenn dieser Schock eine heilbringende Wirkung hatte? Letztlich konnte die Ankündigung ihres

Selbstmords auch als eine zweite Chance, die ihr das Leben bot, betrachtet werden. Aber sie würde das Schicksal durchkreuzen. Sie hatte keine Lust, sich umzubringen. Keine Lust, zerstückelt unter einem Zug zu enden. Sie würde ihre Dämonen bekämpfen. Ihren Dämon. Seit Langem schon kannte sie ihre Schwachstelle, die Wurzel all ihrer Qualen: dieses Gefühl der Einsamkeit und Verlassenheit, das sie zugrunde richtete. Sie entsann sich jenes Gedichtes von Emily Dickinson, das sie in ihren Taschenkalender geschrieben hatte, als sie noch zur Schule ging: »Man muss kein Zimmer sein – damit es spukt im Innern – auch kein Haus. Das Hirn hat Gänge – die gehen über Gebautes weit hinaus.« Bei Emma spukte es aufgrund von Einsamkeit und affektiver Unsicherheit. Jeden Abend fühlte sie sich ein wenig trostloser bei der Vorstellung, in ihre leere Wohnung heimzukehren und niemanden vorzufinden. Sie brauchte eine strukturierte Existenz. Einen soliden Mann, ein Kind, ein Haus. Seit ihrer frühsten Jugend hielt sie Ausschau nach diesem Mann, der in der Lage wäre, sie zu verstehen. Aber er war nicht gekommen. Und die Angst, dass er nicht mehr kommen würde, zermürbte sie. Sie war heute allein, würde es morgen sein und übermorgen auch. Sie würde allein krepieren.

Und doch veranlasste sie heute Nachmittag etwas, nicht zu resignieren, und ihr zukünftiges Ideal erschien ihr plötzlich mit kristallklarer Deutlichkeit: Sie wollte dieselbe Art von Leben wie Kate Shapiro.

Genauer gesagt, sie wollte *das Leben* von Kate Shapiro.

Ihren Platz einnehmen.

Dieser Gedanke, der sich immer mehr in ihrem Kopf festsetzte, löste eine Mischung aus Entsetzen und Faszination in ihr aus.

Sie dachte daran zurück, wie die ganze Geschichte begonnen hatte. Durch einen E-Mail-Austausch, bei dem sie ausreichend eloquent gewesen war, um Matthew zu gefallen. Sie hatte ihn betört, indem sie sie selbst geblieben war. Sie hatte ihm so sehr gefallen, dass er sie gleich für den nächsten Tag ins Restaurant eingeladen hatte. Er hatte nicht gezögert, ein Flugzeug nach New York zu nehmen, nur um mit ihr zu Abend zu essen. Inzwischen war sie ganz sicher: Wenn sie sich, wie beabsichtigt, begegnet wären, hätten sie sich ineinander verliebt. Sie hätte Kate in seinem Herzen ersetzt. Sie wäre eine gute Mutter für Emily gewesen. Eine liebende Frau für Matthew.

Nur, dass Kate noch lebte.

Allerdings nicht mehr lange.

Sie schob jegliches Schuldgefühl beiseite.

Nicht sie hatte über diesen Tod entschieden.

Vielmehr das Schicksal, der Zufall, das Leben. Gott vielleicht, wenn Er denn existierte ...

Sie nahm einen Schluck von ihrem Drink und setzte ihre Überlegungen fort. Wenn sie sich in diesem Zustand der Erregung befand, prasselten die Ideen von allen Seiten auf sie ein, bevor sie sich langsam zusammenfügten – wie die Teile eines Puzzles – und ein schlüssiges Ganzes ergaben. Dieses Mal handelte es sich um einen handfesten Schlachtplan. Er ging von einem sehr einfachen Ausgangspunkt aus: Der »Matthew aus dem Jahr 2011« hatte nicht die geringste Macht über sie, weil sie zu diesem Zeitpunkt bereits tot war. Das war die gute Seite am Tod – er machte einen unberührbar. Matthew stand also hilflos da, ohne jegliches Druckmittel, um sie dazu zu zwingen, Kate zu retten.

Und sie würde es nicht tun.

Sie würde den Unfall nicht verhindern. Sie würde seine Mail ignorieren, nach New York zurückkehren, ihre Arbeit wieder aufnehmen und abwarten. Auch würde sie sich im kommenden August nicht das Leben nehmen. Denn fortan hatte sie einen sehr guten Grund, zu leben …

Nun verstand sie, warum Matthew im Besitz ihres Laptops war, und wenn sie nicht Selbstmord beging, würde ihr Bruder sie nicht beerben und könnte also auch nicht ihren Computer an Matthew verkaufen. Was bedeutete, dass dieser im Dezember 2011 nie Kontakt per Mail mit ihr aufnehmen würde.

War dieses Szenario stichhaltig? Die Situation, die sie heute durchlebte, trotzte jeder Logik. In den Fantasy-Filmen oder -Romanen hatte sie noch nie den Teufelskreis des Zeitparadoxons verstanden. Aber ihr Bruder, der Physik an der Universität lehrte, hatte ihr von diesen Wissenschaftlern erzählt, die die Existenz von Paralleluniversen postulierten, das heißt von multiplen Welten, in denen jedes Spektrum der Möglichkeiten durch verschiedene Zeitlinien realisiert wird.

Es existierte wahrscheinlich eine »Zeitlinie«, in der sie einem verwitweten Matthew begegnen könnte, einem, der sich an ihren vorangegangenen Austausch absolut nicht erinnerte. Einem Matthew, der sie lieben würde. Einem Matthew, der schon eine kleine Tochter hatte, um die sie sich gerne kümmern würde.

Höchst zufrieden beschloss sie, sich an diesen Plan zu halten. Sie zahlte ihre Rechnung und kehrte ins Hotel zurück. Die Dunkelheit war noch nicht hereingebrochen, doch sie zog schon die Vorhänge zu. Leichter Schwindel ergriff sie. Da sie eine erneute Attacke befürchtete, schluckte sie zwei weitere Pillen von den Angstlösern und ging sofort zu Bett.

—

2011

»Papa, darf ich *Ghostbusters* sehen?«

Matthew hob den Blick von seinem Bildschirm.

Auf dem Sofa vor dem Fernseher hockend, hatte Emily statt eines Frühstücks zwei Päckchen M&Ms verdrückt.

»Du hast diesen Film doch schon zehnmal gesehen ...«

»Ja«, rief sie vergnügt, »aber ich schaue ihn mir so

gerne an, wenn du da bist! Dann muss ich mich nicht fürchten!«

»Na gut«, kapitulierte er.

Er beobachtete, wie sie die DVD routiniert ins Laufwerk schob.

Es war der erste Ferientag, und Emily war spät aufgestanden. Wenn er beschlossen hatte, die Zügel heute etwas schleifen zu lassen – *open bar,* was Bonbons und Fernsehen betraf –, so mehr aus Bequemlichkeit denn aus Überzeugung. Seine ganze Energie wurde von Emma Lovenstein absorbiert.

Matthew machte sich Vorwürfe. Er hatte zu spät begriffen, wie dumm es gewesen war, sich gegen die einzige Person aufzulehnen, die ihm seine Frau zurückbringen konnte. Wie hatte er seinem Zorn derart freien Lauf lassen können, obwohl er doch wusste, dass Emma psychisch labil war? Er hatte sich soeben in zwei Mails bei ihr entschuldigt, jedoch keine Antwort erhalten. Er hatte es mit einer unberechenbaren Frau zu tun, die jederzeit außer Kontrolle geraten konnte. Die einen entscheidenden Vorteil ihm gegenüber hatte: Sie hatte völlig freie Hand, die Zukunft zu beeinflussen, während er selbst gar nichts tun konnte. Er war dazu verdammt, zu warten, dass sich Miss Lovenstein bereit zeigte, den Kontakt erneut aufzunehmen.

Diese unausgewogene Situation war ihm unerträglich. Heute war der 22. Dezember. Ihm blieben nur noch zwei Tage, um den Unfall zu verhindern, bei dem seine Frau ums Leben gekommen war. Er schloss die Augen, um sich besser konzentrieren zu können. Emma war tot, gewiss, aber es gab vielleicht immer noch Menschen, an denen ihr lag und auf die er Druck ausüben konnte. Aber wer? Ihr Bruder Daniel? Wohl kaum. Soweit er verstanden hatte, konnte in diesem Fall von Geschwisterliebe keine Rede sein. Ihre Eltern? Daniel hatte ihm gesagt, ihre Mutter sei gestorben und ihr Vater leide an Alzheimer im fortgeschrittenen Stadium. Freunde? Ganz offensichtlich hatte sie keine.

Er ist die einzige Person, die mich nie enttäuscht hat ...

Dieser Satz kam ihm plötzlich in den Sinn, als hätte Emma ihm die Worte zugeflüstert.

Ihr Hund! Clovis!

Er war quicklebendig!

Diese Erkenntnis machte ihm wieder Mut. Er hatte ein unfehlbares Mittel gefunden, um Emma zu erpressen!

Er erhob sich von seinem Hocker und schaltete das TV-Gerät mit der Fernbedienung aus.

»Zieh dich an, Liebes, wir machen einen Spaziergang!«

»Aber mein Film ...«

»Den siehst du dir heute Abend an, mein Mäuschen.«

»Nein, ich will ihn jetzt sehen!«

»Und wenn ich dir sage, dass wir einen kleinen Hund holen, um ihn während der Ferien zu hüten?«

Emily machte vor Freude einen Luftsprung.

»Wirklich, Papa? Wir bekommen einen Hund? Ich wünsche mir schon so lange einen. Danke! Danke!«

—

»Ich soll euch helfen, einen Hund zu entführen?«

»Ja, April, wir brauchen deine Hilfe bei dieser schwierigen Aktion«, bestätigte Matthew.

»Und was soll das Ganze?«, fragte April und erhob sich von ihrem Schreibtischstuhl.

»Das erkläre ich dir im Auto«, versicherte Matthew.

»Weil wir zu allem Überfluss auch noch meinen Wagen nehmen?«

»Es dürfte nicht einfach sein, einen Hund auf dem Gepäckträger meines Fahrrads zu transportieren.«

Er stand vor ihr, seine Tochter an der Hand, zu seinen Füßen ein Werkzeugkasten.

»Du weißt, dass man für so was im Gefängnis landen kann, Matt?«

»Wir stellen uns eben geschickt genug an und lassen uns nicht erwischen. Und dafür brauche ich dein sexy Gehirn.«

»Wenn du meinst, dass du mich mit solchen Komplimenten rumkriegst ...«

»Komm, lass uns bitte fahren. Es ist sehr wichtig für mich.«

»So ein Köter kann beißen. Weißt du das nicht?«

»Es ist ein ganz kleiner Hund.«

»Das heißt?«

»Du erinnerst dich vielleicht: Es ist der von Emma Lovensteins Bruder. Du hast ihn auf dem Flohmarkt gesehen.«

»Der Shar-Pei! Und ob ich mich an den erinnere! Das ist kein kleiner Hund, Matt. Das Vieh wiegt mindestens vierzig Kilo und ist ein Muskelpaket!«

Emily ließ die Hand ihres Vaters los und schlang ihre Arme um Aprils Taille.

»Bitte, bitte, April, hilf uns! Hilf uns! Ich wünsche mir schon so lange einen kleinen Hund. Bitte, bitte!«

Die Galeristin musterte Matthew vorwurfsvoll.

»Du hast kein Recht, deine Kleine zu instrumentalisieren!«, knurrte sie und griff nach ihrem Mantel.

—

Matthew hatte sich ans Steuer des Camaro gesetzt. Der Wagen verließ das Zentrum von Boston Richtung Belmont.

»Gut, erklärst du's mir jetzt?«, forderte April.

Er wartete, bis sie vor einer Ampel standen, wandte sich zu Emily um und reichte ihr einen Walkman.

»Möchtest du Musik hören, Liebes?«

Natürlich wollte sie!

Er wartete, bis seine Tochter den Kopfhörer aufgesetzt hatte, um April von seinem Vorhaben zu informieren.

Sie ließ ihn aussprechen, bevor sie resümierte: »Du

denkst also, die Entführung dieses armen Köters wird dir deine Frau zurückbringen?«

»Ja, das heißt indirekt, wie ich dir gerade dargelegt habe.«

»Ich glaube keine Sekunde an diese Geschichte von dem Computer, der es dir ermöglicht, mit deinen Mails durch die Zeit zu reisen.«

»Und wie erklärst du dir den Überwachungsfilm von Vittorio, den Zeitungsartikel über das Casino, die ...«

»Ich erkläre gar nichts«, fiel sie ihm ins Wort. »Ich will dir gerne helfen, weil du mein Freund bist, aber ich denke, dass noch niemand die Toten wieder zum Leben erweckt hat und dass das auch niemand jemals tun wird. Kate ist tot. Du wirst sie nicht wiedersehen, Matt, und du kannst mir glauben, dass mir das leidtut. Ihr Tod hat dich verstört, doch irgendwann muss man die Menschen gehen lassen. Lass dich nicht auf diese verrückte Idee ein, ich bitte dich. Es ging dir schon sehr viel besser, Matt. Der Kauf dieses Computers hat einen Rückfall ausgelöst. Wenn du weiter bei diesem Vorhaben bleibst, wirst du dir selbst noch mehr wehtun. Und nicht nur dir, sondern vor allem deiner Tochter.«

Matthew bedachte seine Freundin mit einem finsteren Blick und schwieg, bis sie Belmont erreicht hatten. Wie am Vortag parkte er den Wagen vor dem neuenglischen, mit Holzschindeln verkleideten Haus des Wohnviertels. Das Glück wollte, das Emily auf der Rückbank eingeschlafen war. Matthew und April stiegen aus und sahen sich um. Die Straße war wie ausgestorben.

Matthew trat ans Gartentor und klingelte, um sicherzugehen, dass niemand im Haus war. Keine Antwort
außer dem Gebell des Shar-Pei, der, wie es sich für einen
Wachhund gehörte, zum Zaun gerannt kam, um die
Besucher daran zu hindern, den Garten zu betreten.

»Hallo, Clovis«, rief Matthew.

»Dein *kleiner* Hund ist nicht nur ein kräftiger Bur-
sche, nein, er zieht auch noch die Aufmerksamkeit des
ganzen Viertels auf sich. Hast du wenigstens so etwas
wie einen Plan?«

»Selbstverständlich«, erwiderte er und zog ein Plastik-
tütchen aus seiner Manteltasche.

»Was ist denn das? Das stinkt ja bestialisch!«

»Es sind zwei in der Mikrowelle aufgetaute Hack-
steaks, die ich zu Fleischbällchen geformt habe ...«

»Vermischt mit zerriebenen Schlaftabletten«, erriet
April. »Sehr originell.«

»Mein Arzt hat mir nach Kates Tod welche verschrieben. Ein paar sind übrig geblieben.«

»Das wird niemals funktionieren«, meinte sie. »Und
dein Plan B?«

»Natürlich funktioniert es.«

Sie schüttelte den Kopf.

»Gesetzt den Fall, der Hund kotzt deine Buletten
nicht aus und die Dosis ist nicht zu schwach, wird
es drei Stunden dauern, bis er endlich einschläft, und
dann döst er wahrscheinlich auch nur ein bisschen vor
sich hin. Bis dahin ist sein Herrchen zurückgekommen, oder die Nachbarn haben die Bullen alarmiert ...«

»Sei doch nicht so pessimistisch. Ich versuch's einfach«, beschloss Matthew und warf die beiden Fleischbällchen über den Zaun.

Skeptisch schnupperte Clovis daran. Verächtlich und mit langen Zähnen fraß er die Hälfte einer Bulette, ließ den Rest, wenig überzeugt von dem Geschmack, einfach liegen und bellte erneut – mit doppelter Lautstärke.

»Was habe ich dir gesagt?«

»Warten wir ein Weilchen im Wagen«, schlug Matthew vor.

Schweigend verharrten sie eine endlose Dreiviertelstunde im Auto, ohne dass sich etwas getan hätte. Der Hund hielt Wache wie ein treuer Zerberus am Höllentor und schien sie zu verhöhnen. Als sie gerade beinahe selbst eingeschlafen wären, ließ sie der psychedelische Klingelton von Aprils Handy aufschrecken. Die Galeristin nahm das Gespräch nicht an, aber Emily war aufgewacht.

»Sind wir da, Papa? Sind wir bei dem kleinen Hund?«, fragte sie und rieb sich die Augen.

»Ja, Liebes, aber ... ich bin nicht ganz sicher, dass er mit uns mitkommen möchte.«

»Du hast es mir versprochen ...«, begann sie und brach in Tränen aus.

Matthew seufzte und massierte sich die Schläfen.

»Das hast du jetzt davon«, raunte ihm April vorwurfsvoll zu. »Das soll dir eine Lehre sein ...«

Sie hielt kurz inne und rief dann: »He, Matt, wo ist denn der Köter überhaupt?«

Er warf einen Blick aus dem Fenster. Ein kurzer Moment der Unaufmerksamkeit, und Clovis war verschwunden.

»Keine Ahnung, ich sehe mal nach.«

Er stieg aus dem Wagen, öffnete die Heckklappe, um an den Werkzeugkasten zu gelangen, den er mitgenommen hatte. Er griff nach einer großen Kneifzange, um damit das Drahtgeflecht des Zauns zu durchtrennen.

»Ich probiere es mal hiermit«, erklärte er. »Lass für alle Fälle den Motor laufen.«

Er trat an das Tor und begann, einen Eisendraht nach dem anderen durchzuschneiden, bis er durch das so entstandene Loch schlüpfen konnte.

»Clovis?«

Er setzte vorsichtig einen Schritt vor den anderen.

»Clovis, braver Hund …«

Nichts.

Er lief um das Haus herum und entdeckte das Tier, das reglos neben einer großen bemalten Hundehütte lag.

Mist, hoffentlich ist er nicht tot …

Er kniete nieder und nahm ihn auf den Arm.

Verdammt, der wiegt ja Tonnen!

Nach ein paar Schritten merkte er, wie der Shar-Pei begann, sich leicht zu wehren. April hatte recht gehabt: Das Schlafmittel hatte ihn nur träge und teilnahmslos gemacht. Aber er sabberte kräftig und hatte nicht mehr die Kraft, um zuzubeißen.

Matthew eilte auf den Zaun zu. Geschickt schlüpfte

er mit seiner »Last« durch die Öffnung, beförderte den Hund unsanft in den Kofferraum und setzte sich neben April, die noch immer hinter dem Steuer saß.

»Fahr los, gib Gas!«, rief er, an seine Mitbewohnerin gewandt.

»Bravo, Papa, bravo!«, schrie Emily und klatschte begeistert in die Hände, während der Camaro mit quietschenden Reifen anfuhr.

—

21:00 Uhr

Auf dem Rückweg hatten sie an einer Tierhandlung angehalten, um eine Leine, Hundefutter und einen Napf zu kaufen. Als der Hund dann langsam wieder zu sich gekommen war, hatte Matthew mit dem Schlimmsten gerechnet: Doch genau das Gegenteil war der Fall gewesen, Clovis hatte ein Auge geöffnet, ein paar Grunzlaute von sich gegeben, eine Art Purzelbaum auf dem Parkett hingelegt und sich dann lässig auf dem Sofa niedergelassen, so, als lebte er schon immer in diesem Haus. Nachdem er wieder ganz zu sich gekommen war, hatte er sich im Wohnzimmer umgesehen. Die ganze Familie hatte den Abend damit verbracht, mit ihm zu spielen und ihn zu streicheln. Emily war im siebten Himmel, und Matthew hatte Mühe, sie ins Bett zu kriegen. Damit sie sich bereit erklärte, in ihr Zimmer zu gehen, hatte er ihr gut ein Dutzend Mal versprechen müssen, dass Clovis auch am nächsten Tag noch da wäre.

Zurück im Wohnzimmer, setzte er sich vor seinen Computer und nahm den zweiten Teil seines Plans in Angriff.

»Komm, Clovis, komm, mein Schöner!«, lockte er das Tier mit einem Napf voll Kroketten herbei.

Der Shar-Pei kletterte auf den Stuhl, auf den Matthew ein paar Kissen gelegt hatte, damit der Hund auf der richtigen Höhe war.

»Schau auf den Bildschirm! Dort erkennst du jemanden, den du schon lange nicht mehr gesehen hast. Sag *cheese*!«

Er startete das Programm »Videokonferenz« und folgte der Aufforderung, sein Passwort einzugeben. Die Webcam setzte sich in Gang, und er sah sich und den Hund auf dem Monitor. Er tippte Emmas E-Mail-Adresse ein und wählte ihren Computer an. Dann wartete er.

Ein Klingelzeichen.

Zwei Klingelzeichen.

Drei Klingelzeichen ...

—

2010

Emma hatte Mühe, aus ihrem medikamentös erzeugten Schlaf aufzuwachen.

Sie warf einen Blick auf ihr Handy, doch nicht von

ihm ging das Klingeln aus, sondern von ihrem Computer, den sie nicht ausgeschaltet hatte.

Sie schaute auf ihren Wecker, stieg aus dem Bett und steuerte mit unsicherem Schritt ihren Schreibtisch an.

Auf dem Bildschirm blinkte das kleine *Face Time Icon* und kündigte einen Anruf von Matthew an. Sie hatte diese App noch nie benutzt, klickte aber auf »Anruf annehmen«.

Völlig unerwartet erschien das Bild von ihrem Hund auf dem Monitor! Es war Clovis mit seiner kompakten Schnauze, seinem Nilpferdkopf, seinen kleinen tief liegenden Augen, seiner kräftigen Statur, bedeckt mit Falten, die ihn wie ein Stofftier aussehen ließen.

»Clovis!«

Aber was machte ihr Hund 2011 im Haus von Matthew Shapiro? Plötzlich schwenkte die Kamera nach links und verharrte auf dem Gesicht von Matthew.

»Guten Abend, Emma. Wie geht es Ihnen? Haben Sie sich wieder beruhigt?«

»Was, zum Teufel, soll dieses Spielchen?«

»Wie Sie feststellen können, habe ich Bekanntschaft mit Ihrem Hündchen gemacht. Wie drückten Sie sich noch mal aus? Ach ja: ›Die einzige Person, die mich nie enttäuscht hat.‹ Sie hängen an ihm, nicht wahr?«

»Sie sind ein verdammter ...«

»Nun, wir wollen nicht in ein beleidigendes Vokabular verfallen. Was mich betrifft, so hänge ich an meiner Frau, und ich glaube, Sie konnten nicht wirklich ermessen, wie ernst es mir ist, ihr Leben zu retten.«

Matthew streckte den Arm aus und griff nach einem Gegenstand auf der Arbeitsfläche. Aus einem Messerblock zog er eine lange Klinge von etwa dreißig Zentimetern und hielt sie vor die Kamera.

»Das ist ein Fleischmesser, Emma. Haben Sie die Klinge gesehen: hart und schneidend. Ein hübsches Stück deutsche Qualitätsarbeit. Ich besitze auch dieses Werkzeug hier – ein chinesisches Hackbeil. Ideal für die Zubereitung von Koteletts.«

»Wenn Sie meinem Hund auch nur ein einziges Haar krümmen, dann ...«

»Dann was, Emma?«

Sie brachte kein Wort hervor. Matthew setzte seinen Angriff fort: »Sehen Sie, das ist eine dumme Sache: Ich liebe Tiere. Ihr Clovis ist wirklich ein netter Kerl, und meine Tochter ist völlig vernarrt in ihn. Aber wenn Sie mir nicht versprechen, *alles Erdenkliche zu tun,* um Kates Unfall zu verhindern, zögere ich nicht eine Sekunde. Ich schlitze Ihren Hund auf und zerre ihm die Eingeweide aus dem Leib. Und das Ganze geschieht vor dieser Kamera, damit Ihnen kein Detail der Szene entgeht. Es wird lange dauern und schmerzhaft sein. Ich tu das alles nicht gerne, Emma, aber wenn Sie mir keine andere Wahl lassen ...«

»Mistkerl!«

»Überlegen Sie, aber überlegen Sie schnell, Emma ...«

Sie wollte ihren Zorn hinausbrüllen, doch Matthew legte einfach auf, und das Bild verschwand.

Fünfter Tag

Kapitel 12

Die andere Frau

Dead people belong to the live people
who claim them most obsessively.

James Ellroy, *My dark places*

Am nächsten Tag
23. Dezember 2010
9:00 Uhr morgens

Der Schnee war geschmolzen. Die Luft war trocken und kalt, doch am metallisch blauen Himmel über Boston triumphierte die Sonne.

Emma blies in ihre Hände, um sich zu wärmen. Eine kleine weiße Atemwolke schwebte vor ihren Augen, bevor sie sich auflöste.

Seit zehn Minuten lief sie vor dem Eingang des Herzzentrums auf und ab und wartete darauf, dass Kate ihren Dienst beendete. Sie unterdrückte ein Gähnen. Die Nacht war unruhig gewesen, trotz des Schlafmangels waren ihre Gedanken jedoch völlig klar. Gestern hatte sie unter dem Schock des Zeitungsartikels, der über ihren Selbstmord berichtete, fast den Verstand verloren und war in geradezu sträfliche Wahnvorstellungen abgedriftet. Heute schämte sie sich dafür, aber so war es eben: Die Last der Einsamkeit ließ gelegentlich ihre schlimmsten Instinkte zutage treten. Ein brennendes Gefühl von Ungerechtigkeit, eine Eifersucht, die sie verzehrte und finstere Gedanken in ihr weckte. Aber sie war keine Mörderin, sie war nur ein wenig dumm und hatte sich aus ihrem Verlangen nach Liebe heraus zu lange an eine von vornherein zum Scheitern verurteilte Illusion geklammert.

Matthews Inszenierung mit Clovis war wie eine Mahnung gewesen und hatte sie in die Realität zurückgeholt. Heute Morgen war sie fest entschlossen, der Stimme der Vernunft zu folgen. Sie würde eine Lösung finden, um Kates verhängnisvollen Unfall am 24. Dezember zu verhindern. Sie hatte in der Nacht über ein unfehlbares Mittel nachgegrübelt, um den Zusammenstoß abzuwehren. Bisher war ihr noch keine Idee gekommen, aber ihr blieb ja noch etwas Zeit.

Die Kälte machte ihre Glieder gefühllos. Sie trat von einem Fuß auf den anderen, um warm zu werden. Ein großer Blutspendebus mit dem Logo des Roten Kreuzes stand mitten auf dem Parkplatz. Ein Stück davon entfernt wurden an einem kleinen Kiosk heiße Getränke und Brezeln verkauft. Emma reihte sich in die Schlange ein, um einen Tee zu bestellen, als sie Kate bemerkte, die soeben durch die automatischen Türen das Gebäude verließ. Die junge Chirurgin hielt das Handy am Ohr und trug noch ihren Arztkittel, dessen hellblauer Stoff unter dem dunklen Mantel hervorschaute.

Kate eilte die Stufen der Außentreppe hinunter, überquerte raschen Schrittes den Parkplatz und verließ das Klinikgelände. Emma folgte ihr bis zur Hubway-Station an der Cambridge Street, einem Fahrradverleih im Selbstbedienungsverfahren. Kate war hier offensichtlich Stammkundin, denn sie nahm ihre Dauerkarte und holte sich eines der Räder. Während Kate ihre Handschuhe anzog, ihre Mütze aufsetzte und ihren Schal umband, bezahlte Emma am Automaten die sechs Dollar für eine *casual membership card,* mit der sie ihrerseits ein Fahrrad ausleihen konnte. Sie wartete, bis Kate in die Pedale trat, und folgte ihr dann in angemessenem Abstand, um unbemerkt zu bleiben, ohne sie jedoch aus den Augen zu verlieren.

Die ersten fünfhundert Meter ging es den Weg entlang, den sie am Vortag zurückgelegt hatten. Während Emma mit einer Hand den Lenker hielt, zog sie ihre Socken über die Hosenbeine hoch, um sich vor der eisigen Luft zu schützen. An der Kreuzung Hanover Street bog die Chirurgin nicht auf die Straße zum italienischen Viertel ab, sondern fuhr an der City Hall vorbei und dann weiter zur Faneuil Hall und zum Quincy Market. Durch ihre sportliche Fahrweise und einige Verstöße gegen die Verkehrsregeln gelang es ihr, diese touristische Zone recht schnell wieder zu verlassen. Auf der Höhe Columbus Park bog sie in eine lange Einbahnstraße ein, die aus der Stadt hinaus und in Richtung Hafen und Meer führte. Die Staus umfuhr sie geschickt, indem sie ungeniert auf den Bürgersteig auswich. Es war gerade einmal 9:20 Uhr, als sie ihr Rad am Ende des Long Wharf gegenüber einem irischen Pub abstellte.

Emma hielt fünfzig Meter vor dem Ende der Mole an. Konnte sie es wagen, Kate in die Gaststätte zu folgen? Sie lehnte ihr Fahrrad an einen Laternenpfahl, sicherte es mit der Kette und ließ das Schloss einschnappen. Zu Fuß legte sie die wenigen Meter zurück, die sie von der Uferpromenade trennten.

In seinen besten Zeiten war der Long Wharf der Hauptkai einer der geschäftigsten Handelshäfen der Welt gewesen. Heute hatte sich die Reede in eine elegante Marina verwandelt, deren gepflasterte Straßen von Restaurants und Cafés gesäumt wurden. Hier legten vor allem die Fähren zu den zahlreichen Inseln der Bucht von Boston und den Städten Salem und Provincetown ab. Nachdem Emma das Ende der Holzpromenade erreicht hatte, hob sie die Hand schützend vor die Augen. Die Sonne war vor zwei Stunden aufgegangen, stand schon recht hoch am Himmel und glitzerte silbrig auf der Meeresoberfläche. Der Anblick war atemberaubend: Möwen, Wind, die alten Boote, die auf dem Wasser schaukelten, der Rausch der Unendlichkeit. Hinzu kam die Seeluft, die ihr Kraft und den Mut gab, das Pub zu betreten.

—

Sichtbalken an der Decke, holzgetäfelte Wände, Wandspiegel, Dartspiele und gedämpftes Licht: Die rustikale Einrichtung des Gateway war typisch und behaglich. Abends, wenn die traditionelle Musik gespielt und mit Guinness-Pints angestoßen wurde, füllte sich das Lokal, aber vormittags war es ein gemütliches und ruhiges Café, das den Hafenarbeitern Frühstück servierte. Emma kniff die Augen zusammen und brauchte einen Moment, bis sie Kate entdeckte, die allein in einer Nische am Ende des Lokals vor einer Tasse Kaffee saß.

Ein Aushang wies darauf hin, dass es sich um ein Selbstbedienungslokal handelte. Also stellte sich Emma hinter einem Koloss in kariertem Hemd mit Matrosenmütze an, der kurz darauf mit einem Tablett, voll beladen mit Fish and Chips, Speck, Würstchen und Spiegeleiern, zu einem der Tische ging. Sie begnügte sich mit Tee und Toast und nahm in einer der Nischen unweit von Kates Tisch Platz. Was machte die Chirurgin hier, nachdem sie die ganze Nacht gearbeitet hatte? Warum war sie nach Dienstschluss nicht sofort nach Hause gegangen?

Von ihrem Beobachtungsposten aus konnte Emma erahnen, dass Kate müde war, ihr Gesicht war von Unruhe gezeichnet. Ständig wanderten ihre Augen zwischen dem Display ihres Handys und der Eingangstür hin und her. Offensichtlich erwartete sie jemanden, und es war keine unbedeutende Verabredung. Emma wunderte sich über diese Verwandlung. Die verführerische und strahlende Familienmutter, der sie am Vortag gefolgt war, hatte sich in ein Wesen verwandelt, an dem die Angst nagte und das fieberhaft seine Finger knetete.

Sie zwang sich, den Kopf abzuwenden, damit ihr Blick nicht als aufdringlich empfunden wurde. Dank eines Wandspiegels entging ihr trotzdem nicht die kleinste Geste der Chirurgin. Kate zog ein feuchtes Reinigungstuch und eine Puderdose aus ihrer Tasche. Sie tupfte sich das Gesicht ab, schminkte sich nervös nach, schob einige Haarsträhnen an ihren Platz, die sich beim Fahrradfahren aus dem Knoten gelöst hatten. Dann stand sie auf und ging Richtung Toilette.

Emma war klar, dass sie handeln musste. Kate hatte ihre Handtasche und ihr Handy mitgenommen, den Mantel jedoch auf der Bank liegen lassen. Emma atmete tief durch, bevor sie es wagte. Ruhig stand sie auf und ging ebenfalls einige Schritte Richtung Toilette, blieb dann aber an Kates Tisch stehen. Sie betete, dass niemand in diesem Moment zu ihr schauen würde, und durchwühlte die Manteltaschen. Ihre Hand umschloss etwas Kaltes und Metallenes. Einen Schlüsselbund.

Ein Adrenalinstoß durchfuhr ihren Körper. Sie überprüfte, ob der Autoschlüssel an dem Bund hing, und sagte sich zufrieden, dass sie richtig entschieden hatte.

Wenn das keine gute Idee ist!

Um den Unfall zu verhindern, würde sie ganz einfach den Schlüssel des Mazda Coupés an sich nehmen, den Kate am Abend des Dramas fahren sollte. Dann würde sie das Auto stehlen, dreihundert Kilometer entfernt abstellen, in Brand stecken oder in einen Abgrund stürzen.

Ohne Auto kein Unfall!

Sie bemächtigte sich der Schlüssel, um das Lokal zu verlassen, bevor Kate zurückkäme. Sie beschleunigte den Schritt und senkte den Kopf. Auf ihrer überstürzten Flucht stieß sie jedoch mit einem Gast zusammen, der sich an der Theke soeben ein Getränk bestellt hatte, und verschüttete die Hälfte seines Kaffees.

Emma entschuldigte sich.

»Verzeihung, es tut mir so leid, ich ...«

Es war ein großer schlanker Typ mit kurz geschnittenem, blondem Haar, der schwarze Jeans, Stoffturnschuhe, einen Rollkragenpullover und eine mit Schaffell gefütterte Lederjacke trug. Sein schmales, hageres Gesicht verschwand beinahe hinter einem Dreitagebart und einer Sonnenbrille mit hellem Schildpattgestell.

»Schon gut!«, versicherte er, ohne sie anzuschauen.

Da sie es eilig hatte, von hier zu verschwinden, war Emma erleichtert, so gut davonzukommen. Bevor sie die Tür öffnete, konnte sie es sich allerdings nicht verkneifen, einen letzten Blick zurückzuwerfen.

Hinten im Lokal war der Mann an Kates Tisch getreten.

Er umarmte sie.

Er küsste sie.

—

Das ist unmöglich.

Sie blieb wie angewurzelt stehen, unfähig, sich vom Fleck zu rühren. Kate konnte doch keinen Geliebten haben. Emma kniff erneut die Augen zusammen. Sie musste sich täuschen, bestimmte Gesten falsch interpretiert haben. Dieser Mann war vielleicht ein Familienmitglied, ihr Bruder oder ...

»Kann ich helfen, Miss?«

Der Wirt hinter der Theke sah sie fragend an.

»Sie müssen sich schon entscheiden. Rein oder raus. Sonst kriegen Sie am Ende noch die Tür ins Gesicht.«

»Ich ... ich suche Papierservietten.«

»Bah, da müssen Sie doch einfach nur fragen. Hier.«

Sie nahm den Stapel, den er ihr reichte, und setzte sich erneut an ihren Tisch, wobei sie sich bemühte, möglichst unauffällig zu bleiben. Reflexartig zog sie ihr Handy heraus, schaltete es in den Videomodus und legte es auf den Tisch, um die Szene zu filmen.

Ihr Herz schlug heftig. Sie dachte an Matthew, der seine Frau so sehr idealisierte. An die Szene, die sie gestern mitbekommen hatte: dieses familiäre und verliebte Einvernehmen, das von dem Paar ausgegangen war. Wie konnte man solche Gefühle heucheln?

Nein, irgendetwas stimmte da nicht. Bei der Verehrung, die Matthew seiner Frau auch nach ihrem Tod noch entgegenbrachte, schien es wenig wahrscheinlich, dass diese in einen anderen Mann verliebt gewesen war. Shapiro war kein Idiot, er hätte es gemerkt, das war klar.

Aber gibt es eine größere Blindheit als die, etwas nicht sehen zu wollen?

Herrgott noch mal!

Sie wusste nicht mehr, was sie denken sollte. Sie versuchte, sich einzureden, dass Kate und der geheimnisvolle Unbekannte kein Liebespaar waren, aber deren Verhalten war eindeutig: Sie saßen sehr nah beieinander und schauten sich in die Augen. Kate ließ sich sogar dazu hinreißen, Gesicht und Haar dieses Mannes zu streicheln.

Emma überprüfte, ob ihr Handy weiterhin filmte. Die Szene, die sie hier beobachtete, schien so unwirklich, dass sie sie festhalten musste.

Der Mann war knapp vierzig Jahre alt. Vielleicht etwas zu schön, sodass es fast ein wenig künstlich wirkte. Ein Aussehen, das Emma nicht völlig fremd war ...

Sie konnte nicht verstehen, was die beiden sagten, zweifellos waren sie jedoch in Sorge. Warum? War der Mann ebenfalls verheiratet? Versuchten sie, sich gegenseitig davon zu überzeugen, ihre jeweiligen Ehepartner zu verlassen? Diese Mutmaßungen riefen in Emma ihre eigene Geschichte und die quälenden Erinnerungen an ihre Beziehung mit François wach.

Sie verjagte diese Gedanken und wurde sich plötzlich der gefährlichen Situation bewusst. Das Pub war fast leer. Früher oder später würde ihr Verhalten auffallen. Sie schaltete ihr Handy ab und trat auf die Straße.

Die eisige Luft tat ihr gut. Sie atmete einige Male tief durch, um wieder klar denken zu können, und ging dann zu einer Reihe von Taxis, die vor dem Eingang des Marriott Hotels warteten, statt erneut das Fahrrad zu nehmen.

Dann verfällt die Kaution eben!

Als sie einstieg, wurde ihr klar, dass an Kates Schlüsselbund auch der Schlüssel zu ihrem Haus hängen musste. Sie hatte also die Möglichkeit, bei den Shapiros einzudringen, und nannte dem Fahrer daher deren Adresse. Am Louisburg Square angekommen, umrundete sie das Gebäude und fragte sich, ob Matthew und seine Tochter wohl zu Hause sein mochten. Sie erwog, an der Tür zu klingeln, um sich zu überzeugen, verzichtete dann jedoch darauf.

Es ist nicht nötig, dass der »Matthew aus dem Jahr 2010« von meiner Existenz erfährt ...

Zudem bemerkte sie den kleinen Aufkleber am Fenster, der auf ein Alarmsystem hinwies.

Mist ...

Es nützte ihr herzlich wenig, die Schlüssel zu besitzen, wenn eine Sirene losheulte, kurz nachdem sie die Tür geöffnet hatte.

Sie merkte sich den Namen der Überwachungsfirma, bevor sie weiterging, um keine Aufmerksamkeit zu erregen. Da sie gerne in Ruhe nachdenken wollte, suchte sie in einem Cupcake-Geschäft an der Charles Street Zuflucht. Es war ein Laden im Retro-Stil, der seinen Kunden auch die Möglichkeit bot, an einer Theke aus unbehandeltem Holz die Backwaren zu probieren. Emma ließ sich auf einem Hocker nieder und zog ihren

Laptop heraus. Der Form halber bestellte sie einen Kaffee und ein Stück Käsekuchen, bevor sie in einem Online-Telefonbuch die Nummer der Shapiros heraussuchte. Sie wählte sie an und landete beim Anrufbeantworter. Darauf hörte sie die Familienansage, zu der sogar die kleine Emily beigetragen hatte. Sie legte auf und rief sofort erneut an, um sicher zu sein, dass niemand zu Hause war. Dann rief sie im Imperator an und ließ sich mit Romuald Leblanc verbinden.

»Ich brauche dich, Brillenschlange.«

»Ich wollte Sie gerade anrufen, Miss Lovenstein.«

»Hast du Neuigkeiten?«

»Ich habe einige Ihrer Mails an Jarod geschickt. Das ist einer meiner Informatikfreunde. Der Begabteste, den ich kenne. Er hat mir gesagt, dass Anfang der 2000er-Jahre in vielen Foren von einigen Internetnutzern Nachrichten hinterlassen wurden, in denen sie behaupteten, aus der Zukunft zu stammen und Zeitreisende zu sein. Das war natürlich ein schlechter Witz, aber in Ihrem Fall ist es anders: Der Zeitsprung, den der Server anzeigt, ist sehr verwirrend, und mein Freund kann ihn sich auch nicht erklären. Es tut mir leid.«

»Du hast getan, was du konntest, danke. Ich rufe dich aber wegen einer anderen Sache an. Wenn ich dir die Adresse einer Wohnung in Boston und den Namen der Überwachungsfirma gebe, die dort ein Alarmsystem eingerichtet hat, kannst du dieses System dann deaktivieren?«

»Deaktivieren?«, wiederholte der Computerfreak automatisch. »Was genau meinen Sie damit?«

»Machst du dich über mich lustig, oder was ist los? Könntest du ein Alarmsystem aus der Ferne außer Betrieb setzen?«

»Nein, das ist unmöglich. Wie, bitte schön, sollte ich das anstellen?«

»Ich dachte, mit deinen Computern wäre nichts unmöglich ...«

»Das habe ich nie gesagt«, rechtfertigte er sich.

Sie provozierte ihn: »Gut, ich habe verstanden. Du bist ein Schwätzer, aber wenn es darum geht, Taten folgen zu lassen, machst du dich augenblicklich aus dem Staub ...«

»Hey, hey!«, verteidigte er sich erneut. »Wem hatten Sie denn Ihren Termin beim Friseur zu verdanken?«

»Ich spreche hier nicht von einem Friseurtermin! Ich spreche von etwas sehr viel Schwerwiegenderem.«

»Ich bin aber kein Zauberer«, erwiderte Romuald.

»Ich gebe dir die Adresse, hast du etwas zum Schreiben?«

»Aber ich habe doch gesagt, dass ...«

»Hast du was zum Schreiben?«, beharrte sie.

»Also los«, erwiderte er seufzend.

»Matthew und Kate Shapiro. Sie wohnen in Boston an der Kreuzung Mount Vernon und Willow Street. Die Firma, die das Alarmsystem eingerichtet hat, nennt sich The Blue Watcher. Sie ist in Needham Massachusetts ansässig.«

»Und was soll ich damit anfangen?«

»Was du willst, aber beeil dich. In einer Viertelstunde gehe ich in diese verdammte Hütte. Wenn du nichts findest, werden mich die Bullen schnappen, und es ist deine Schuld, wenn ich verhaftet werde.«

Sie legte auf, ohne ihm Zeit für eine Antwort zu lassen.

Ihr war bewusst, dass sie dem Jugendlichen eine schwierige Aufgabe zugemutet hatte, aber sie vertraute auf seine Intelligenz.

Sie trank einen Schluck Kaffee und aß ein Stück von dem Kuchen. Eigentlich glaubte sie, keinen Hunger zu haben, verschlang dann aber das ganze Stück mit gutem Appetit. Währenddessen schaute sie sich den Film an, den sie zuvor mit ihrem Handy aufgenommen hatte.

Wer war dieser Mann? Ein Chirurgenkollege? Ein Freund des Ehepaars? Warum hatte Emma dieses seltsame Gefühl, sein Gesicht sei ihr nicht völlig unbekannt?

Unentschlossen, wie sie sich verhalten sollte, übertrug sie den Film vom Handy auf ihren Laptop und öffnete dann ihr E-Mail-Programm. Den Kopf voller Fragen, begann sie, an Matthew zu schreiben, dann hielt sie inne. Hatte sie das Recht, unter dem Vorwand der Wahrheitsfindung die Vergangenheit aufzuwühlen? Sich in die Privatsphäre einer Familie einzumischen, die sie nicht kannte? Den Schmerz eines Mannes aufleben zu lassen, dem es nicht gelang, mit der Trauer um seine Frau fertigzuwerden?

Nur dass diese Frau zweifellos nicht die Ikone ist, die er so abgöttisch liebt ...

Die Finger auf dem Trackpad des Laptops, las sie ihre Nachricht erneut durch, zögerte noch einige Sekunden und drückte dann auf SENDEN.

—

2011

»Ich hab diesen kleinen Hund so gerne!«, rief Emily und kam, den Shar-Pei im Gefolge, in die Küche gestürzt.

Der Duft nach heißer Schokolade lag in der Luft.

April, die auf ihrem Tablet die Zeitung durchblätterte, überwachte mit einem Auge den Topf, der auf dem Herd stand. Matthew lauerte hinter seinem Bildschirm seit mehreren Stunden auf eine Antwort von Emma, sein Ultimatum vom Vorabend betreffend.

Die Kleine kletterte auf den Hocker, um sich neben ihren Vater zu setzen.

»Der Napf von Clovis ist leer. Darf ich Trockenfutter reinfüllen?«

Matthew brummte zustimmend.

»Wir machen das gemeinsam«, versprach April und goss die Milch in einen Becher. »Aber jetzt trink erst mal deinen Kakao.«

Sie stellte die Tasse vor das kleine Mädchen.

»Vorsicht, er ist noch sehr heiß!«

»Du hast kleine Marshmallows reingetan! Lecker! Danke, April.«

Matthew bedachte seine Mitbewohnerin mit einem vorwurfsvollen Blick.

»Mit den Süßigkeiten wollen wir etwas kürzertreten, ja? Die Kleine wird am Ende noch aussehen wie das Michelin-Männchen!«

»Es ist doch Weihnachten, Papa!«, rief Emily.

»Eine wunderbare Entsch…«

Bei dem Signal, das eine eingehende E-Mail anzeigte, verstummte er. Sein Blick wanderte zum Bildschirm. Er überflog die Mail von Emma mit der provozierenden Überschrift.

Von: Emma Lovenstein
An: Matthew Shapiro
Betreff: Kennen Sie Ihre Frau wirklich?

Lieber Matthew,
ich bin entzückt, dass Ihre kleine Tochter meinen Clovis ins Herz geschlossen hat. Er ist ein treuer und artiger Hund. Es wird Sie vielleicht wundern, aber ich bin sehr glücklich, ihn bei Ihnen zu wissen. Nicht eine Sekunde lang habe ich mir vorgestellt, dass Sie ihm etwas antun könnten. Sie sind ein guter Mensch, Matt, und werden dieses arme, unschuldige Tier sicher nicht quälen.
Ich habe lange gezögert, ob ich Ihnen den hier ange-hängten kleinen Film wirklich schicken soll. Ich hoffe,

er wird Sie nicht zu sehr verletzen. Verzeihen Sie mir dieses Eindringen in Ihr Privatleben, aber wissen Sie, wer der Mann in Begleitung Ihrer Frau ist?
Emma

Wovon spricht sie?, fragte er sich, während er die Datei auf seinem Laptop abspeicherte. Dann klickte er auf die Starttaste.

Nach wenigen Sekunden erschien ein etwas unscharfes Bild auf dem Monitor.

»Was schaust du dir da an, Papa?«, fragte Emily und beugte sich zum Bildschirm vor.

»Vorsicht, Süße«, warnte April, »du wirst ...«

Zu spät.

Die randvolle Tasse mit Schokolade ergoss sich über die Tastatur des Laptops – etwa vierhundert Milliliter heiße, klebrige Flüssigkeit.

Das Bild blieb stehen, dann wurde der Monitor schwarz.

Verzweifelt starrte Matthew seine Tochter an. Sein Herz zog sich in seiner Brust zusammen, sein Atem stockte, und Tränen der Wut verschleierten seinen Blick: Er hatte soeben die einzige Kommunikationsmöglichkeit mit Emma verloren.

Die einzige Möglichkeit, seine Frau zu retten.

Kapitel 13

Durch den Spiegel

Das Leben braucht Illusionen,
das heißt, für Wahrheiten gehaltene Unwahrheiten.

Friedrich Nietzsche, *Notizbuch 1872/1873*

Boston, 2010

Piep, piep, piep …

Beim Betreten des Hauses hatte Emma ein leises Tonsignal ausgelöst.

Sie schloss die Tür und wandte sich dem Alarmkästchen zu. Da sie den Code nicht kannte, konnte sie das System auch nicht abstellen.

Piep, piep, piep …

Wie viel Zeit mochte ihr bleiben, bis sich der noch diskrete Ton des Detektors in ein weithin vernehmbares Signal verwandeln würde? Die Stirn von Schweiß bedeckt, die Kehle so trocken, dass sie kaum schlucken konnte, blieb sie einige Sekunden reglos stehen und fühlte sich wie in der Haut des Verurteilten, der darauf wartet, dass der Henker seines Amtes waltet. Schließlich hörte das warnende Piepsen auf, und das ohrenbetäubende Heulen einer Sirene ließ die Wände vibrieren.

Vloiiiing! Vloiiiing! Vloiiiing!

Obgleich sie damit gerechnet hatte, ließ ihr der durchdringende Ton vor Angst das Blut in den Adern stocken. Panik stieg in ihr hoch. Sie begann zu zittern. Das Blut pochte immer stärker in ihren Schläfen. In diesem Augenblick vibrierte das Handy in ihrer Tasche. Sie nahm das Gespräch an und sprach so laut wie möglich, um das Geräusch der Sirene zu übertönen.

»Hallo.«

»Mrs Kate Shapiro?«

»Am Apparat.«

»Überwachungsfirma Blue Watcher, wir haben soeben…«

»Mein Alarm, ja, es tut mir leid. Mein Mann scheint den Code geändert zu haben, ohne mich informiert zu haben. Können Sie das abstellen?«

»Erst nach den üblichen Kontrollfragen.«

Vloiiiing! Vloiiiing! Vloiiiing!

Auch wenn es Romuald nicht gelungen war, das Alarmsystem aus der Ferne zu deaktivieren, hatte er es doch zumindest geschafft, in den Server der Firma einzudringen. Er hatte die Telefonnummer geändert, die bei einem ausgelösten Alarm angerufen werden musste, indem er die Handynummern von Kate und Matthew durch Emmas Nummer ersetzt hatte. Außerdem hatte er einen Screenshot der Antworten auf die drei Geheimfragen angefertigt, die zur Authentifizierung des Teilnehmers erforderlich waren, damit die Sirene abgestellt werden konnte.

»In welcher Stadt sind Ihre Eltern sich das erste Mal begegnet?«

Emma senkte den Kopf, um die Antworten zu lesen, die Romuald ihr geschickt hatte und die sie sich auf dem Handballen notiert hatte.

»In Sankt Petersburg.«

»Welches war Ihr Lieblingsfilm als Kind?«

»*Bernard und Bianca.*«

»Wie hieß Ihre beste Freundin zu Studienzeiten?«

»Joyce Wilkinson«, antwortete sie, ohne zu zögern.

Unmittelbar danach wurde die Sirene abgestellt.

»Vielen Dank, Mrs Shapiro. Und sagen Sie Ihrem Mann, er soll Ihnen künftig mitteilen, wenn er den Code ändert.«

Emma legte auf und wischte sich die Schweißperlen von der Stirn. Sie trat ans Fenster, blieb jedoch hinter dem Vorhang verborgen. Im Louisburg Park war nichts Außergewöhnliches wahrzunehmen, was sich allerdings jeden Augenblick ändern konnte.

Was würde sie sagen, falls ein Polizist an der Tür klingelte? Oder wenn Matt oder Kate nach Hause kämen? Sie verdrängte diesen lästigen Gedanken und beschloss, mit ihrer Erkundung zu beginnen.

Ihre Wut auf Kate war eine starke Motivation und hatte sie aus ihrem depressiven Zustand befreit, denn sie wollte kämpfen, für sich, für ihre Zukunft, für Matthew ...

Emma wusste nicht so genau, wonach sie eigentlich suchte. Eine Bestätigung für Kates Untreue? Einen Hinweis, durch den sie dem geheimnisvollen Unbekannten auf die Spur käme? Sie musste auf jeden Fall einen Blick hinter die Fassade werfen. Musste den versteckten Teil des Hauses durchsuchen: die Schränke, Kommoden, Schubladen, Computer, den Keller ...

Das Erdgeschoss mit dem großen Wohnzimmer und der offenen Küche war eingerichtet wie ein Loft. Die Heizung verbreitete eine sanfte Wärme. Der Raum war behaglich eingerichtet. Neben dem Sofa stand ein hübscher Weihnachtsbaum mit blinkenden Lichtern, die Küchentheke war voller Brotkrumen, ein Glas Konfitüre hatte man vergessen wegzuräumen, eine zur Hälfte bunt angemalte Kinderzeichnung und die *New York Times* des Tages, deren Kulturteil aufgeschlagen war, lagen daneben.

An den Wänden und in den Rahmen, die in den Regalen standen, waren viele Fotos der Familienmitglieder zu sehen, darunter einige in Schwarz-Weiß, die vermutlich Kate als Kind zeigten: Ein hübsches, blondes kleines Mädchen und seine Mutter, die am Klavier saß; beide Hand in Hand in den Straßen einer russischen Stadt – vermutlich Sankt Petersburg. Außerdem Fotos in verblichenen Farben: Eine zierliche Jugendliche, die vor der Space Needle posierte, und eine eher farblose Studentin in Jeans und mit Rucksack auf der Wiese vor dem Kampanile der Universität von Berkeley. Ein Foto von einer selbstbewussten jungen Frau. Das war die Kate von heute, die sie gesehen hatte, die selbstsichere, gut aussehende Chirurgin mit Tochter und Mann.

Diese Aufnahmen warfen mehrere Fragen auf, mit denen sich Emma erst später beschäftigen wollte. Sie zog ihr Handy heraus und opferte drei Minuten, um Fotos von allen interessanten Dingen zu machen, die im Zimmer zu sehen waren. In der Küche fotografierte sie zudem Kates Wochenplan, der an eine Korkwand gepinnt war.

Sie verließ das Erdgeschoss, das ihr zu exponiert schien, und ging in den ersten Stock.

Ein großes, schlicht eingerichtetes Elternschlafzimmer, zu dem zwei Bäder gehörten. Darauf folgten eine Ankleide, ein Kinderzimmer und ein quasi leerer Raum, der als Büro diente.

Auf dem Boden neben dem großen Bett der Eltern Bücherstapel. Links philosophische Essays (*Das Leben des Heiligen Augustinus*, *Vorlesungen von Nietzsche* ...), rechts wissenschaftliche Publikationen (*Chirurgische Behandlungen der Herzinsuffizienz*, *Angeborene Herzkrankheiten, künstliches Blut und Stammzellen* ...). Nicht schwer zu erraten, wer auf welcher Seite schlief ...

Der Anblick des Ehebetts entfachte in Emma erneut heftige Eifersucht. Nervös durchsuchte sie die Regale und stöberte in den Schubladen der Kommode. In einer fand sie die Pässe des Paares. Sie öffnete den ersten: Matthew Shapiro, geboren am 3. Juni 1968 in Bangor,

Maine. Dann den zweiten: Ekaterina Ludmilla Swatkowski, geboren am 6. Mai 1975 in Sankt Petersburg, Russland.

Kate war Russin ...

Das erklärte das blonde Haar, die hellen Augen, die kalte und distanzierte Schönheit ...

Von der Straße hallte das Motorengeräusch eines Autos herauf. Da sie die Rückkehr des Paars befürchtete, warf sie einen Blick aus dem Fenster – Fehlalarm –, also fuhr sie mit ihren Nachforschungen fort.

In Matthews Badezimmer verlor sie keine Zeit, hielt sich in dem von Kate jedoch länger auf. Sie öffnete die Schranktüren, die Schubladen und Fächer jedes Möbelstücks. Das große Hängeregal quoll über von Kosmetika: Cremes, Lotionen, Make-up. In der bemalten Holzsäule, die als Arzneischrank diente, fand sie Plastikröhrchen, deren Etiketten sie überflog (Aspirin, Paracetamol, Ibuprofen), Fläschchen mit 70-prozentigem Alkohol, physiologische Kochsalzlösung, Wasserstoffperoxid. Hinter den Packungen mit Pflastern und Kompressen machte sie eine unerwartete Entdeckung. Präparate mit komplizierten, ihr jedoch vertrauten Namen, denn es waren Antidepressiva, Angstlöser und Schlafmittel. Emma traute ihren Augen nicht: Kate und sie hatten dieselben verrufenen »Freunde«. Einige Sekunden lang empfand sie dies als merkwürdigen Trost.

Allem Anschein zum Trotz war Kate nicht die strahlende und heitere Frau, die sich Emma vorgestellt hatte. Sie war zweifellos genau *wie sie selbst:* gequält, ängstlich, vielleicht verletzlich. Ob ihr Mann wohl über den Inhalt des Arzneischranks Bescheid wusste? Wahrscheinlich nicht, sonst hätte die Chirurgin die Röhrchen nicht so sorgsam weggeräumt. Und Matthew schien nicht der Typ zu sein, der in den Sachen seiner Frau herumschnüffelte.

Sie setzte ihre Erkundung in der Ankleide fort.

Mein Traum …

Der perfekte Kleiderschrank: geräumig, puristisch, raffiniert und funktionell. Schiebetüren aus hellem Holz wechselten mit Glaswänden und Spiegelflächen, die den Raum noch größer wirken ließen.

Voller Neugier öffnete und durchsuchte sie systematisch jeden Schrank, durchwühlte jede Schublade, hob alle Kleidungsstapel, prüfte Dutzende Paar Schuhe und Wäschestücke. Eine an die Wand gelehnte, dunkle Holzleiter und eine Trittleiter führten zu den oberen Fächern. Sie stieg hinauf, um den Inhalt genau unter die Lupe zu nehmen. Recht schnell stieß sie auf eine zusammengelegte Lederjacke, die flach auf dem obersten Regalbrett lag. Es war eine abgetragene, mit Schaffell gefütterte Motorradjacke. Dieselbe Art von Jacke, die der »Liebhaber« von Kate am Vormittag getragen hatte! Emma untersuchte sie aufmerksam. Sie tastete das Futter ab. In einer der Klappentaschen fand sie ein verblichenes Foto, das etwa fünfzehn Jahre alt sein durfte: Es zeigte Kate mit entblößten Brüsten. Eine junge Frau von knapp zwanzig Jahren in einer sexy und provozierenden Pose, die mit seltener Intensität in die Kamera schaute. Auf der Suche nach irgendeiner Angabe drehte Emma die Aufnahme um, konnte jedoch nichts entdecken.

Ihre Erregung nahm zu. Wie bereits zuvor fotografierte sie das Bild mit ihrem Handy, bevor sie es zurück in die Jackentasche steckte und diese wieder an ihren Platz legte.

Ich muss schauen, dass ich hier wegkomme ...

Um ganz sicherzugehen, warf sie noch einen Blick in die letzte Etage. Dieser Teil des Hauses war nicht geheizt. Er enthielt einen Raum, der wohl als Gästezimmer diente, ein weiteres Bad und zwei große, noch unfertige Räume.

Sie ging zurück ins Erdgeschoss und drehte eine letzte Runde. Auf einem kleinen Holztisch mit Einlegearbeiten stand der Familienlaptop. Sie hatte ihn schon zuvor bemerkt, jedoch geglaubt, er sei durch ein Passwort geschützt.

Man weiß ja nie ...

Sie bewegte die Maus, und der Bildschirm zeigte die letzte Sitzung von Kate an. Kein Passwort, kein Schutz.

Also ohne interessante Infos, dachte sie.

Dennoch schnüffelte sie in den verschiedenen Ordnern. Kate benützte den Laptop offensichtlich nur für berufliche Zwecke. Er quoll über von Artikeln, Dateien und Filmen, die sich mit Chirurgie und Missbildungen des Herzens befassten. Dasselbe galt für den Browserverlauf und die E-Mails. Die einzige Ausnahme in dieser medizinischen Welt waren *Die Abenteuer einer Bostonerin*, ein Amateur-Blog über gute Adressen in Boston

(Restaurants, Cafés, Geschäfte ...), den die Chirurgin mehr oder weniger regelmäßig zu führen schien. Emma notierte die Internetadresse auf ihrem Unterarm und versuchte, die Sitzung von Matthew zu öffnen. Sie war ebenso wenig geschützt wie der Blog seiner Frau. Offensichtlich herrschte in dieser Paarbeziehung Vertrauen, zumindest in diesem Punkt. Emma führte hier dieselbe Analyse durch, fand jedoch nichts Bedeutsames. Es gab immerhin mehrere Hundert Fotos, die ungeordnet in einem Ordner gespeichert waren. Sie fing an, sie durchzugehen, aber es waren zu viele, um sie alle anzuschauen. Sie wühlte in ihrer Manteltasche nach ihrem Schlüsselbund. Ihr Schlüsselanhänger war eine kleine Flasche aus Metall, die eine kalifornische Pinot-Noir-Flasche darstellte. Es war ein Werbegeschenk, das sie bei der Besichtigung eines Weinguts bekommen hatte. Schob man den oberen Teil der Flasche auf, erschien ein USB-Stick. Emma steckte ihn in den Computer, um die Fotos zu kopieren und sich die Möglichkeit zu lassen, diese später in aller Ruhe anzusehen. Während der Kopiervorgang lief, hörte sie das Knattern eines Motorrads. Sie zog überstürzt den USB-Stick heraus und lief zum Fenster.

Mist ...

Dieses Mal waren es tatsächlich Matthew und Kate, die direkt vor der Eingangstür parkten.

Zu spät, um umzukehren!

Es gab nur eine Lösung: den Rückzug antreten.

In dem Moment, als sich die Eingangstür öffnete, lief sie die Treppe zu den Schlafzimmern hinauf.

Von oben konnte sie die Stimmen von Matthew und Kate deutlich hören. Sie bekam Angst und flüchtete sich ins Schlafzimmer des Paars. Dort versuchte sie, das Schiebefenster so geräuschlos wie möglich zu öffnen. Als sie einen letzten Blick ins Zimmer zurückwarf, bemerkte sie hinten in der Ankleide etwas, was ihr beim ersten Mal nicht aufgefallen war, sie jetzt aber erstaunte. Warum lehnte an der Wand eine Holzleiter? Die Trittleiter, die sie benützt hatte, reichte absolut aus, um an die obersten Fächer zu gelangen. Sie hielt in ihrer Bewegung inne und schlich sich in die Ankleide zurück.

Und warum ist die Leiter aus dunklem Holz, während alle Möbel auf diesem Stockwerk aus hellem Holz sind?

Emma stieg trotz der Stimmen des Paars, die vom Wohnzimmer heraufdrangen, die ersten Sprossen hinauf.

Sie dient nicht dazu, an den Schrank zu gelangen, sondern an die Decke.

Auf den letzten Sprossen angelangt, öffnete Emma die Luke in der abgehängten Decke. Sie streckte die Hand aus und fühlte etwas. Einen Riemen oder eher den Gurt einer Tasche. Sie zog daran, woraufhin eine große Stofftasche herunterfiel. In einem verzweifelten Reflex gelang es ihr, sie aufzufangen.

Es war eine Reisetasche aus beschichtetem rotem Stoff mit dem weißen Logo einer bekannten Sportmarke. Die Tasche war schwer, sie war randvoll gepackt. Emma öffnete rasch den Reißverschluss, blickte hinein und hätte sie vor Überraschung beinahe losgelassen.

Ihr Herzschlag beschleunigte sich. Sie hörte Schritte, die die Treppe heraufkamen.

Sie schob die Tasche wieder in ihr Versteck, schloss die Klappe, kletterte die Leiter hinunter und durchquerte das Zimmer. Das Schlafzimmerfenster war offen geblieben. Sie schwang sich über das Fensterbrett, stieg die Rettungsleiter hinunter und flüchtete, so schnell sie konnte.

—

Boston, 2011
9:45 Uhr

Die Tastatur des Laptops badete in heißer Schokolade.

»Entschuldigung, Papa, es tut mir so leid! Entschuldigung! Entschuldigung!«, flehte Emily inständig, während sie das Ausmaß der Katastrophe betrachtete.

Matthew sprang von seinem Hocker, zog den Stecker des Laptops heraus und drehte diesen auf die andere Seite, um die klebrige Flüssigkeit herauslaufen zu lassen.

»Ich habe das nicht absichtlich gemacht!«, entschuldigte sich die Kleine und flüchtete sich in Aprils Arme.

»Natürlich nicht, Liebes«, versuchte diese, sie zu beruhigen.

Schweigend wischte Matthew den Laptop mit einem Küchentuch ab.

Was sollte er tun?

Sein Herz schlug heftig. Er musste handeln. Und zwar schnell.

April holte aus ihrer Handtasche mehrere Wattepads zum Abschminken und reichte sie Matthew, damit er die Tastatur weiter reinigen konnte.

»Glaubst du, die Schaltkreise sind betroffen?«

»Ich fürchte, ja.«

»Aber es ist nicht unbedingt sicher«, beschwichtigte sie. »Letztes Jahr ist mir mein Handy in die Toilette gefallen. Durch Trocknen und Herausnehmen der SIM-Karte konnte ich es anschalten, und es funktioniert noch heute!«

Matthew überlegte. Es war sinnlos, zu versuchen, den Laptop auseinanderzunehmen. Er verstand nicht viel von Informatik. Er war versucht, ihn erneut einzuschalten, besann sich dann jedoch anders.

Das wäre das sicherste Mittel, einen Kurzschluss auszulösen, der womöglich zum Schmelzen der einzelnen Teile führen würde ...

»Ich bringe es zu einem Reparaturdienst«, beschloss er mit einem Blick auf die Uhr. »Kannst du noch eine Stunde auf Emily aufpassen?«

Er rief ein Taxi, sprang rasch unter die Dusche, schlüpfte in Jeans, Pullover und einen dicken Mantel und ging auf die Straße hinaus, den Laptop in einen Lederkoffer gepackt.

Zwei Tage vor Weihnachten einen Apple Store aufzusuchen war unsinnig. Die Garantie für den Laptop war ohnehin abgelaufen. Er bat den Taxifahrer, ihn zu einem kleinen Händler in einer Seitenstraße des Harvard Square zu fahren. Es war ein Laden, den einige seiner Studenten frequentierten.

Er hatte gerade erst geöffnet, und Matthew war offensichtlich der erste Kunde. Hinter der Theke beendete ein beleibter Althippie gerade sein Frühstück.

Er war über sechzig Jahre alt, hatte eine grau melierte Mähne und trug eine Lederweste über einem T-Shirt, auf dem die kubanische Flagge aufgedruckt war. Sein Bauch hing über den Bund einer ausgewaschenen Jeans und den breiten Ledergürtel.

»Kann ich helfen, Chef?«, fragte er und wischte dabei die Zuckerkörner des Donuts aus dem Gestrüpp seines Barts.

Matthew holte den Laptop aus seinem Köfferchen, stellte ihn auf die Theke und erzählte von seinem Missgeschick.

»Ist auch ’ne super Idee, ein heißes Getränk neben einen Computer zu stellen!«, rief der Mann.

»Es war meine Tochter. Sie ist viereinhalb und …«

Schulmeisterlich hob der Alte den Finger und ließ ihn den Satz nicht vollenden.

»Ich glaube, heiße Schokolade ist das Schlimmste, was man über elektronisches Material kippen kann.«

Matthew seufzte. Er war nicht gekommen, um sich belehren zu lassen.

»Gut, können Sie mir jetzt helfen oder nicht?«

»Muss ich sehen. Selbst wenn die Hauptplatine nicht ruiniert ist, wird man wohl zumindest die Gehäuseoberseite austauschen müssen. Wenn man aber bedenkt, was Sie das kosten wird, frage ich mich, ob sich das wirklich lohnt. Is ja nicht gerade das neueste Modell, Ihre Kiste da.«

Seine Augen verschwanden zur Hälfte hinter einer kleinen runden Metallbrille.

»Für mich hat der Laptop aber einen großen sentimentalen Wert. Können Sie ihn öffnen?«

»Genau das werde ich tun. Bis nächste Woche schicke ich einen Kostenvoranschlag, in Ordnung?«

»Nächste Woche? Unmöglich! Ich brauche den Laptop heute noch.«

»O Chef, das wird aber schwierig.«

»Wie viel?«

»Hm ...?«

»Wie viel wollen Sie, um es gleich zu machen?«

»Du glaubst wohl, mit Geld lässt sich alles kaufen, was, Chef? Du glaubst, dass dir deine Knete jedes Recht gibt, oder?«

»Hören Sie auf, sich wie Che Guevara aufzuspielen, und nennen Sie mich nicht ›Chef‹«.

Der Verkäufer überlegte einen Augenblick und schlug schließlich vor: »Wenn du bereit bist, 'nen halben Riesen anzulegen, können wir drüber reden. Is schließlich dein Problem ...«

»Sehr gut. Sie bekommen das Geld, aber machen Sie sich an die Arbeit. Jetzt sofort.«

Mit einem Schraubendreher bewaffnet, öffnete der Mann das Aluminiumgehäuse und reinigte die Schaltkreise mit einer Isopropylalkohol-Lösung, wobei er sorgfältig jede Spur der Schokomilch entfernte und darauf achtete, die elektronischen Verbindungen nicht zu beschädigen.

»Der Zucker muss auf jeden Fall weg, sonst karamellisiert er durch die Wärmeentwicklung beim Einschalten«, murmelte er in seinen Bart.

Nachdem er diese Operation beendet hatte, schloss er eine Art alten Heizstrahler an.

»Gibt nichts Besseres, um die Teile zu trocknen.«

»Wie lange dauert das?«, fragte Matthew ungeduldig.

»Geduld ist eine Haupttugend, Chef. Beschaff die Kohle und komm in einer Dreiviertelstunde zurück. Die Festplatte ist anscheinend intakt. Für zweihundert Dollar zusätzlich kann ich eine Kopie davon machen, damit du zumindest deine Daten wiederherstellen kannst.«

Der Typ nutzte die Lage schamlos aus, aber Matthew versuchte nicht mal, zu handeln, obwohl es ihm widerstrebte, dass das Leben seiner Frau nun von diesem skrupellosen Geschäftemacher abhing.

»Okay, bis gleich.«

Er ging hinaus auf die Straße, blieb beim ersten Geldautomaten stehen, um siebenhundert Dollar abzuheben, und ging noch einige Schritte weiter in eines der zahlreichen Cafés am Harvard Square. Demoralisiert ließ er sich auf einen Stuhl fallen.

Wie würde es nun weitergehen? Selbst wenn der Computer wieder in Gang gesetzt werden konnte, hatte

Matthew keine Garantie, dass er erneut Kontakt mit Emma aufnehmen könnte. Ihr Dialog über die Zeiten hinweg hing nur an einem dünnen, irrationalen, beinahe magischen Faden ... der jedoch Gefahr lief, sich in heißer Schokolade aufzulösen! Er dachte wieder an Emmas letzte E-Mail. Der Schluss hatte sich in sein Gedächtnis eingegraben.

> Ich habe lange gezögert, ob ich Ihnen den hier angehängten kleinen Film wirklich schicken soll. Ich hoffe, er wird Sie nicht zu sehr verletzen. Verzeihen Sie mir dieses Eindringen in Ihr Privatleben, aber wissen Sie, wer der Mann in Begleitung Ihrer Frau ist?

Der Ton missfiel ihm. Was wollte sie damit andeuten? Dass Kate ihn betrogen hatte? Dass besagter Film ihre Ehre untergrub? Nein, das war unmöglich. Er hatte nie an der Liebe seiner Frau gezweifelt, und es hatte nie einen Anlass gegeben, dieses Vertrauen infrage zu stellen, weder vor noch nach ihrem Tod.

Matthew trank einen Schluck Kaffee und versuchte sich als Advocatus Diaboli.

Vielleicht war ihr Liebesleben etwas langweiliger geworden als zu Beginn ihrer Beziehung. Anfangs war es sehr stürmisch gewesen, doch dann war sehr bald Emily zur Welt gekommen. Aber inzwischen hatte es sich wieder eingespielt. Vielleicht war der Sex weniger intensiv als anfangs, aber war das nicht das Los der meisten Paare?

Er konnte nicht aufhören, sich zu quälen. Und wenn Kate tatsächlich einen Liebhaber gehabt hatte? Er schüttelte den Kopf. Sie hätte niemals die Zeit dafür gefunden! Kate arbeitete Tag und Nacht. Die Arbeitszeiten im Krankenhaus waren höllisch, und noch dazu las sie viel Fachliteratur und verfasste Artikel für einschlägige medizinische Zeitschriften. Ihre wenige Freizeit verbrachte sie mit ihm und Emily.

Nachdenklich rieb er sich das Kinn. Nach dem Tod seiner Frau hatte er ihre gesamte Garderobe weggegeben. Ein Lieferwagen der Heilsarmee hatte alle Sachen mitgenommen. Zwangsläufig hatte er nach Kates Tod ihre Papiere ordnen müssen. Sie hatten ein gemeinsames Konto gehabt, und er konnte keinerlei überraschende Ausgaben feststellen. Auch auf ihrem Computer hatte er nichts Verdächtiges gefunden. Das Einzige, was ihn verblüfft hatte, waren die Antidepressiva in ihrem Badezimmer. Warum hatte Kate ihm nie davon erzählt? Er hatte dies ihrer Arbeitsüberlastung zugeschrieben. Vielleicht hätte er nachfragen müssen ...

—

»Hast du meine Kohle, Chef?«

Matthew reichte dem Althippie die sieben Hundert-Dollar-Scheine, die er in der Tasche seiner Jeans verschwinden ließ.

»Klappt alles?«, fragte er und deutete auf die Teile, die noch unter der Wärmelampe trockneten.

»Hm, jetzt wollen wir das Ganze mal wieder zusammenbauen«, sagte er und ließ seinen Worten Taten folgen.

Der Vorgang dauerte eine weitere Viertelstunde, an deren Ende der Verkäufer in feierlichem Ton sagte: »Jetzt können wir nur noch die Daumen drücken, Chef.«

Er betätigte den Startknopf, und das Wunder vollzog sich. Der Laptop begann zu laufen, surrte und forderte zur Eingabe des Passworts auf.

Halleluja!

Die Tastatur funktionierte perfekt. Erleichtert gab Matthew den Code ein, der vom System auch angenommen wurde.

»Noch mal Schwein gehabt!«, rief der Althippie.

Matthew ignorierte die Bemerkung. Er öffnete einen Ordner, dann eine Anwendung. Er war gerade dabei, ins Internet zu gehen, als das Bild plötzlich erstarrte, bevor der Monitor schwarz wurde.

Dann nichts mehr.

Er versuchte, ihn wieder anzuschalten.

Nichts zu machen.

»Der ist hinüber«, bestätigte der Verkäufer. »Wäre auch zu schön gewesen, um wahr zu sein.«

»Aber man muss doch noch irgendwas tun können. Teile auswechseln oder ...«

»Ohne mich, Chef. Deine Kiste ist tot. So ist das Leben.«

Er reichte ihm eine externe Festplatte.

»Ich habe aus deiner Kiste alles herausgeholt, was zu retten war. Das ist doch das Wichtigste, oder?«

Nein.

Das war nicht das Wichtigste ...

Kapitel 14

Ekaterina Swatkowski

Du sollst nicht begehren deines Nächsten Weib ...

2. Buch Mose, 20, 17

Boston, 2010
11:00 Uhr vormittags

Der Himmel hatte sich zugezogen. Die Morgensonne war von einem grauen Schleier bedeckt, aus dem bald die ersten Flocken fielen und durch die Straßen von South End wirbelten.

Emma schüttelte die feinen Kristalle aus ihrem Haar und zog die Kapuze fester zu. Seit zwanzig Minuten lief sie schon durch das Viertel. Nachdem sie das Haus der Shapiros verlassen hatte, war sie zu ihrem Hotel zurückgekehrt, aber ihr Zimmer war noch nicht fertig gewesen. Also hatte sie sich zu einem kleinen Spaziergang entschlossen, um an der frischen Luft ein paar klare Gedanken zu fassen.

An der Ecke Copley Square/Boylston Street erhob

sich die imposante Boston Public Library. Ohne zu zögern, stieg sie die Stufen hinauf und trat in die prächtige, mit Fresken und Statuen geschmückte Eingangshalle. Man hätte sich in einem italienischen Renaissance-Palazzo wähnen können. Sie lief am Empfang und am Ticketverkauf für eine temporäre Ausstellung vorbei und gelangte in einen kleinen Innenhof, der an den Kreuzgang einer Abtei erinnerte. Nachdem sie sich bei einem Aufseher erkundigt hatte, gelangte sie durch die Sicherheitstür zu einer Marmortreppe, die zum Lesesaal führte.

Die Bates Hall war ein riesiger Raum von fast siebzig Metern Länge mit einer hohen Gewölbedecke. Zu beiden Seiten standen Reihen dunkler Holztische, die von kleinen Messinglampen mit Glasschirmen erhellt wurden.

Emma setzte sich auf einen Platz am Ende des Raums, um das Tageslicht zu nutzen. Sie holte ihr Smartphone und ihren Laptop heraus und sah sich alle »Beweisstücke«, die sie bei ihrer Expedition gesammelt hatte, noch einmal genau an.

Das Erste, was ihr aufgefallen war, war die russische Herkunft von Kate, beziehungsweise dass sie ihren Namen amerikanisiert hatte und in Wirklichkeit Ekaterina Ludmilla Swatkowski hieß.

Geboren am 6. Mai 1975 in Sankt Petersburg, Russland.

Sie betrachtete die Kinderfotos von Kate. Man sah sie im Alter von sechs oder sieben Jahren neben einer Pianistin – zweifellos ihre Mutter – in einem Konzertsaal oder Probenraum. Später sah man die beiden auf

Außenaufnahmen, im Hintergrund die typischen Zwiebeltürme der orthodoxen Kirchen. Ein weiteres Bild zeigte sie im Alter von elf oder zwölf Jahren, doch jetzt bildete nicht mehr das Venedig des Nordens die Kulisse, sondern die Emerald City. Emma schloss daraus, dass sie von Sankt Petersburg nach Seattle ausgewandert waren.

Für eine Weile starrte sie nachdenklich vor sich hin, dann tippte sie in die Google-Suchmaschine »Swatkowski Pianistin«. Und tatsächlich hatte Kates Mutter einen Eintrag bei Wikipedia. Neugierig las sie die Seite.

Anna Irina Swatkowski (∗ 12. Februar 1954 in Sankt Petersburg, † 23. März 1990 in Seattle) war eine russische Pianistin. Sie starb an den Folgen von Multipler Sklerose.

Das Wunderkind studierte am Rimski-Korsakow-Konservatorium, wo es von den großen Meistern unterrichtet wurde.

Sie begann ihre Solistenkarriere im Alter von sechzehn Jahren mit dem 1. Klavierkonzert von Rachmaninow, begleitet von den Sankt Petersburger Philharmonikern. Später war sie zu verschiedenen Festivals eingeladen und trat in so angesehenen Konzertsälen wie der Berliner Philharmonie und der New Yorker Carnegie Hall auf. Mit der Klaviersonate h-Moll von Franz Liszt nahm sie bei der Deutschen Grammophon ihre erste Schallplatte auf. Diese Interpretation gilt als die beste ihres Werks.

Ihr stand eine brillante Karriere bevor, doch im Jahr 1976 traf sie ein schwerer Schicksalsschlag: Nach der Geburt ihrer Tochter wurde sie von einem heftigen Multiple-Sklerose-Schub heimgesucht. Die Folgen zwangen sie, ihre Karriere als Pianistin aufzugeben. Anfang der 1980er-Jahre wanderte sie in die USA aus, um sich dort behandeln zu lassen. 1990 starb sie an den Folgen ihrer Krankheit, nachdem sie die letzten Jahre in Armut verbracht hatte.

Emma stellte sich Kates Kindheit und Jugend vor. Ein schwieriges Leben in einem fremden Land, die Schuldgefühle, da sie sich als Auslöser für die Krankheit der Mutter sah, das Trauma ihres Todes, das die junge Kate vermutlich dazu bewogen hatte, Medizin zu studieren. Sie überlegte: Wenn die Mutter 1990 gestorben war, war Kate damals erst vierzehn oder fünfzehn Jahre alt gewesen. Wer hatte sich danach um sie gekümmert? Ihr Vater? Vielleicht, aber der war weder auf den Fotos zu sehen, noch in dem Wikipedia-Eintrag erwähnt. Die folgenden Aufnahmen waren heiterer. Man sah Kate als Studentin an der renommierten Berkeley University, meist in Begleitung einer jungen Frau indischer Herkunft. *Die besagte Joyce Wilkinson?,* fragte sich Emma, die an die letzte »Geheimfrage« der Überwachungsgesellschaft dachte. Doch noch etwas anderes irritierte sie. Kate war anscheinend zum Zeitpunkt der Aufnahmen zwischen achtzehn und zwanzig Jahre alt, doch ihre Gesichtszüge hatten sich im Vergleich zu damals stark verändert. Emma überspielte die Fotos auf ihren Computer, um sie mit anderen Bildern neueren Datums zu vergleichen. Der Unterschied war zwar nicht enorm, aber dennoch eindeutig: Die Wangenknochen waren ausgeprägter, das Gesicht symmetrischer. Ganz offensichtlich das Werk eines Schönheitschirurgen. Aber warum? Warum wollte man noch perfekter werden, wenn man sowieso schon derart hübsch war?

Vielleicht ein Unfall, der einen plastischen Eingriff nötig gemacht hatte?

Eine Frage, auf die sie keine Antwort fand. Dann wandte sie sich dem aufreizenden Bild zu, das sie ebenfalls überspielt hatte. Herausfordernd starrte Kate ins Objektiv. Sie posierte mit verschränkten Armen, die ihre nackten Brüste erahnen ließen. Die Aufnahme strahlte eine verwirrende Sinnlichkeit aus.

Wie mag es sein, wenn man jeden beliebigen Typen mit einem Fingerschnippen erobern kann?, fragte Emma, als würde sie sich an Kate wenden. *Macht es das Leben leichter? Durchleidet man denselben Liebeskummer, dieselben Qualen wie die Normalsterblichen?*

Zweifellos, nach den Medikamenten zu urteilen, die sie im Badezimmer gefunden hatte ...

Sie runzelte die Stirn, vergrößerte das Foto und beugte sich zu dem Bildschirm vor. Zu dieser Zeit hatte Kate eine Tätowierung am linken Oberarm. Später sah man die auf keinem anderen Bild mehr. Handelte es sich um ein aufklebbares Tattoo, oder hatte sie es später entfernen lassen? Vielleicht konnte Emma das Motiv erkennen. Sie zoomte den Bildausschnitt mit der Zeichnung weiter heran. Die Umrisse eines Pferdes mit einem Horn wurden sichtbar.

Ein Einhorn ...

Ohne zu wissen, ob ihm eine Bedeutung zukam, kopierte sie das Symbol. Dann hob sie den Blick und rieb sich die Augen. Durch das Fenster sah sie den Schnee, der in immer dichteren Flocken fiel. Bei diesem Anblick begann sie zu frösteln. Dabei war es hier angenehm warm. Trotz seiner Größe vermittelte der Ort Geborgenheit. Emma klammerte sich an das, was ihr Sicherheit gab: Die unzähligen, schön gebundenen Werke in den Regalen, das Rascheln der Seiten, die umgeblättert wurden, das Geräusch der Stifte, die über das Papier glitten, das leise Klicken der Computertastaturen.

Sie hatte plötzlich den Wunsch, sich beschützt zu fühlen. Denn seit sie die rote Sporttasche in der abgehängten Decke im Haus der Shapiros gefunden hatte, war ihr klar, dass sie etwas gesehen hatte, was eigentlich nicht für ihre Augen bestimmt war. Etwas potenziell Gefährliches.

Sie schloss die Lider und ließ die Szene noch einmal vor ihrem inneren Auge vorbeiziehen. Als sie den Reißverschluss geöffnet hatte, war sie auf Dutzende von Bündeln mit Hundert-Dollar-Noten gestoßen. Sie überschlug schnell die Summe. Die Tasche wog mindestens fünf Kilo. Wie schwer mochte ein Hundert-Dollar-Schein sein? Knapp ein Gramm? Also enthielt sie etwa fünfhunderttausend Dollar ...

Eine halbe Million ...

Wer bewahrt eine halbe Million Dollar in der abgehäng-
ten Decke seiner Ankleide auf?, fragte sie sich und betrachtete das Foto von Kate, deren Augen sie zu durchdrin-
gen schienen.

Wer bist du wirklich, Kate Shapiro?

Wer bist du wirklich, Ekaterina Ludmilla Swatkowski?

—

Emma packte ihre Sachen zusammen. Als sie gerade
ihren Laptop einstecken wollte, fiel ihr ein, dass sie sich
noch nicht die Fotos von Matthew angesehen hatte, die
sie vom Familiencomputer überspielt hatte. Die Über-
tragung auf den USB-Stick war durch die Ankunft von
Matthew und seiner Frau unterbrochen worden, aber
mehrere Hundert Aufnahmen waren bereits gespeichert. Sie sah sie sich rasch an: Szenen aus dem Alltag,
die das Bild einer glücklichen Familie rund um die kleine
Emily zeigten. Sie beschleunigte das Tempo der Diashow, um einen Blick auf die älteren Bilder aus der Zeit
vor der Geburt der Kleinen und vor Kate und Matthews
Hochzeit zu werfen. Dabei entdeckte sie etwas Verblüf-
fendes: Bevor er Kate kennengelernt hatte, war Matthew
schon einmal verheiratet gewesen. Auf Dutzenden von
Fotos war eine kleine, zierliche Frau zu sehen, deren langes dunkles Haar meist zu einem Zopf geflochten war.
Selbst auf den Fotos lächelte sie nur selten. Die feinen
Züge wirkten häufig erstarrt und streng, was in Emma

die Assoziation einer Intellektuellen, einer strengen Lehrerin oder verklemmten Bibliothekarin weckte.

Sie klickte sich durch die Bilder, bis sie zu den Hochzeitsfotos kam. Die waren offensichtlich schon älter, denn es handelte sich nicht um digitale, sondern um gescannte Aufnahmen. Auf einer sah man das gigantische Dessert: eine mehrstöckige rosa-weiße Sahnetorte mit einer Marzipanplatte und der Aufschrift:

Sarah + Matt
20. März 1996

Im Internet stieß Emma in einem Bericht über einen Ausflug der Erstklässler in Roxbury auf eine gewisse Sarah Shapiro. Das Dokument war schon sechs Jahre alt, dennoch versuchte sie, in der Schule anzurufen. Sie hatte Glück, auch während der Ferienzeit war das Sekretariat besetzt, und ihr Anruf wurde beantwortet. Sarah Shapiro hatte in der Tat dort unterrichtet. Nach ihrer Scheidung hatte sie wieder ihren Mädchennamen – Higgins – angenommen und sich versetzen lassen. Man teilte Emma den Namen einer Grundschule in Wattapan mit. Erneuter Anruf. Wieder das Sekretariat. Sarah Higgins unterrichtete an dieser Schule, die auch während der Weihnachtsferien Kinder aus sozial schwachem Milieu aufnahm. Zurzeit begleitete sie einen Ausflug zur Eislaufbahn von Wattapan ...

—

Matthew kam beunruhigt und erschöpft nach Hause. Als er die Tür öffnete, entdeckte er an der Pinnwand einen Zettel:

> Wir drehen eine kleine Runde auf dem Weihnachts-
> markt an der Marlborough Street. Wenn du brav bist,
> bringen wir Dir eine Flasche Cidre mit!
> Küsschen,
> Emily + April

Der Shar-Pei Clovis rieb sich an seinem Bein. Nachdenklich kraulte Matthew seinen Kopf. Dann füllte er den Wassernapf, den der Hund umgestoßen hatte. Der Laptop war definitiv ruiniert, aber er konnte die Festplatte auf dem alten Familiencomputer lesen. Er stöpselte das Peripheriegerät ein, das der Althippie ihm gegeben hatte, und begann seine Auswertung. Da nicht viel auf der Festplatte gespeichert gewesen war, hatte er die Video-Datei (IMG_5662.MOV) rasch gefunden. Er startete den mit einem Handy aufgenommenen dreiminütigen Film und erstarrte. Er traute seinen Augen nicht. Kate schmiegte sich an einen Mann, den er nicht kannte. Sie küssten und liebkosten sich und blickten einander verliebt an.

»Nein!«

Er griff nach dem erstbesten Gegenstand – einem

Porzellanbecher mit Stiften – und schleuderte ihn an die Wand. Das Getöse erschreckte Clovis, der sich unter den Couchtisch flüchtete. Matthew schloss die Augen, stützte das Kinn auf die Hände und verharrte eine lange Weile wie gelähmt.

Das ist nicht möglich ...

Er hob den Kopf. Es musste eine Erklärung dafür geben. Selbst die eindeutigsten Bilder hatten manchmal einen anderen Sinn. Von wann war der Film überhaupt? In ihrer Nachricht sagte Emma, sie habe ihn gerade aufgenommen. Also am Vormittag des 23. Dezember 2010, knapp einen Tag vor Kates tödlichem Unfall. Dann zum Ort. Die Holzvertäfelung erinnerte an das Grill 23 oder das McKinty's, das er manchmal besuchte, aber bei genauerer Betrachtung passten der Spiegel und die Wanduhr nicht zu diesen beiden Adressen. Der Mann: groß, blondes, kurz geschnittenes Haar, schwarze Lederjacke. Kannte er ihn? Vielleicht, aber er war nicht in der Lage, einen Namen zu diesem Gesicht zu finden. Und schließlich ihr Verhalten, das ihm absolut unerträglich war. Kate liebte diesen Mann, das war sonnenklar. Ihre Verbundenheit war offensichtlich, ihr Atem schien sich zu vermengen, ihre Herzen schlugen im Gleichtakt. Wie lange mochte dieses Verhältnis schon andauern? Warum hatte er nichts bemerkt?

Er ballte die Fäuste, Zorn und grenzenlose Enttäuschung stiegen in ihm auf. Kate, die große Liebe seines Lebens, hatte ihn verraten, und er erfuhr es erst jetzt, ein Jahr nach ihrem Tod. An die Stelle des Kummers trat Abscheu. Noch immer unter Schock stehend, trat er auf die Veranda und atmete tief ein wie ein Taucher, der zu lange die Luft angehalten hatte. Seine Knie wurden weich, und er ließ sich keuchend auf einen Gartenstuhl sinken. Sein Körper wurde von Schluchzen geschüttelt, und Tränen, die nicht mehr versiegen wollten, rannen über seine Wangen. Ein bitterer Geschmack erfüllte seinen Mund.

Plötzlich ertönte ein Schrei aus dem Wohnzimmer.

»Papa, Papa, wir haben dir Cidre und Lebkuchenmänner mitgebracht«, rief Emily, die zu ihm auf die Terrasse gelaufen kam.

Sie warf sich in seine Arme, und er drückte ihr Gesicht an seine Schulter, um sich mit dem Ärmel die Tränen abzuwischen.

April, die seine Trauer bemerkte, warf ihm einen fragenden Blick zu.

Er-zäh-le–ich-dir-spä-ter, artikulierte er lautlos.

»Hast du den Computer reparieren lassen können, Papa?«

Er schüttelte den Kopf.

»Nein, Liebes, aber das macht nichts.«

»Es tut mir leid«, sagte sie und senkte betrübt den Kopf.

»So etwas kommt vor, mein Schatz. Jeder macht mal einen Fehler. Aber das sollte dir eine Lehre für das nächste Mal sein.«

»Ganz bestimmt«, antwortete sie und hob ihr hübsches Gesicht zur Sonne.

Wie so oft bei allzu hellem Sonnenlicht musste sie niesen.

»Gesundheit, Kleines.«

»Ich bin nicht mehr klein!«

Dieses Niesen ...

Matthew kniff die Augen zusammen und erstarrte. Wie nach einem Schlag ins Gesicht tauchte plötzlich eine verdrängte Erinnerung auf.

—

Vor sechs Monaten, am 4. Juli 2011, dem Nationalfeiertag, hatte er die Einladung einer seiner Harvard-Kolleginnen angenommen, die in ihrem Wochenendhaus auf Cape Cod ein Grillfest gab. Es war ein alter Leuchtturm, der auf einem felsigen Eiland stand, rundherum, so weit das Auge reichte, nichts als das Meer. Während sich die Männer um das Grillgut kümmerten, unterhielten sich die Frauen am Wasser, und die Kinder spielten im Leuchtturm unter Aufsicht eines Kindermädchens.

»Wer will Hühnchen? Wer will Hotdog?«, rief David Smith, ein sympathischer, stets gut gelaunter Mann, der als Allgemeinmediziner in Charlestown arbeitete.

Sofort kamen die vier Kinder aus ihrem Versteck gestürmt, um sich auf das Essen zu stürzen. Es war ein schöner sonniger Sommertag. Als sie ins Licht trat, hielt Emily die Hand vor den Mund und musste zwei Mal niesen.

»Das passiert immer, wenn sie vom Schatten ins grelle Licht kommt«, meinte Matthew. »Komisch, was?«

»Mach dir keine Sorgen«, erklärte David, »das ist ein bekanntes Phänomen. Etwa jeder Vierte muss bei plötzlichem Sonnenlicht niesen. Das ist eine gutartige, genetisch bedingte Besonderheit. In der medizinischen Fachsprache bezeichnet man das als photischen Niesreflex.«

»Und woher kommt das?«

Der Arzt fuchtelte mit seiner langen Steakgabel durch die Luft wie mit einem Stück Kreide vor einer Wandtafel.

»Weißt du, wo die Sehnerven liegen? Sie verlaufen ungewöhnlich nah an einem anderen großen Nerv, dem Drillingsnerv, der für die Empfindsamkeit des Gesichts zuständig ist. Er steuert beispielsweise ebenso Tränen- und Speichelfluss und die Mimik. Und dieser Nerv löst auch das Niesen aus.«

»Verstehe.«

David deutete auf die Sonne und fuhr fort: »Bei plötzlichem Lichteinfall kommt es bei manchen Menschen zu einer Art Interferenz zwischen beiden Nerven. Die Helligkeit stimuliert den Sehnerv, und es passiert so etwas wie ein ›Kurzschluss‹ mit dem Drillingsnerv, der das Niesen auslöst.«

»Wie bei zwei elektrischen Kabeln?«

»Ganz genau, mein Lieber.«

»Und du bist sicher, dass das nicht schlimm ist?«

»Hundert Prozent. Es handelt sich nur um eine

kleine angeborene Anomalie der Kopfnerven. Vermutlich hast du dasselbe Problem?«

»Ganz und gar nicht!«

»Dann hat Kate es.«

»Warum?«

»Weil es sich um einen autosomal dominanten Erbgang handelt.«

»Was bedeutet das?«

»Dass jeder, der unter dieser Anomalie leidet, zumindest einen Elternteil hat, der davon betroffen ist. Wenn du es also nicht bist, dann muss es zwangsläufig Kate sein. Hier, nimm dein Steak, sonst verbrennt es noch.«

Nachdenklich den Kopf schüttelnd, hatte Matthew sich entfernt. Innerhalb von vier Jahren hatte er Kate nicht ein Mal bei starker Helligkeit niesen hören ...

»Papa, schau mal meinen riesigen Hotdog an«, rief Emily und warf sich stürmisch in seine Arme, wobei eine ordentliche Portion Ketchup auf dem Hemd ihres Vaters landete. Oh ...

»Das macht nichts, aber du musst besser aufpassen, Liebes, du bist zu wild.«

Er wischte die Tomatensauce ab und dachte an das, was ihm der Arzt gerade gesagt hatte. Doch dann beschloss er, sich deshalb nicht verrückt zu machen und diese Episode möglichst schnell zu vergessen.

—

Jetzt kam ihm dieser Vorfall plötzlich wieder in den Sinn.

Rückkehr in die Gegenwart – Zorn, Fassungslosigkeit, vor allem aber Verzweiflung. Ein furchtbarer Verdacht stieg in ihm auf. Und wenn Emily nun gar nicht seine Tochter wäre? Ein kleiner Exkurs in seine Vergangenheit. Er hatte Kate im Oktober 2006 kennengelernt. Sie hatte ihm zu verstehen gegeben, dass Emily am 29. Oktober gezeugt worden war. Und acht Monate später, am 21. Juni, dem Sommeranfang, war sie geboren worden. Einen Monat vor der Zeit, so etwas kam häufig vor. Allerdings war Emily kein Frühchen: Mit 3,4 Kilo Geburtsgewicht und 52 Zentimetern Größe musste sie nicht lange im Krankenhaus bleiben. Aber auch in diesem Fall hatten die Vaterfreuden überwogen, und er hatte sich nicht mit solchen »Details« aufgehalten.

»Was ist denn los, Papa? Willst du deinen Lebkuchen nicht probieren?«

»Später, Liebes«, murmelte er.

Dann sagte er, an April gewandt, ohne weitere Erklärungen: »Ich habe noch etwas zu erledigen.«

—

Boston, 2010
12:30 Uhr

Das Taxi setzte Emma im Zentrum von Wattapan auf der Somerset Street ab. Dieses im Süden von Boston gelegene Viertel gehörte nicht zu denen, die in den Reiseführern Erwähnung fanden. Wegen des Schnees waren die Straßen fast menschenleer. Emma fühlte sich zwar nicht in Gefahr, aber die Umgebung war nicht angenehm: kleine renovierungsbedürftige Mietblocks aus Ziegelstein, Lagerhallen, Häuschen mit Wellblechdächern und mit Graffiti bedeckte Mauern, Brachland hinter Bretterzäunen.

Als sie auf der Suche nach der Eislaufbahn die Straße hinaufging, kam sie an einer Gruppe von Obdachlosen vorbei, die sich um ein Kohlebecken drängten und aus in Papiertüten versteckten Bierdosen tranken. Die frivolen Bemerkungen, mit denen die Angetrunkenen sie bedachten, konnten sie jedoch nicht einschüchtern oder von ihrem Vorhaben abbringen.

Schließlich erreichte sie das Gebäude, in dem die Schlittschuhbahn untergebracht war: Eine Halle aus Metall, die die »Sprayer« des Viertels mit Tags und Graffiti versehen hatten. Emma trat ein, kaufte ein Ticket und begab sich auf direktem Weg zu den Zuschauerrängen.

Lärmendes Kindergeschrei empfing sie. Die eine Hälfte der Bahn war für eine Gruppe sechs- bis siebenjähriger Schüler reserviert, die Unterricht im Hockeyspielen bekamen. Zwei Lehrerinnen waren dabei, um den Kleinen nach einem Sturz aufzuhelfen, ihnen die Schlittschuhe anzuziehen, Helme und Knieschützer zurechtzurücken.

Emma näherte sich dem Rand der Eisfläche und erkannte auf Anhieb Sarah Higgins. Ihr Haar war inzwischen kurz geschnitten, und sie war noch etwas schlanker geworden. Sie trug Jeans, einen grobmaschigen Pullover und sah natürlich etwas älter aus als auf den Fotos.

»Mrs Shapiro?«

Sarah Higgins fuhr herum und starrte Emma verblüfft an. Seit wann hatte man sie nicht mehr so angesprochen?

»Wer sind Sie?«, fragte sie und glitt auf ihren Schlittschuhen auf Emma zu.

»Eine Freundin von Matthew. Ich glaube, er ist in Schwierigkeiten.«

»Das geht mich nichts an.«

»Haben Sie fünf Minuten Zeit für mich?«

»Nicht jetzt. Sie sehen doch, dass ich zu tun habe.«

»Es ist aber wirklich wichtig«, beharrte Emma.

Sarah seufzte resigniert.

»Oben gibt es einen Getränkeausschank. Warten Sie dort auf mich. Ich komme in einer Viertelstunde.«

—

Zwanzig Minuten später

»Ich war fast zehn Jahre mit Matthew verheiratet. Aber ich kenne ihn schon länger«, begann Sarah, nachdem sie einen Schluck Tee getrunken hatte.

Emma saß ihr gegenüber, rührte nervös mit ihrem Strohhalm in der Cola und hörte zu.

»Wir haben uns 1992 an der Uni in Massachusetts kennengelernt. Matt studierte Philosophie und ich Erziehungswissenschaften.«

»Liebe auf den ersten Blick?«

»Nennen wir es eher eine gegenseitige intellektuelle Anziehung. Wir hatten die gleichen Bücher gelesen, vertraten die gleichen Ansichten, hatten die gleiche politische Einstellung. Am Abend, als Bill Clinton zum ersten Mal gewählt wurde, haben wir uns übrigens auch zum ersten Mal geküsst. Wir waren beide Freiwillige in seinem Wahlkampfkomitee …«

Sarah wandte den Kopf ab und schloss kurz die Augen. All das musste ihr heute so weit entfernt scheinen.

»Und Sie haben sich vor vier Jahren getrennt, ja?«, wollte Emma wissen.

»Etwas länger. Alles kam sehr plötzlich und unerwartet.«

»Hatten Sie Beziehungsprobleme?«

»Nicht ein Mal. Wir führten ein ruhiges Leben und waren glücklich. Ich zumindest …«

»Und Matthew ist dann Knall auf Fall gegangen?«
Sarah lachte nervös auf.

»In der Tat ein sehr treffender Ausdruck. Eines Abends ist er nach Hause gekommen und hat mir eröffnet, einer Frau begegnet zu sein, in die er sich unsterblich verliebt habe und mit der er leben wolle. Er war sich seiner Sache sehr sicher und fest entschlossen. Er hat mir keine Wahl gelassen.«

»Und diese Frau war Kate?«

»Natürlich! Er hatte sie einige Tage vorher im Krankenhaus kennengelernt. Er hatte sich mit der Gartenschere verletzt, und sie hat ihn behandelt. Wenn ich bedenke, dass ich darauf bestanden habe, ihn an jenem Tag in die Notaufnahme zu fahren! Matt sagte, es sei nicht so schlimm und wollte nicht gehen ...«

Emma konnte nicht umhin, zu fragen: »Und Sie haben nicht um ihn gekämpft?«

Sarah zuckte nur die Schultern.

»Haben Sie sich die Frau mal angesehen? Mit der konnte ich es nicht aufnehmen. Sie war jünger, hübscher und brillanter als ich. Außerdem hatten wir seit Jahren erfolglos versucht, ein Kind zu bekommen ...«

Mit erstickter Stimme fuhr sie fort: »Matthew ist romantisch und idealistisch. Als er Kate traf, war er von ihrer Seelenverwandtschaft überzeugt. Und sie schien ihn auch zu lieben. Vielleicht sogar mehr, als ich es getan habe. Zumindest hat sie es ihm besser zeigen können.«

Tränen schimmerten in ihren Augen.

»Eine Zeit lang habe ich gehofft, es wäre nur ein Strohfeuer. Doch als ich erfuhr, dass Kate schwanger war, wusste ich, dass es zwischen Matt und mir endgültig aus war.«

Plötzlich stürmten lärmende Kinder in die kleine Cafeteria. Sarah sah auf ihre Uhr und erhob sich.

»Ich muss gehen. Warum meinen Sie, dass Matthew in Schwierigkeiten steckt?«

»Das … das kann ich Ihnen noch nicht sagen. Sind Sie mit ihm in Kontakt geblieben?«

Sarah schüttelte den Kopf.

»Soll das ein Witz sein? Die letzten Jahre waren der reinste Albtraum für mich. Ich fange gerade erst langsam an, mich von der Scheidung zu erholen. Ich habe seit vier Jahren kein Wort mehr mit Matthew gewechselt, und ich habe auch nicht vor, daran etwas zu ändern.«

Kapitel 15

Die Wunden der Wahrheit

Die Wahrheiten, die man am wenigsten liebt,
sind die für uns wertvollsten.

Jean de la Bruyère

Boston, 2010
17:00 Uhr

Es war Nacht geworden. Der Schnee bedeckte die stillen
Straßen von Boston mit seinem dicken Mantel. Große,
weiche Flocken fielen auf die Frontscheibe des Taxis,
um von den Scheibenwischern sofort zur Seite geschoben zu werden. Der Wagen setzte Emma vor dem Four
Seasons in der Boylston Street ab. Der Portier öffnete
ihr die Tür und geleitete sie unter seinem Schirm zum
Eingang.

In Gedanken versunken, durchquerte sie die Halle.
Als sie schon fast den Aufzug erreicht hatte, rief der
Empfangschef: »Miss Lovenstein, ihr kleiner Bruder ist
vor einer Stunde angekommen. Ich habe mir erlaubt,

ihn in einem Zimmer neben Ihrer Suite unterzubringen.«

»Mein kleiner Bruder? Wie, mein kleiner Bruder?«

Emma fuhr in den siebten Stock und eilte in ihr Zimmer, wo sie … Romuald Leblanc vorfand.

Er lag auf dem Sofa, aß die Chips aus der Minibar und trank dazu eine Dose Soda. Er hatte einen Walkman an ihre Boxen angeschlossen und hörte lautstark Jimi Hendrix.

»Brillenschlange?«

Emma sah sich um. Der Junge hatte sein gesamtes Gepäck mitgebracht – Koffer, Rucksack, Umhängetasche –, sogar seine Drohne lag auf dem Couchtisch.

»Was hast du hier verloren?«, fragte sie und drehte den Ton leiser.

»Bin gekommen, um Ihnen zu helfen«, verkündete der Junge mit vollem Mund.

»Mir zu helfen? Bei was?«

»Ich glaube, dass Sie in Schwierigkeiten stecken: Sie kommen nicht mehr zur Arbeit, Sie erhalten seltsame E-Mails, Sie dringen bei anderen Leuten ein … offenbar stellen Sie Nachforschungen an.«

»Und was geht dich das an?«

»Ne ganze Menge, denn letztlich rufen Sie immer mich zu Hilfe.«

Emma sah ihn aus halb zusammengekniffenen Augen an. Er hatte zwar nicht unrecht, aber sie wollte diese Logik nicht anerkennen.

»Hör mal zu, mein Kleiner, das ist zwar sehr nett von

dir, aber jetzt nimmst du deine Siebensachen und verschwindest, und zwar schnell!«

»Warum?«

»Zum einen bist du minderjährig, zum Zweiten hältst du dich illegal in Amerika auf, und in Frankreich machen sich deine Eltern Sorgen. Und zum Dritten habe ich so schon genug Probleme!«

Offensichtlich nicht zum Nachgeben bereit, sprang er vom Sofa auf.

»Aber ich kann Ihnen bei Ihren Ermittlungen helfen! Zu zweit denkt man besser nach und kommt schneller voran. Die meisten großen Detektive arbeiten übrigens als Duo: Sherlock Holmes und Doctor Watson, Batman und Robin, Starsky und Hutch, Brett Sinclair und Danny Wilde ...«

»Schon gut, du wirst ja wohl nicht alle aufzählen wollen«, erwiderte Emma genervt.

»Lois und Clark, Hit-Girl und Big Daddy, Richard Castle und Kate Beckett ...«, fuhr Romuald mit ausladenden Gesten fort.

»Es reicht jetzt!«, rief sie. »Ich habe Nein gesagt. Und Nein bedeutet Nein!«

Sie zog ihren Laptop aus der Tasche, stellte ihn auf den Tisch und klappte ihn auf.

»Es stimmt, du hast mir geholfen, und dafür danke ich dir. Als Gegenleistung kaufe ich dir ein Rückflugticket nach Paris. Und ich bezahle dir auch eine Übernachtung im Hotel, aber im Hilton am Flughafen und nicht hier.«

Romuald stieß ein wütendes Knurren aus. Emma ließ auf ihre Worte Taten folgen und tippte die Adresse von Delta Airlines ein.

»Warten Sie«, bat Romuald.

Emma hielt inne.

»Was noch?«

»Das Foto!«, rief er und deutete auf den Computer.

Es war ein Screenshot von der Szene, die sie in dem Pub gefilmt hatte, und zeigte auf Kate und ihren »Liebhaber«.

»Was? Du kennst diese Frau?«

»Sie nicht, aber den Mann natürlich.«

Emma fröstelte, und sie spürte, wie ihr das Adrenalin in die Blutbahnen schoss.

»Erzähle.«

»Das ist Nick Fitch. Eine wahre Legende und einer der geheimnisvollsten und reichsten Geschäftsmänner der Welt.«

—

Boston 2011

Emily lag mit ihrem Hund auf einem Sitzkissen und sah sich endlich ihren Lieblingsfilm *Ghostbusters* an.

»Da bekommt man Angst, was, Clovis?« Sie lachte und schmiegte sich an den Shar-Pei.

Matthew saß auf einem Hocker an der Küchentheke und studierte konzentriert die Gebrauchsanweisung des Tests, den er im Drugstore an der Charles Street gekauft hatte. April betrachtete ihn vorwurfsvoll.

Nichts war in den USA einfacher, als einen Vaterschaftstest zu machen. Für dreißig Dollar konnte man in einer der zwanzigtausend Apotheken des Landes rezeptfrei ein entsprechendes Produkt kaufen. Sie wurden sogar schon in großen Supermärkten angeboten.

Und die Durchführung war kinderleicht: Man brauchte nur bei Vater und Kind mit einer Art Wattestäbchen eine Zellprobe von der Innenseite der Wange zu entnehmen.

Matthew begann als Erster. Er schob sich das Stäbchen in den Mund und rieb es dreißig Sekunden an der Schleimhaut. Dann steckte er es in das dafür vorgesehene Glasröhrchen und dieses in den Umschlag, den er bereits beschriftet hatte. Anschließend zog er die Tüte mit den Süßigkeiten, die er gekauft hatte, aus der Tasche.

»Liebes, möchtest du Gummibärchen?«

»Hast du mir wirklich welche mitgebracht?«, rief die Kleine und riss die Augen verwundert auf.

Sie sprang auf und kam zu ihm gelaufen.

»Danke, Papa!«

»Aber zunächst musst du eine kleine Übung machen.«

»Ach so?«

»Es ist ganz einfach, du wirst sehen. Mach den Mund auf.«

Die Kleine gehorchte, und er rieb vorsichtig an der Schleimhaut, um einige Zellen zu entnehmen.

»Ich zähl jetzt bis dreißig, und dann bekommst du deine Bärchen, okay? Eins, zwei, drei ...«

April bedachte ihn mit einem wütenden und verächtlichen Blick.

»Du bist wirklich ein Dreckskerl«, murmelte sie.

Er machte sich nicht einmal die Mühe, ihr zu antworten.

»... 28, 29. 30. Bravo, mein Schatz, jetzt hast du dir deine Gummibärchen verdient.«

»Darf ich Clovis auch was abgeben?«

»Nur ein ganz kleines Stückchen zum Probieren«, erwiderte er und steckte die Probe in das zweite Glasröhrchen.

Dann verpackte er beide in einem größeren Kuvert und legte einen Scheck bei: 159 Dollar für die Untersuchung und einen Aufpreis von 99 Dollar, damit sie noch am selben Tag durchgeführt würde. Zum Schluss schrieb er die Adresse des Labors darauf:

InfinitGene
425 Orchid Street
West Cambridge, MA 02138

Beim Kauf des Tests hatte er darauf geachtet, dass die Analyse in einem Labor in Massachusetts vorgenommen wurde, um noch am selben Tag vor Mitternacht das Ergebnis per E-Mail mitgeteilt zu bekommen. Doch es gab ein Zeitlimit: Der Test musste vor vierzehn Uhr im Labor sein.

Er sah auf die Wanduhr.

13:10 Uhr.

Es war zu spät, um UPS oder FedEx anzurufen, aber er konnte ihn selbst mit dem Wagen hinbringen. Sogar bei dichtem Verkehr wäre er innerhalb einer halben Stunde vor Ort.

»Kannst du mir deinen Camaro leihen, April?«

»Kannst du dich zum Teufel scheren, Matthew?«

In der anderen Seite des Zimmers reagierte Emily prompt:

»Man darf nicht fluchen, April!«, wies die Kleine sie zurecht und hielt dem Shar-Pei die Ohren zu.

Matthew griff nach seiner Tasche und zog den Mantel an.

»Dann nehme ich eben ein Taxi an der Beacon Street«, sagte er und klemmte sich den großen Umschlag unter den Arm.

—

Nachdem er gegangen war, überlegte April fieberhaft. Sie musste ihren Freund unbedingt daran hindern, eine Dummheit zu begehen.

Sie trat zu dem Sitzkissen, auf dem Emily und Clovis lagen.

»Ich muss dich kurz allein lassen, mein Schatz, versprichst du mir, keine Dummheiten zu machen?«

Leicht beunruhigt presste Emily die Lippen zusammen.

»Ich darf nicht mit Streichhölzern spielen, stimmt's?«

»Du schaust dir weiter *Ghostbusters* an und wartest, bis der Marshmallow-Mann kommt, das ist doch deine Lieblingsszene, ja?«

Emily nickte schweigend.

Dann deutete April mit drohend ausgestrecktem Zeigefinger auf den Shar-Pei. »Und du, Nilpferd, du bleibst wachsam, ja!«

Sie zog ihren Regenmantel an, griff nach ihren Autoschlüsseln und ging hinaus auf den Louisburg Square. Sie hatte den Wagen auf der anderen Seite des Parks abgestellt. Sie ließ den Motor an und fuhr Richtung Charles Street, wobei sie an der Kreuzung Beacon Street eine Ampel ignorierte, die Rot anzeigte.

Wenn Matt hier ein Taxi genommen hatte, konnte er noch nicht weit sein. Sie schlängelte sich zwischen den Autos hindurch und betrachtete die Fahrgäste, die in den Fonds der Taxis saßen.

Bereits nach fünfhundert Metern entdeckte sie Matthew auf dem Rücksitz eines CleanAir Cab, eines jener Öko-Taxis, die man seit zwei, drei Jahren vermehrt in der Stadt sah. Sie gab Gas, um auf seine Höhe zu gelangen, und machte ihrem Freund ein Zeichen, auszusteigen. Doch Matthew war nicht geneigt, ihrer Aufforderung zu folgen. Er beugte sich stattdessen zu dem Chauffeur vor, vermutlich, um ihn zu bitten, schneller zu fahren.

April seufzte und schaltete zurück, um hinter dem Toyota einzuscheren. Als sie die Harvard Bridge erreichten, gab sie erneut Gas. Eine kleine Weile fuhren die

Wagen gefährlich dicht nebeneinander her. Dann bekam es der Taxifahrer offenbar mit der Angst zu tun und wechselte auf die rechte Spur.

»Steigen Sie aus!«, befahl er Matthew. »Ihretwegen bekomme ich noch Ärger.«

April hatte hinter dem Green Cab gehalten.

Matthew versuchte, den Mann zur Weiterfahrt zu bewegen, doch der wollte nichts davon wissen und fuhr, nachdem er sich seines unbequemen Fahrgastes entledigt hatte, los in Richtung Zentrum.

April schaltete die Warnblinkanlage ein, stieg aus und schlug die Tür, begleitet von einem Hupkonzert, zu. Es war gefährlich und strikt verboten, auf einer der vier Fahrbahnen der Brücke anzuhalten.

»Komm, Matt, wir fahren nach Hause«, rief sie, als sie ihn auf dem Bürgersteig erreicht hatte.

»Kommt nicht infrage! Was mischst du dich da überhaupt ein, verdammt noch mal!«

»Was bringt dir denn dieser Vaterschaftstest?«, fragte April mit erhobener Stimme, um gegen den Verkehrslärm anzuschreien. »Liebst du Emily etwa weniger, wenn sie nicht deine biologische Tochter ist?«

»Natürlich nicht, aber ich will nicht mit einer Lüge leben.«

»Nun denk doch mal nach, Matt«, sagte sie und legte die Hand auf seinen Arm.

»Das habe ich. Ich habe ein Recht auf die Wahrheit. Ich will wissen, was mit Kate geschehen ist. Ich will wissen, warum sie mich betrogen hat und *mit wem*.«

»Kate ist tot, Matt. Es ist an der Zeit, das zu akzeptieren. Du hast glückliche Jahre mit ihr verbracht, und was auch immer vorher geschehen sein mag, sie hat dich als Vater für ihr Kind gewählt.«

Matt hörte ihre Argumente an, aber sein Schmerz war zu groß.

»Das verstehst du nicht. Kate hat mich verraten. Ich habe ihr mein ganzes Vertrauen geschenkt. Ich habe meine Frau ihretwegen verlassen, ich ...«

»Du hast Sarah schon lange nicht mehr geliebt«, gab April zu bedenken.

»Das ist egal. Vier Jahre lang habe ich mit einer Fremden mein Leben geteilt, mit einer Frau, die ich zu kennen glaubte. Ich muss herausfinden, wer sie wirklich war. Ich muss Nachforschungen über sie anstellen.«

April packte Matthew beim Kragen und schüttelte ihn unsanft.

»Aber sie ist tot, verdammt noch mal! Nun wach doch endlich auf. Warum willst du deine Zeit damit vergeuden, in der Vergangenheit anderer zu wühlen?«

»Um sie wirklich kennenzulernen«, antwortete er und entzog sich ihrem Griff.

»Und mich? Kennst du mich wirklich?«, fragte sie und wechselte auf diese Weise überraschend das Thema.

Er runzelte die Stirn.

»Ja, ich glaube. Also, du bist meine beste Freundin und ...«

»Was weißt du *wirklich* von mir, Matt?«

»Du bist in San Diego geboren. Deine Eltern hatten

ein Antiquitätengeschäft. Du hast in Los Angeles an der University of California Kunst studiert, du ...«

»Das ist das, was ich dir erzählt habe, aber es ist nicht die Wahrheit. Meine Mutter hat vermutlich mit der Hälfte aller Männer von Nevada geschlafen und hat mir nie sagen können, wer mein Vater war. Sie war keine Antiquitätenhändlerin, sie war eine Säuferin, die in ihrem Leben nichts zustande gebracht hat, außer andere zu betrügen und sich volllaufen zu lassen. Und Kunst? Das habe ich nicht an der Universität studiert, sondern in Chowchilla im größten Frauengefängnis von Kalifornien. Jawohl, Matt, ich war im Knast.«

Fassungslos starrte Matthew seine Mitbewohnerin an. Kurz glaubte er sogar, das wäre nur ein schlechter Scherz.

»Ich will dir kein Szenario à la Dickens entwerfen«, fuhr April fort, »aber meine Kindheit und Jugend waren, gelinde gesagt, schwierig: schlechter Umgang, früh von zu Hause weggelaufen, Drogen. Viele Drogen. Eine Zeit lang hätte ich alles getan, um mir welche zu beschaffen. Wirklich alles.«

Eine Träne rann ihr über die Wange. In ihrer Erinnerung tauchten plötzlich schmerzhafte und demütigende Bilder auf, die sie jedoch schnell wieder verdrängte.

»Natürlich hat mich dieser Abstieg in die Hölle ins Gefängnis gebracht. Als ich zweiundzwanzig Jahre alt war, wurde ich nach einem Raubüberfall festgenommen. Dafür habe ich drei Jahre in Chowchilla bekommen. So, das bin ich wirklich ...«

Sie hielt inne und strich eine Haarsträhne zurück, die ihr der Wind ins Gesicht geblasen hatte.

»Aber ich bin nicht nur so. Ich bin auch jene Frau, die darum gekämpft hat, eine zweite Chance zu bekommen, die am anderen Ende des Landes neu angefangen hat, die seit zehn Jahren keine Drogen mehr angerührt und eine erfolgreiche Kunstgalerie betreibt.«

»Du hättest mir vertrauen können«, versicherte Matthew ihr, »warum hast du mir das nicht gleich erzählt?«

»Weil man nach vorn blicken muss. Weil die Vergangenheit die Vergangenheit ist. Weil man die Toten ruhen lassen muss ...«

Matthew senkte den Kopf. Am Ende würde ihn April noch überzeugen.

»Belasse es dabei. Geh nicht das Risiko ein, alles infrage zu stellen und dich noch mehr zu quälen. Der Schein trügt oft, und Kate wird dir nie ihre Version der Geschichte erzählen können. Wenn du diesen Vaterschaftstest machst und in ihrer Vergangenheit wühlst, bleiben am Ende zwei Opfer: du und deine kleine Tochter. Schließe mit dem Kapitel ab, Matt, ich bitte dich.«

Verblüfft und mit Tränen in den Augen, reichte Matthew April seine Tasche. Sie zog den Computer und den Umschlag für das Labor heraus und warf beides von der Brücke aus ins Wasser. Dann führte sie Matthew, der dem Zusammenbruch nahe war, zu ihrem Wagen und fuhr ihn nach Hause.

—

Der gepolsterte Umschlag wurde von der Strömung des Charles River fortgetragen und ging bald im Atlantischen Ozean unter. Der Laptop versank im kalten Wasser, von wo ihn niemand mehr zurückholen konnte, und so wurde jegliche Kommunikation zwischen Matthew und Emma unmöglich.

—

Doch so einfach waren die Dinge nicht ...

Vierter Teil
Die Frau aus dem Nirgendwo

Kapitel 16

Der Schwarze Prinz

Bewahrt mein Mysterium, die ihr durch es bewahrt seid.

Oden Salomos, Nr. 8

Boston, 2010
18:30 Uhr

Das ruhige, helle japanische Restaurant befand sich in einem schönen Raum im Erdgeschoss des Hotels. Emma und Romuald gingen an die Sushi-Bar und setzten sich nebeneinander auf zwei Hocker.

Romuald holte sein Touchscreen-Tablet aus dem Rucksack und reichte es Emma, damit sie die Dokumente lesen konnte, die er heruntergeladen hatte.

»Nick Fitch ist irgendwo zwischen Steve Jobs und Mark Zuckerberg einzuordnen«, begann der Junge. »Auch wenn er in der breiten Öffentlichkeit wenig bekannt ist, so ist er in Informatikerkreisen doch eine echte Legende.«

Während Emma dem jungen Franzosen zuhörte, begann sie, die kurze Biografie zu überfliegen.

Nicholas Patrick, genannt **Nick Fitch,** geboren am
9. März 1968 in San Francisco, ist ein amerikanischer
Informatiker und Unternehmensleiter, Gründer und
Generaldirektor der Fitch Inc.

Der Hacker

Mit siebzehn Jahren verschafft er sich wegen einer
Wette über den Computer seiner Universität Zugriff
auf die Server der NASA, die als die sichersten der
Welt gelten. Mehrere Minuten hält er sich im Netz
der US-amerikanischen Bundesbehörde auf, ohne
auch nur eine einzige Datei zu öffnen. In den folgenden Tagen nimmt ihn die Polizei auf dem Campus von Berkeley vorübergehend fest. Einige
Monate später wird er wegen illegalen Eindringens
in ein EDV-System verurteilt. In Anbetracht seines
Alters, und weil er keine Daten entwendet hat, lässt
das Gericht Milde walten und verurteilt ihn zu zwei
Monaten Arrest in einer Besserungsanstalt für
Jugendliche. Die Strafe wird auf ein Jahr zur Bewäh-
rung ausgesetzt.

»Der Typ hatte etwa das gleiche Alter wie du«, bemerkte
Emma.

»Ein tolleres Kompliment könnten Sie mir gar nicht
machen!«, erwiderte Romuald mit einem breiten Grin-
sen.

Begeistert griff er nach einem Temaki mit Aal und
verschlang es.

Das Restaurant funktionierte nach dem Kaiten-Prinzip: Die Speisen standen auf einem Fließband, das sich durch den gesamten Raum schlängelte und an dem sich die Gäste selbst bedienen konnten. Die Gerichte waren unter Glasglocken auf kleinen Tellern angerichtet. Je nach Preis hatten diese Teller unterschiedliche Farben.

Emma bestellte einen Tee und las die Biografie von Kates Liebhaber weiter.

Der Schöpfer von Videospielen

Anfang der 1990er-Jahre wird Nick Fitch als Schöpfer von *Promised Land* bekannt, einem Strategiespiel in Echtzeit vor der Kulisse einer Fantasy-Welt voller Helden. Der Spieler schlüpft in die Rolle eines Ritters – des Schwarzen Prinzen –, der die Drei Länder wehrhaft gegen die Angriffe kriegerischer Kreaturen und die Komplotte der Feinde des Königreichs verteidigt. Die Lizenz für dieses Spiel wird zu einem Rekordpreis an den Verlag DigitalSoft verkauft. Bis 2001 kommen verschiedene Versionen auf den Markt.

Entwicklung eines Betriebssystems

Noch als Student entwickelt Nick Fitch ein originales Betriebssystem, Unicorn. Er entschließt sich, den Quellcode im Internet zu veröffentlichen, sodass es de facto frei zugänglich und kostenlos ist.

Es wird sofort von anderen Softwareentwicklern genutzt, kopiert und verbessert. Nach und nach gewinnt die Plattform den Ruf, solide und zuverlässig zu sein, ihre Popularität bleibt jedoch begrenzt.

Entstehung der Fitch Inc.

Für die Entwicklung seiner Software gründet Nick Fitch seine eigene Firma, Fitch Inc., die es sich zur Aufgabe macht, die Nutzung des Betriebssystems für Neulinge einfacher und spielerischer zu gestalten. Fitch Inc. erhält den Exklusivvertrieb von Unicorn, das zahlreiche Dienstleistungen in Zusammenhang mit der Software anbietet, wie technische Unterstützung, Beratung und die Ausbildung von Angestellten. Einige Unicorner der ersten Stunde werfen Fitch daraufhin vor, er wolle sein Betriebssystem in ein einfaches Standardprodukt verwandeln. Diese geschäftlich ausgerichtete Logik trägt nichtsdestotrotz Früchte, denn Unicorn entwickelt sich allmählich zu einer Software, die Windows, dem richtungsweisenden Produkt von Microsoft, Konkurrenz macht. Während Unicorn auf PCs wenig genutzt wird, kann es sich auf Firmenservern, Navigationssystemen und vor allem bei Smartphones den Löwenanteil sichern.

»Die Frau ist ja 'ne echte Bombe!«, rief Romuald.

Emma hob den Kopf und stellte fest, dass der Jugendliche sich ihren Laptop geschnappt hatte.

»Nur keine Hemmungen. Stöbere ruhig in meinen Dateien herum!«

»Das ist also Kate Shapiro?«, fragte er und drehte den Bildschirm in ihre Richtung. »Die Frau von dem Typen, der Nachrichten aus der Zukunft sendet?«

»Ja, das ist sie.«

»Sieht aus wie … ein Engel«, sagte er, ohne den Blick von Kates Foto abzuwenden.

Es war die sinnliche Aufnahme. Die, auf der sie mit nacktem Busen und vor der Brust verschränkten Armen zu sehen war.

Emma schüttelte nur den Kopf.

»Männer … Egal, wie alt, ihr seid alle gleich. Es ist zum Verzweifeln.«

Romuald verharrte mit offenem Mund, gefesselt von Kates betörender Schönheit. Emma wurde wütend.

»Hör auf, dich an dieser Frau aufzugeilen, das ist lächerlich. Außerdem hatte sie eine Schönheitsoperation! Schau!« Sie scrollte durch die Liste mit den anderen Fotos.

»Stimmt«, gab er zu, »aber sie ist verdammt schön. Sie hat was mit diesem Nick Fitch, oder?«

Sie sah ihn mit großen Augen an.

»Wie kommst du darauf?«

»Wegen dem *Unicorn* auf dem linken Arm. Dieses Fabeltier war immer schon das Symbol von Fitch. Zuerst für sein Videospiel, das er mit achtzehn Jahren entwickelt hat, später für den Namen seines Betriebssystems. Es ist heute übrigens das Logo seiner Firma.«

»*Unicorn*«, murmelte Emma.

Einhorn auf Englisch ... Dieser kleine Lüstling hat recht, dachte sie, während sie weiterlas.

Der Siegeszug von Unicorn in Firmen, Verwaltungen und bei Bundesbehörden.

Das System Unicorn, in großem Umfang auf Firmenservern genutzt, wird auch von der amerikanischen Armee verwendet. Innerhalb kürzester Zeit wurde Fitch Inc. zum bevorzugten und unumgänglichen Partner des Verteidigungsministeriums. Seit 2008 arbeiten die unzähligen Smartphones und Tablets der amerikanischen Soldaten mit einer modifizierten Version von Unicorn. Das Pentagon kam nämlich zu dem Schluss, dass dieses Betriebssystem das sicherste ist, sodass das Personal damit auch sensible und vertrauliche Dokumente versenden kann.

Selbst die Kampfdrohnen der US Air Force sowie das Leitsystem der Zerstörer, Drohnen und die Raketenabschussrampen der Navy arbeiten mit diesem Betriebssystem.

Privatleben

Nick Fitch, der wegen seines Videospiels und seiner immer gleichen Kleidung (schwarze Jeans, dunkler Rollkragenpullover und Lederjacke) den Beinamen »Der Schwarze Prinz« trägt, ist eine rätselhafte und unergründliche Persönlichkeit. Der Unternehmenschef wirkt im Geheimen, seit 1999 hat er keine Presseinterviews mehr gegeben und sein Privatleben stets geschützt. »Es gefällt mir, einen bekannten Namen, jedoch ein unbekanntes Gesicht zu haben«, erklärte er dem Magazin *Wired* bei seinem letzten Interview. Er begeistert sich leidenschaftlich für Jazz und moderne Musik, und es ist bekannt, dass er eine große Sammlung surrealistischer Werke besitzt, die er für eine Dauerausstellung im UC Berkeley Art Museum zusammengestellt hat. Dem Magazin *Forbes* zufolge wird sein Vermögen heute auf über 17,5 Milliarden Dollar geschätzt.

Emma hob den Kopf und massierte sich die Schläfen. Wo war sie da nur hineingeraten? Ein Informatikgenie, das zum Milliardär aufgestiegen war, ein Imperium, das auf neuen Technologien basierte, die amerikanische Armee ... Ihre »Ermittlung« über Kate führte sie in völlig neue Welten.

Ergibt das alles einen Sinn?, fragte sie sich, plötzlich entmutigt. *Habe ich das Recht, Nachforschungen über diese Frau anzustellen? Was mache ich hier eigentlich, am Vorweihnachtsabend, in einem Hotel mit einem pummeligen Computerfreak, der genauso verloren ist wie ich? Das ist einfach erbärmlich ...*

Einen Moment lang beobachtete sie die sorgfältige Arbeit des Sushi-Kochs, der den Reis auf dem Nori-Blatt verteilte, bevor er ihn mit Surimi, Avocado und Gurke garnierte, um das Ganze zu einem Maki aufzurollen.

Anschließend wanderte ihr Blick zu Romuald. Ganz auf seinen Bildschirm konzentriert, hob der Junge den Kopf nur dann, wenn er nach den kleinen Tellern griff, die vor ihm vorbeizogen: Carpaccio aus Jakobsmuscheln, warmes Sushi, Temaki mit Seeigel, Königskrabbenbeine …

»Ich hoffe, du weißt, dass du nicht verpflichtet bist, die gesamte Speisekarte des Restaurants durchzuprobieren …«

Von seiner Suche komplett in Anspruch genommen, brauchte er ein paar Sekunden, um zu reagieren.

»Schauen Sie mal hier«, sagte er und drehte den Laptop erneut zu Emma. »Das kann einen schon stutzig machen, finden Sie nicht …«

Er hatte auf dem Bildschirm eine Vielzahl von Fenstern geöffnet: Fotos von Kates Gesicht vor und nach der Schönheitsoperation. Romuald hatte die Aufnahmen mit mehreren Strichen und verschiedenen Maßangaben versehen.

»Wieso?«

»Es ist doch merkwürdig, dass sich eine Person einer Schönheitsoperation unterzieht, wenn sie so attraktiv und so jung ist, oder?«

»Ja, der Gedanke ist mir auch schon gekommen. Vor allem, da die Veränderungen minimal sind.«

»Ja und nein. Nach der Korrektur entspricht Kates Gesicht dem absoluten Schönheitsideal, dem von Leonardo da Vinci.«

»Sprichst du von den Proportionen?«

»Ja. Es gibt mathematische Studien über die ›perfekte Schönheit‹. Die Wissenschaftler wollten verstehen, warum man sich von bestimmten Gesichtern sofort angezogen fühlt. Und dabei konnten sie nachweisen, dass die perfekte Schönheit einem mathematischen Algorithmus folgt.«

»Einem Algorithmus?«

»Einem Komplex von Regeln, die sich auf die Symmetrie des Gesichts und die Einhaltung bestimmter Proportionen beziehen.«

»Woher weißt du so etwas?«

»Ich bin in der Schule auf dem wissenschaftlichen Zweig. Ein Lehrer hat uns einen Artikel aus *Sciences & Vie* zu diesem Thema bearbeiten lassen, der mich sehr beeindruckt hat. Diese Theorien sind allerdings nicht neu: Sie nehmen Regeln wieder auf, die schon zu Zeiten von Leonardo bekannt waren.«

»Welche anderen Regeln gibt es neben der Symmetrie des Gesichts?«

»Wenn ich mich recht erinnere, muss in einem perfekten Gesicht der Abstand zwischen den Pupillen geringfügig kleiner sein als die Hälfte der gesamten Gesichtsbreite. Und die Distanz zwischen Augen und Mund sollte etwas größer sein als ein Drittel des Abstands zwischen Haaransatz und Kinn.«

»Und das ist hier der Fall?«

»Absolut. Kates Gesicht erreicht den ›goldenen Schnitt‹. Das erklärt ihre Attraktivität. Kate war ›beinahe perfekt‹ und ist ›mehr als perfekt‹ geworden.«

Emma verarbeitete die Information.

Noch immer so viele Fragen und so wenige Antworten ...

»Warum hat sie das Ihrer Meinung nach getan?«, fragte Romuald und nahm sich einen Teller mit Mango vom Fließband.

»Keine Ahnung, um einem Mann zu gefallen, um mehr Selbstbewusstsein zu bekommen ...«

Er verschlang die Obststücke in einem derartigen Tempo, dass er beinahe daran erstickte. Emma reagierte genervt.

»Wovor hast du Angst, verdammt noch mal? Dass man dir dein Futter klaut? Nun benimm dich, du bist doch nicht mehr sechs Jahre alt!«

Gekränkt zuckte er die Schultern.

»Ich geh mal auf die Toilette«, sagte er.

»Vielleicht verkündest du das noch etwas lauter, damit alle im Restaurant auf dem Laufenden sind. Möchtest du nicht eine Nachricht auf Facebook posten, damit auch deine Kumpel Bescheid wissen?«

»Ich habe keine Kumpel«, gab er zurück und ging mit gesenktem Kopf davon.

»Du bringst mich noch zum Weinen, Calimero. Du findest mich an der Hotelbar. Ich brauche zwei oder drei Cocktails, um dich ertragen zu können.«

Sie zeichnete die Rechnung ab, erhob sich ebenfalls, packte den Laptop in ihre Tasche und nahm den Parka des jungen Mannes mit.

—

Die Bar im Four Seasons war eingerichtet wie ein alter englischer Club: großer Kamin, Holzvertäfelung, Veloursledersofas, Bibliothek, Billardtisch und gedämpftes Licht. Weihnachten verpflichtet, daher stand neben der Theke ein großes Gefäß mit Eggnog, dem traditionellen Weihnachtsgetränk aus Milch, Zucker, Ei, Sahne und Rum. Emma ließ sich in einen Chesterfield-Sessel fallen und bestellte einen Caipiroska.

Insgeheim war sie gar nicht so unglücklich über die unerwartete Anwesenheit von Romuald. Der Junge war ein Außerirdischer, ganz schön clever und voller Ideen. Er konnte ihr eine wertvolle Hilfe sein, wenn es ihr gelang, seine Intelligenz in die gewünschte Richtung zu lenken.

Nachdem sie gemerkt hatte, dass er entschlossen war, sich in ihre Nachforschungen einzuklinken, hatte sie ihm alles erzählt – von ihrer Verliebtheit in Matthew, ausgelöst durch ihre E-Mail-Korrespondenz, über die Episode im Casino und den Nachweis von Kates Untreue bis hin zur Durchsuchung des Hauses der Shapiros an diesem Vormittag. Sie hatte ihm nichts verheimlicht, nicht einmal die Sache mit ihrem Selbstmord oder die Entdeckung der Sporttasche in der abgehängten Decke, die nicht weniger als eine halbe Million Dollar enthielt.

Sie nutzte die Abwesenheit des Jungen, um die Taschen seines Parkas zu durchsuchen. Zwischen einigen Schokoriegeln entdeckte sie mehrere interessante Dinge. Zuerst ein Zugticket, Hin- und Rückfahrt von

New York nach Scarsdale, einem wohlhabenden Vorort von Manhattan. Das Ticket war am Vortag ausgestellt worden, Hinfahrt 10:04, Rückfahrt praktisch jetzt – um 13:14. Auf einem Klebezettel fand sie Name und Adresse von Michele Berkowic, der Managerin des Imperator. Sie wohnte tatsächlich mit ihrem Mann, einem Wall-Street-Banker, und ihren beiden Kindern in Scarsdale. Berkowic war eine arrogante und wenig liebenswürdige Chefin, die nach dem Weggang von Jonathan Lempereur im Imperator eingestellt worden war. Was hatte Romuald an einem Sonntag bei den Berkowics verloren?

Die andere erstaunliche Sache war ein Rückflugticket nach Paris Charles-de-Gaulle. Das Flugticket war auf das … heutige Datum ausgestellt. Emma schloss die Augen, um nachzudenken. Das erklärte, warum Romuald mit all seinen Habseligkeiten so schnell nach Boston hatte kommen können. Sein Gepäck war bereits gepackt, weil er sich anschickte, nach Frankreich zurückzukehren, aber er hatte den Flug offenbar annulliert, als sie ihn angerufen und gebeten hatte, das Alarmsystem bei den Shapiros zu deaktivieren. Sie wusste nicht, wie sie das deuten sollte, und beeilte sich, alle Unterlagen wieder in die Manteltaschen zu stecken.

Man brachte ihr den Cocktail, den sie in einem Zug leerte. Die Mischung aus Wodka und Zitrone brannte herrlich in der Speiseröhre. Sie wollte gerade einen zweiten Cocktail bestellen, als sie Romuald entdeckte, der soeben die Bar betrat.

Sie winkte ihm zu, aber er bemerkte sie nicht. Völlig abwesend, den Blick gesenkt, tippte er etwas in sein Smartphone.

Was ist das nur für eine Generation … Ständig hinter einem Bildschirm, mit dem Handy oder einem Tablet beschäftigt, die zu einer Art Verlängerung des eigenen Körpers geworden waren … Aber bin ich so viel anders?

Romuald rempelte einen Ober an, murmelte ein paar vage Entschuldigungen, bis er Emma endlich entdeckte.

»Kann ich Ihren Cocktail probieren?«, fragte er und ließ sich ihr gegenüber nieder.

»Nein, du bist noch ein Kind, und Kinder trinken keinen Alkohol. Nimm eine Limonade oder eine warme Milch …«

»Ein Kind? Pah. Ich bin sicher, dass uns alle für ein Paar halten.«

»Träume weiter …«

Er wurde ernst.

»Also, ich habe nachgedacht. Was uns fehlt, ist eine zuverlässige Informationsquelle, was Kates Jugend betrifft. Dort liegt die Lösung des Rätsels: Man kann Leute nur verstehen, wenn man ihre Vergangenheit kennt. Das ist eine Regel ohne Ausnahme«, verkündete er feierlich.

»Wie meine Therapeutin«, flüsterte Emma. »Aber nur zu, sprich weiter. Ich folge dir gerne in diese Richtung.«

»Ich wette, dass ihre Romanze mit Nick Fitch nicht neu ist. Ich bin sogar sicher, dass er dieses Foto aufgenommen hat«, behauptete er, während er auf das Glamour-Foto in Schwarz-Weiß deutete, das er sich auf sein Smartphone geladen hatte.

Die Aufnahme, auf der Kate das Einhorn-Tattoo trug.

»Das ist möglich«, gab Emma zu.

»Man müsste versuchen, die alte Freundin von Kate ausfindig zu machen und zu befragen.«

»Welche alte Freundin?«

»Erinnern Sie sich nicht? Von den drei Fragen, bevor der Alarm abgestellt wurde, betraf eine den Namen der besten Freundin während des Studiums.«

»Genau«, antwortete sie und schob ihren Ärmel hoch, um die Antworten nachzulesen, die sie sich auf den Unterarm geschrieben hatte.

»Wirklich nett, Ihr Notizbuch. Als ich acht war, hatte ich das gleiche …«

»Klappe, Brillenschlange«, schimpfte Emma. »Das Mädchen heißt Joyce Wilkinson. Aber es wird uns Stunden kosten, sie zu finden. Außerdem ist diese Frau heute sicher verheiratet und …«

»Nix da, es dauert nur ein paar Minuten«, fiel Romuald ihr ins Wort.

Er klickte sich in die Website von Berkeley, doch der Zugang zu den Daten ehemaliger Studenten war geschützt.

»Kannst du das nicht hacken?«

»Nicht mit einem einfachen Fingerschnippen, aber ich werde die klassische Variante spielen.«

Er tippte in einer Suchmaschine lediglich »Joyce Wilkinson + Dr. med.« ein und erhielt praktisch umgehend die gewünschte Information.

»Es gibt eine Joyce Wilkinson, Professorin für Neurowissenschaften, Inhaberin eines Doktortitels der Universität Stanford. Sie hat von 1993 bis 1998 an der medizinischen Fakultät von Berkeley studiert.«

»Das ist sie, ganz klar!«

»Sie ist eine Alzheimer-Spezialistin«, ergänzte er beim Durchlesen der Informationen auf der Seite. »Und das Beste: Sie arbeitet im Brain and Memory Institute, eine Einrichtung, die dem MIT, dem Massachusetts Institute of Technology, untersteht und auf die Erforschung von Krankheiten des Gehirns spezialisiert ist.«

Emma biss sich vor Aufregung auf die Lippen. Das war zu schön, um wahr zu sein. Das MIT war in Cambridge ansässig, nur einige Kilometer von Boston entfernt ...

»Joyce hat an derselben Fakultät studiert wie Kate, sie war ihre beste Freundin, vielleicht sogar ihre Zimmernachbarin. Sie müssen sie unbedingt befragen.«

»Das will ich ja gerne, aber warum sollte sie auf meine Fragen antworten? Ich habe nichts in der Hand, um sie zum Reden zu zwingen.«

»Man muss ihr Angst machen. Bei der Polizei reden die Leute.«

»Falls du es noch nicht bemerkt haben solltest: Ich bin Sommelière, keine Polizistin.«

»Das ist ein Kinderspiel. Ich kann Ihnen einen Polizeiausweis zaubern, der echter aussieht als das Original.«

Emma schüttelte den Kopf.

»Wir haben den dreiundzwanzigsten Dezember. Joyce hat sicher Urlaub.«

»Es gibt nur eine Möglichkeit, das herauszufinden.«

Romuald hatte die Seite des Instituts für Hirnforschung aufgerufen und wählte die Telefonnummer der Zentrale.

»Jetzt sind Sie dran«, sagte er und reichte Emma das Handy.

»Brain and Memory Institute, was kann ich für Sie tun?«, fragte die Telefonistin.

Emma räusperte sich.

»Guten Tag, könnten Sie mich bitte mit Frau Doktor Wilkinson verbinden?«

»Wer ist am Apparat?«

»Ähm … ihre Mutter«, antwortete sie etwas überrumpelt.

»Moment bitte, ich verbinde.«

Emma legte sofort auf.

»Zumindest wissen wir jetzt, dass sie an ihrem Arbeitsplatz ist«, sagte sie und hob die Hand, um die Rechnung zu verlangen.

Anschließend fragte sie Romuald: »War das ernst gemeint mit dem Polizeiausweis?«

Er nickte.

»Es gibt ausgezeichnete Farbkopierer im Business

Center des Hotels. Wir treffen uns dort in fünf Minuten.«

Als er gegangen war, schaute sie in ihr Postfach. Noch immer keine Antwort von Matthew auf ihre Nachricht vom Vormittag. Das war seltsam. Während sie auf die Rechnung wartete, dachte sie an alle Ereignisse, die in den letzten Tagen ihr Leben erschüttert hatten.

Wie bin ich da nur hineingeraten?

Sie zeichnete den Beleg ab, den der Kellner ihr reichte, und machte sich auf den Weg zu Romuald.

—

Das Business Center neben der Rezeption war ein großer Raum mit Sesseln und abgeschlossenen Abteilen, ausgerüstet mit Computern, Druckern und Faxgeräten. Emma entdeckte Romuald in einer der Boxen bei der Arbeit.

»Lächeln!«, befahl er und richtete das Objektiv seiner Handy-Kamera auf sie. »Ich brauche Ihr Porträt. Möchten Sie lieber einen Ausweis vom FBI oder vom BPD, dem Boston Police Department?«

»Das BPD ist glaubwürdiger.«

»Vergessen Sie auf jeden Fall nicht, sich andere Klamotten anzuziehen. So sehen Sie nicht wirklich wie eine Polizistin aus.«

»Und, was sagen dir meine Klamotten?«

Sie setzte sich neben ihn und teilte ihm, während sie ihm bei der Arbeit zusah, ihre Zweifel mit: »Vielleicht sind wir auf einer völlig falschen Fährte. Vielleicht hat sich Kate absolut nichts vorzuwerfen.«

»Machen Sie Witze? Jemand, der eine halbe Million Dollar in Banknoten in einer abgehängten Decke versteckt, hat sich zwangsläufig etwas vorzuwerfen. Man müsste herausbekommen, woher dieses Geld stammt, und vor allem, was sie damit vorhat.«

»Was schlägst du vor?«

»Ich hab da so eine Idee, aber dafür bräuchte ich ein paar Sachen ...«

Sie beschloss, dem Computerfreak zu vertrauen, und gab ihm eine ihrer Kreditkarten.

»Okay, kauf, was du willst. Hol dir Bargeld, falls nötig.«

Anschließend schob sie erneut ihren Blusenärmel hoch, um zu lesen, was sie auf ihrem Unterarm notiert hatte.

»Ach ja, da ist noch etwas, worüber du dich schlau machen solltest. Kate führt einen Blog mit der Bezeichnung *Die Abenteuer einer Bostonerin*. Die Seite bespricht Restaurants oder Boutiquen. Wirf mal einen Blick darauf. Irgendetwas erscheint mir merkwürdig im Ton oder in der Präsentation ...«

»Gut, ich schau mir das an«, versprach er und notierte sich die Adresse.

Dann schnitt er den Ausdruck des gefälschten Polizeiausweises sorgfältig aus.

»Hier, Lieutenant«, sagte er stolz, als er Emma das kostbare Stück reichte.

Sie nickte und bemerkte die gute Qualität der Arbeit, dann schob sie die Karte in ihre Brieftasche.

»Wir bleiben in Kontakt, okay? Du machst keine Dummheiten und rufst mich an, wenn du ein Problem hast.«

»*Capito*«, antwortete er und zwinkerte ihr, mit dem Handy winkend, zu.

—

Im Viertel um die Boylston Street hörte es nicht auf zu schneien, sodass es gelegentlich zu Staus kam. Die Bostoner waren jedoch nicht geneigt, vor den Naturgewalten zu kapitulieren. Mit Schaufeln bewaffnet, räumten Hausmeister die Einfahrten frei, während städtische Angestellte Salz streuten und den Verkehr regelten.

In der Nähe des Hotels Four Seasons befand sich ein Einkaufszentrum, in dem Emma sich Jeans, Stiefeletten, Kaschmir-Rollkragenpulli und Lederjacke kaufte.

In der Ankleidekabine begutachtete sie ihre Verwandlung und fragte sich, ob sie glaubwürdig wirkte.

»Lieutenant Emma Lovenstein von der Bostoner Polizei!«, sagte sie und präsentierte dem Spiegel ihren Ausweis.

Kapitel 17

Der Junge an den Bildschirmen

Unsere Freiheit baut auf dem auf,
was andere nicht über unser Leben wissen.

Alexander Solschenizyn

Boston, 2010
19:15 Uhr

An Romualds Brille klebten Schneeflocken.

Er nahm sie ab, wischte die Gläser mit dem Ärmel seines Pullovers trocken, setzte sie wieder auf und stellte fest, dass er nur unwesentlich klarer sah. Egal, ob mit Brille oder ohne, die Welt schien ihm stets verschleiert, dunkel und kompliziert zu sein.

Die Geschichte meines Lebens ...

Er versuchte ausnahmsweise, systematisch vorzugehen. Auf dem Weg vom Flughafen hatte er das Gebäude einer großen Computerfirma ausgemacht, einen riesigen durchsichtigen Kubus an der Boylston Street. Das war sein Ziel. Der Bürgersteig drohte, sich in eine Eisbahn zu verwandeln. Mehrmals kam er ins Rutschen und konnte sich nur in letzter Minute festhalten – einmal an einem Laternenpfahl, dann an einem Verkehrsschild. Schließlich stand er vor der gewaltigen Glasfassade mit dem berühmten Logo, die sich über drei Stockwerke erstreckte. Zwei Tage vor Weihnachten hatte der Laden bis Mitternacht geöffnet. Er glich einem Ameisenhaufen. Wegen der dicht gedrängten Menschenmenge hätte den Computerfreak beinahe auf sein Vorhaben verzichtet. Wie immer in ähnlichen Situationen fühlte er plötzlich Angst in sich aufsteigen, und sein Herz schlug heftiger. Von einem leichten Schwindel ergriffen, versuchte er, sich dieser Menschenflut zu entziehen, indem er statt des Aufzugs die gläserne Wendeltreppe benützte, die die drei Ebenen miteinander verband.

Als er an Höhe gewonnen hatte, konnte er wieder besser atmen und fand zu seiner inneren Ruhe zurück. Er stellte sich in die Warteschlange und musste sich ein Weilchen gedulden, bis ein Verkäufer sich um ihn kümmern konnte. Sobald er an der Reihe war, war Romuald sehr wohl in der Lage, überzeugend aufzutreten: Er wusste nicht nur, was er wollte, sondern verfügte zusätzlich über einen beinahe unbegrenzten Kredit. Also wählte er den leistungsstärksten Computer, kaufte mehrere Bildschirme sowie zahlreiche Peripheriegeräte, Kabel und Verlängerungen. Alles, wovon er schon immer geträumt hatte. Nachdem die Gültigkeit seiner Kreditkarte überprüft worden war, willigte man – angesichts der Kaufsumme und der Nähe des Hotels – ein, ihm die Geräte innerhalb einer Stunde zu liefern.

Stolz, den ersten Teil seiner Mission so gut bewältigt zu haben, kehrte Romuald zu Fuß ins Four Seasons zurück. In der Suite angekommen, rief er den Room Service an und bestellte einen Rossini-Burger mit Trüffeln, ein Stück Schwarzwälderkirschtorte und, um sein Gewissen zu beruhigen, eine Cola light.

Sobald er das Computermaterial erhalten hatte, schloss er seinen MP3-Player an die Lautsprecherboxen an, programmierte eine passende Playlist (Led Zep, Blue Öyster Cult, Weezer …) und verbrachte den ganzen Abend damit, seine Geräte zu konfigurieren.

Hier, im warmen Zimmer, geschützt vom Summen der Geräte, war er in seinem Element. Er liebte Computer, technische Spielereien und lange einsame Exkursionen in die Science-Fiction- oder Fantasy-Welt. Natürlich fühlte er sich oft allein. Sehr allein. Dann stieg die Traurigkeit plötzlich wie eine Welle in ihm hoch, schnürte ihm die Kehle zu und brachte ihn fast zum Weinen.

Er fühlte sich immer und überall unwohl, nie wirklich an seinem Platz, nie entspannt. Seine Eltern und die Therapeutin, die ihn betreute, wiederholten ständig, er müsse »auf andere zugehen«, »Sport treiben«, »sich Freunde und Freundinnen suchen«. Ihnen zuliebe gab er sich bisweilen Mühe, ohne dass diese Anstrengungen jemals Früchte getragen hätten. Er misstraute den

Menschen, ihrem Blick, ihrem Urteil, den Hieben, die sie ihm gerne versetzten. Er wartete, bis wieder spitze Bemerkungen kamen, wandte sich dann ab und suchte hinter dem Panzer Schutz, den er sich seit seiner Kindheit zugelegt hatte.

Er beendete seine Installation und trank seine Cola aus. Die Situation reizte und verunsicherte ihn gleichzeitig. Was tat er hier, in Boston, sechstausend Kilometer von zu Hause entfernt, in der Suite eines Luxushotels mit einer Frau, die er kaum kannte und die behauptete, E-Mails aus der Zukunft zu erhalten?

Er hatte sich einfach von seinem Instinkt leiten lassen. In Emma hatte er eine Art große Schwester erkannt, die vielleicht ebenso verloren und allein war wie er selbst. Er ahnte, dass sich hinter ihren Sticheleien ein gutes Herz verbarg. Vor allem spürte er, dass sie einer Krise nahe war, und hatte zum ersten Mal in seinem Leben den Eindruck, jemandem nützlich sein zu können. Auch wenn er der Einzige war, der es wusste, nahm er eine Kraft und Intelligenz in sich wahr, die nur danach verlangten, sich manifestieren zu können.

Seine Finger glitten in atemberaubendem Tempo über die Tastatur.

In New York hatte er gesehen, wie sein Freund Jarod heimlich ins erste Niveau des *Domain Awareness Systems* eingedrungen war, das globale Überwachungssystem der Stadt, das in Echtzeit die Kameras in Manhattan auswertete. Einige Schritte waren ihm im Gedächtnis geblieben. Genug, um sein eigenes Ziel in Angriff zu nehmen: das EDV-System des Massachusetts General Hospital.

Es war ein langer Kampf, aber dank seiner Hartnäckigkeit gelang es ihm schließlich, in das System des Intranets und aller Überwachungskameras des Klinikzentrums einzudringen. Dann verschaffte er sich die Legitimation für den Zugang zu den medizinischen Patientendaten sowie zu den Akten aller Klinikangestellten.

Als Erstes überprüfte er Kates Dienstplan. Die Chirurgin hatte ihren Arbeitstag beendet und würde erst am nächsten Tag um acht Uhr wieder ihre Schicht antreten: Vormittags im Hauptgebäude des Heart Center, nachmittags und abends im Children's Hospital von Jamaica Plain, einem Vorort im Südwesten von Boston.

Romuald versuchte, sich an Emmas Worte zu erinnern: Beim Verlassen des Kinderklinik-Parkplatzes würde Kates Wagen von einem Mehltransporter erfasst. Also knackte er nach demselben Schema binnen einer Viertelstunde auch das EDV-System dieser Außenstelle. Knapp eine Stunde verbrachte er damit, von Kamera zu Kamera zu wandern, um die Örtlichkeiten »zu erkunden«. Dann erinnerte er sich an Kates Blog, den er sich auf Emmas Bitte hin ansehen sollte.

Er rief also die Seite *Abenteuer einer Bostonerin* auf. Es handelte sich um einen Amateurblog, eine Art Verzeichnis guter Adressen, die von der Chirurgin empfohlen wurden. Dort fanden sich hauptsächlich Empfehlungen für Restaurants, Cafés oder Geschäfte, und jeder

Artikel wurde von einem oder mehreren Fotos illustriert. Die nächste halbe Stunde überflog Romuald die Artikel in chronologischer Reihenfolge. Während der Lektüre machte ihn etwas stutzig: die Uneinheitlichkeit der Texte. Einige waren äußerst sorgfältig geschrieben, andere in einem sehr viel salopperen Stil abgefasst und gespickt mit Rechtschreibfehlern. Schwer vorstellbar, dass ein und dieselbe Person diese Texte verfasst hatte. Wie sollte andererseits eine Frau wie Kate – die nur für ihre Arbeit lebte – die Zeit finden, so viel auszugehen?

Als er seine Suche vertiefte, stellte der Junge fest, dass die Texte dieses Blogs in Wirklichkeit nur »eine Neuauflage« anderer Blogs waren. Kate hatte sich offenbar damit begnügt, die Artikel anderer Autoren zu kopieren.

Aber zu welchem Zweck?

Dieses Mal musste er passen. Er opferte noch einige Minuten, um die Kommentare des Blogs zu lesen. Es waren nicht sehr viele, auch wenn ein gewisser »Jonas21«, ein eifriger Besucher der Seite, jeden Artikel kurz kommentierte: »interessant, darüber möchten wir gerne mehr erfahren«, »diesen Ort kennen wir bereits«, »völlig uninteressantes Restaurant«, »wir waren begeistert, danke für Ihre Empfehlung!«

Romuald unterdrückte ein Gähnen. Eine ominöse Geschichte. Dennoch schickte er den Link vorsichtshalber seinem Informatikfreund Jarod, zusammen mit einer kleinen Notiz, und bat ihn, den Blog auf mögliche

Merkwürdigkeiten zu überprüfen. Er fügte hinzu, dass es eilig sei, und versprach ihm eintausend Dollar für seine Arbeit.

Es war kurz nach ein Uhr nachts, als er vor seinen Bildschirmen einschlief.

Kapitel 18

Lieutenant Lovenstein

*A woman is like a teabag, you never
know how strong she is until she gets
into hot water.*

Eleanor Roosevelt

Boston, 2010

Die Form des gläsernen Center of Memory and Brain
erinnerte an die Doppelhelix zweier riesiger DNA-
Stränge.

Die automatische Tür öffnete sich mit einem zischen-
den Laut. Zielsicher ging Emma zum Empfang.

»Lieutenant Lovenstein, Police Department Boston«,
stellte sie sich vor und zeigte ihren Dienstausweis.

»Was kann ich für Sie tun?«

Emma bat um ein Gespräch mit Joyce Wilkinson.

»Ich werde Professor Wilkinson benachrichtigen«,
erklärte die Angestellte und griff zum Telefon. »Bitte
gedulden Sie sich einen Moment.«

Nervös nestelte Emma am Reißverschluss ihres Blousons und lief ein paar Schritte durch die Halle, die mit ihren milchigen Scheiben an ein Weltraumschiff erinnerte. Zu beiden Seiten wurde in Leuchtkästen die neuere Geschichte des Instituts dokumentiert, das sich der Erforschung dieses faszinierenden und mysteriösen Organs verschrieben hatte.

Dem menschlichen Gehirn ...

Das Ziel dieses Instituts für Neurowissenschaften war klar: die bekanntesten Wissenschaftler der Welt zusammenzuführen, um zu neuen Erkenntnissen über Erkrankungen des Nervensystems (Alzheimer, Schizophrenie, Parkinson ...) zu gelangen.

»Lieutenant, wenn Sie bitte mitkommen würden.«

Emma folgte der Empfangsdame.

Ein Aufzug in Form einer transparenten Kapsel brachte sie in den letzten Stock des Gebäudes. Am Ende eines verglasten Korridors lag das Büro von Joyce Wilkinson.

Als Emma eintrat, hob die Wissenschaftlerin den Blick von ihrem Laptop.

»Kommen Sie herein, Lieutenant. Bitte«, sagte sie und deutete auf den Stuhl, der auf der anderen Seite des Schreibtischs stand.

Wie die Fotos hatten vermuten lassen, war Joyce Wilkinson indischer Abstammung. Die dunkle Haut und das schwarze, kurz geschnittene Haar bildeten einen eigenartigen Kontrast zu den hellen Augen hinter der schmalen, randlosen Brille.

Unaufgefordert zeigte Emma ihr ihren Dienstausweis.

»Vielen Dank, dass Sie sich ein paar Minuten Zeit für mich nehmen.«

Joyce nickte. Unter ihrem geöffneten Kittel trug sie eine khakifarbene Tuchhose und einen grobmaschigen Pullover – ein Outfit, das ihr etwas Jungenhaftes verlieh. Ihr leicht kantiges, jugendliches Gesicht wirkte ausgesprochen sympathisch.

Ehe Emma Platz nahm, sah sie sich kurz in dem Raum um. An den Wänden hingen Flachbildschirme, die Dutzende von verschiedenen Schnitten des menschlichen Gehirns zeigten.

»Sieht aus wie Bilder von Andy Warhol«, bemerkte sie in Anbetracht der kräftigen Farben, die die Gehirnaktivitäten anzeigten und die Aufnahmen lebendig wirken ließen.

Joyce erklärte: »Es handelt sich um eine südamerikanische Studie, die an mehreren Tausend Menschen durchgeführt wurde. Sie gehören im weitesten Sinne zu ein und derselben Familie, welche eine besondere Anfälligkeit für Alzheimer aufweist.«

»Und welche Erkenntnisse ergeben sich daraus?«

»Sie belegt, dass die ersten Vorboten schon zwanzig Jahre vor ihrem Ausbruch zu bemerken sind.«

Emma näherte sich einem der Monitore. Sie dachte kurz an ihren Vater, der sich im letzten Stadium der Krankheit in einem Pflegeheim in New Hampshire befand.

Als hätte sie ihre Gedanken erraten, fuhr Joyce fort: »Mein Adoptivvater hat bereits in jungen Jahren an Alzheimer gelitten. Das hat meine ganze Kindheit beeinträchtigt, aber auch meine Berufswahl beeinflusst.«

»Das Gehirn ... da drin passiert alles, nicht wahr?«, fragte Emma und deutete auf ihren Kopf. »Elektrische Signale, Verbindungen von Neuronengruppen ...«

»Ja«, antwortete Joyce lächelnd, »das Gehirn steuert unsere Entscheidungen, bestimmt unser Verhalten und unsere Einschätzungen. Es legt die Wahrnehmung fest, die wir von unserer Umgebung und uns selbst haben, bis hin zur Wahl des Menschen, in den wir uns verlieben!«

Ihre Stimme klang leicht rau. Eine sehr charmante Frau. Die Ärztin nickte und lehnte sich in ihrem Sessel zurück.

»Das ist ein spannendes Thema, aber ich nehme nicht an, dass Sie gekommen sind, um sich mit mir darüber zu unterhalten, Lieutenant.«

»Nein, natürlich nicht. Ich bin hier, weil das Boston Police Department Ermittlungen durchführt, bei denen auch der Name Kate Shapiro auftaucht.«

Joyce schien äußerst überrascht.

»Kate? Was hat sie denn ausgefressen?«

»Anscheinend nichts Schlimmes«, versicherte Emma. »Unsere Ermittlungen drehen sich nicht in erster Linie um sie. Mehr kann ich Ihnen im Moment leider nicht sagen, aber ich danke Ihnen für Ihre Unterstützung.«

»Wie kann ich Ihnen helfen?«

»Indem Sie mir einige Fragen beantworten. Wann sind Sie Kate zum ersten Mal begegnet?«

»Das war ... 1993«, erklärte sie. »Wir waren im ersten Jahr des JMP.«

»JMP?«

»Das ist das *Joint Medical Program* der Universität Berkeley. Diese medizinische Ausbildung dauert fünf Jahre und gehört zu den angesehensten des Landes. Drei Jahre wissenschaftliches Studium am Campus und dann eine zweijährige praktische Ausbildung in verschiedenen Krankenhäusern Kaliforniens.«

»In der Studienzeit war sie Ihre beste Freundin, nicht wahr?«

Joyce schwieg eine Weile und kniff die Augen leicht zusammen, so als würde sie die Bilder aus der Vergangenheit in sich aufsteigen lassen.

»Ja, auf alle Fälle. Wir haben uns in Berkeley drei Jahre lang ein Zimmer geteilt und dann gemeinsam eine kleine Wohnung in San Francisco gemietet. Da haben wir zwei Jahre lang gewohnt, anschließend sind wir nach Baltimore umgezogen, um dort unsere Facharztausbildung zu absolvieren.«

»Wie war Kate damals?«

Die Neurologin zuckte die Schultern.

»So wie vermutlich auch heute noch: hübsch, ehrgeizig, intelligent, und sie hatte einen eisernen Willen ... wirklich äußerst begabt. Ich habe nie jemanden gesehen, der so lange und so schnell arbeiten konnte.

Ich erinnere mich, dass sie sehr wenig schlief und sich unglaublich gut konzentrieren konnte. Sie war mit Sicherheit die beste Studentin unseres Jahrgangs.«

»Woher kam sie?«

»Von einem kleinen katholischen Gymnasium in Maine, dessen Namen ich vergessen habe. Kate war die Erste, die von dieser Schule zum JMP zugelassen wurde. Ich weiß noch, dass sie beim Aufnahmetest die höchste Punktzahl erreicht hat, die es seit Einführung dieser Prüfung je gegeben hat. Und ich möchte wetten, dass bis heute niemand diesen Rekord gebrochen hat.«

»Wie sind sie Freundinnen geworden?«

Joyce hob die Hände.

»Vermutlich haben die Krankheiten unserer Eltern uns einander näher gebracht. Kates Mutter war an Multipler Sklerose gestorben. Wir waren beide entschlossen, unsere Leben dem Kampf gegen neurodegenerative Erkrankungen zu widmen.«

Emma runzelte die Stirn.

»Genau das tun Sie auch, nicht aber Kate. Sie ist Herzchirurgin geworden.«

»Ja, sie hat 1999, mitten in unserem zweiten Jahr in Baltimore, plötzlich die Richtung gewechselt.«

»Sie meinen, sie hat ihre Ausbildung zur Neurologin im zweiten Jahr abgebrochen, um Chirurgin zu werden?«

»Ja, genau. Da sie eine sehr gute Studentin war, hat ihr die Uniklinik John Hopkins in Maryland die Möglichkeit gegeben, im laufenden Jahr zur Chirurgie zu wechseln.«

»Was war der Anlass für diesen Wechsel?«

»Das weiß ich bis heute nicht. Seit dieser Zeit haben sich übrigens unsere Wege getrennt, und unsere Beziehung hat sich quasi aufgelöst.«

Emma hakte nach.

»Können Sie sich auch bei genauerem Nachdenken wirklich nicht vorstellen, was der Anlass für diese Entscheidung war?«

»Das war vor über zehn Jahren. Wir waren damals erst vierundzwanzig Jahre alt. Außerdem kommt es in der Medizin nicht selten vor, dass Studenten die Fachrichtung wechseln.«

»Na ja, aber in diesem Fall handelte es sich um ein Lebensziel. Sie haben gesagt, Kate sei entschlossen gewesen, Karriere als Neurologin zu machen.«

»Ich weiß«, räumte Joyce ein, »aber offensichtlich ist zu diesem Zeitpunkt etwas Wichtiges in ihrem Leben passiert, von dem ich allerdings nichts weiß.«

Emma griff nach einem Stift, der auf dem Schreibtisch lag, und notierte die Zahl »1999« und darunter die Frage »Welches Ereignis in Kates Leben?« auf ihrem Unterarm.

»Brauchen Sie ein Blatt Papier?«

Emma lehnte dankend ab und setzte ihre »Befragung« fort.

»Hatte Kate damals einen Freund?«

»Sie war eine attraktive Schönheit, was dazu führte,

dass sie sehr hofiert wurde. Prosaischer gesagt: Alle Jungs träumten davon, sie in ihr Bett zu bekommen.«

»Sie haben meine Frage nicht beantwortet«, beharrte Emma. »Mit wem war sie liiert?«

Verlegen versuchte Joyce, die Intimsphäre ihrer ehemaligen Freundin zu schützen.

»Das betrifft doch ihr Privatleben, nicht wahr?«

Um ihr die Skrupel zu nehmen, fragte Emma: »War es Nick Fitch?«

Joyce stieß einen kleinen Seufzer der Erleichterung aus. Froh, Kates Geheimnis nicht verraten zu haben, gestand sie: »Ja, Nick war Kates große Liebe.«

»Seit wann waren sie zusammen?«, bohrte Emma weiter.

»Seit ihrem neunzehnten Lebensjahr. Als wir im zweiten Jahr in Berkeley waren, hat Fitch einen Vortrag an der Uni gehalten. Kate war ihm schon früher begegnet. Sie ist also nach dem Seminar zu ihm gegangen, und von da an haben sie sich getroffen. Ihre Liebesgeschichte begann 1994. Fitch war damals schon eine Legende. Er muss Ende zwanzig gewesen sein und hatte im Videosektor bereits viel Geld gemacht. Im Bereich der freien Software war Unicorn damals in aller Munde.«

»Wer wusste von dieser Beziehung?«

»Nur sehr wenige, vermutlich keiner außer Nicks Mutter und mir. Fitch war immer sehr zurückhaltend, wenn es um sein Privatleben ging. Sein Verhalten war regelrecht paranoid. Sie werden weder ein Foto noch einen Film finden, auf dem die beiden zusammen zu sehen sind, darauf war Nick sehr bedacht.«

»Woher rührte diese Angst?«

»Keine Ahnung, auf alle Fälle saß sie bei ihm ganz tief.«

Emma machte eine kleine Pause. Das passte so gar nicht zu dem kleinen Video, das sie am selben Morgen mit ihrem Handy aufgenommen hatte. Warum hatten sich Kate und Nick in einem Pub getroffen, in dem sie jeder sehen konnte?

»Wie lange hat die Beziehung gedauert?«

»Mehrere Jahre. Aber sie war sporadisch. In dem Stil ›Wenn du was von mir willst, will ich nichts von dir – wenn du nichts von mir willst, will ich was von dir‹, wenn Sie verstehen, was ich meine …«

»Leider nur allzu gut«, murmelte Emma.

Joyce lächelte und fuhr dann fort: »Nach dem, was Kate mir anvertraut hat, hat sie sehr unter Nicks Wankelmütigkeit gelitten. Sie warf ihm sein mangelndes Engagement vor. Mal war er sehr verliebt, am nächsten Tag dann wieder extrem zurückhaltend. Sie haben sich mehrmals getrennt, aber immer wieder versöhnt. Sie war wirklich verrückt nach ihm und hätte alles für ihn getan, bis hin zu dieser albernen Schönheitsoperation.«

Emma spürte ein Kribbeln. Ihre Vermutung war richtig gewesen …

»In welchem Jahr war das?«

Joyce überlegte kurz.

»Im Sommer 1998, am Ende unseres ersten Facharztjahres. Kurz darauf hat Kate die Richtung gewechselt.«

»Glauben Sie, dass sie sich der Operation unterzogen hat, um Fitch zu gefallen?«

»Ja, das war für mich offensichtlich. Zu jener Zeit verstand Kate nicht, warum Nick sie zurückwies. Sie hatte kein Selbstvertrauen mehr. Diese Operation war ein Akt der Verzweiflung.«

Emma wechselte das Thema.

»Wie lange hat die Beziehung zwischen Kate und Nick gedauert?«

Joyce schüttelte den Kopf.

»Ich habe nicht die geringste Ahnung. Wie schon gesagt, wir haben uns aus den Augen verloren, als Kate die Fachrichtung gewechselt hat. Wir haben uns von Zeit zu Zeit eine E-Mail geschickt, aber mit den Vertraulichkeiten war es vorbei. Von Baltimore ist sie nach San Francisco zurückgekehrt, um ihre Ausbildung zu beenden. Dann hat sie sich in New York auf Herzchirurgie spezialisiert. Vor fünf Jahren ist sie nach Boston gekommen, um hier als Assistenzärztin bei Herztransplantationen abzuschließen, und ist dann auch gleich als Fachärztin übernommen worden.«

Emma hakte nach: »Sie sind also zur selben Zeit in dieselbe Stadt gekommen?«

»Ja, ungefähr. Ich habe vor dreieinhalb Jahren am Brain and Memory Institute angefangen.«

»Ich nehme an, dass Sie gleich versucht haben, Ihre frühere Freundin wiederzutreffen ...«

Joyce, die sich offensichtlich unbehaglich fühlte, antwortete nach kurzem Zögern: »Ja, ich habe Kontakt zu ihr aufgenommen, und wir haben uns in einem Café in Back Bay getroffen. Das war kurz nach der Geburt ihrer Tochter. Sie hat mir erzählt, sie sei glücklich und zufrieden mit ihrem Familienleben und sehr in ihren Mann, einen Philosophieprofessor verliebt.«

»Haben Sie ihr geglaubt?«

»Ich hatte keinen Grund, daran zu zweifeln.«

»Haben Sie über Nick gesprochen?«

»Nein, das war nicht der geeignete Zeitpunkt. Sie hatte gerade geheiratet und ein Kind bekommen. Da wollte ich nicht die Vergangenheit aufwühlen.«

»Haben Sie sich in der Folgezeit wiedergesehen?«

»Das habe ich ihr vorgeschlagen, aber sie hat nicht auf meine E-Mails und Anrufe geantwortet. Nach einer Weile habe ich es aufgegeben.«

Joyce seufzte, und es herrschte kurzes Schweigen. Emma wandte den Kopf zum Fenster. Bei genauem Hinsehen erkannte man unten den schwarzen Fluss.

»Gut. Vielen Dank für Ihre Unterstützung«, erklärte sie und erhob sich.

Joyce folgte ihrem Beispiel.

»Ich begleite Sie, Lieutenant.«

Emma folgte der Wissenschaftlerin auf den Gang und zum Aufzug.

»Können Sie mir wirklich nicht sagen, was man Kate vorwirft?«, beharrte Joyce, während der Aufzug nach unten schwebte.

»Tut mir leid, aber es ist noch zu früh. Ich möchte Sie auch bitten, Stillschweigen über unser Gespräch zu wahren.«

»Wie Sie wünschen. Ich hoffe, dass Kate nichts Schlimmes getan hat, aber eines müssen Sie wissen: Wenn sie etwas anfängt, führt sie es mit Entschlossenheit und Intelligenz zu Ende. Sie gibt nicht auf. Sie hat nur eine Schwachstelle, einen einzigen wunden Punkt.«

»Die Liebe?«

»Ja, mit Sicherheit. Wenn sie verliebt ist, erwacht ihre russische Seele, und sie ist zu allem fähig – das hat sie mir selbst gesagt. Und glauben Sie mir, das war kein Scherz.«

In der Eingangshalle angekommen, reichte Joyce ihr ihre Karte.

»Wenn Sie weitere Auskünfte brauchen, können Sie sich gerne melden.«

»Danke. Eine letzte Frage. Wäre Kate imstande gewesen, etwas zu unternehmen, um sich an Nick zu rächen?«

Joyce hob die Hände zu einer ohnmächtigen Geste. Die beiden Frauen setzten ihr Gespräch noch gut eine halbe Stunde im milchigen Licht der Halle fort.

Schließlich trat Emma in die Nacht hinaus. Es war schon spät. Es hatte aufgehört zu schneien, doch eine eisige Kälte ließ den Campus erstarren.

Kein Taxi in Sicht. Sie ging bis zur Station Kendall/ MIT und fuhr mit der U-Bahn zurück nach Boston.

Als sie die Tür zu ihrem Hotelzimmer öffnete, entdeckte sie Romuald vor seiner Wand aus Monitoren. Er hatte den Kopf auf die verschränkten Arme gelegt und war eingeschlafen.

Neugierig betrachtete sie die Computerinstallation. Der Junge hatte ihre Suite in ein eindrucksvolles Security Headquarter verwandelt.

Leise ging sie hinaus und kehrte an die Hotelbar zurück.

Um diese Zeit hielten sich dort nur wenige Gäste auf.

Sie bestellte einen Caipiroska, den sie langsam trank, während sie sich ins Gedächtnis rief, was ihr Joyce Wilkinson erzählt hatte, bevor sie sich endgültig verabschiedet hatten.

Über das erste Zusammentreffen von Kate und Nick.

Kapitel 19

Die » Peruanische Unsterbliche «

Die Worte der Liebe sind wie die Pfeile eines Jägers.
Der getroffene Hirsch läuft weiter
und ahnt nicht, dass die Wunde tödlich ist.

Maurice Magre, *Das Laster von Granada*

Neunzehn Jahre früher
Februar 1991
Kate ist sechzehn – Nick dreiundzwanzig Jahre alt

In der Gaststätte an einer Tankstelle in der Nähe von St. Helens, Oregon.

Es schneit. Der Raum ist fast leer. Nur ein einziger Gast isst seine Eggs Benedict und spielt nebenbei auf einem elektronischen Schachbrett eine Partie. Die sehr junge Bedienung steht hinter der Theke und hat eine Platte von Nirvana, *Nevermind,* aufgelegt. Vor ihr liegt ein aufgeschlagenes Biologiebuch, in dessen Lektüre sie völlig vertieft scheint, auch wenn ihr Körper im Rhythmus der Musik wippt.

»Können Sie mir bitte noch einen Kaffee bringen?«

Kate hebt den Kopf, greift nach der Kanne, die auf einer Wärmeplatte steht, und geht zu dem Tisch. Ohne ihn anzusehen, schenkt sie ihm nach. Sie hat nur Augen für die Schachpartie. Sie beißt sich auf die Zunge, zögert, eine Bemerkung zu machen und dem Prinzip untreu zu werden, das sie für sich aufgestellt hat: sich von Männern fernzuhalten. Als sie sieht, dass er eine Figur auf dem Brett bewegen will, überwindet sie sich und sagt, fast im Befehlston: »Stellen Sie den Turm zurück und vergessen Sie die Rochade.«

»Wie bitte?«, fragt Nick, der auf seinen Zug, der dem Schutz seines Königs diente, stolz war; der einzige erlaubte Doppelzug übrigens, bei dem König und Turm einer Farbe gleichzeitig bewegt werden dürfen.

Seine Stimme klingt melodisch und freundlich. Zum ersten Mal sieht sie ihn richtig an. Er ist ganz in Schwarz gekleidet, sein Gesichtsausdruck ist offen, und sein Haar schimmert wie Honig.

»In diesem Fall ist eine Rochade keine gute Idee«, versichert sie selbstbewusst. »Schieben Sie lieber den Bauern auf e7.«

»Und warum das?«

»Sie sind erst beim zehnten Zug, stimmt's?«

Nick sieht auf das Brett und stimmt zu.

»Das ist richtig.«

»Diese Konstellation entspricht einer berühmten Partie namens die ›Peruanische Unsterbliche‹.«

»Nie gehört.«

»Dabei ist sie wirklich bekannt«, erwidert sie mit einem Anflug von Hochmut.

Die Unverfrorenheit dieses Mädchens amüsiert ihn.

»Na, dann klären Sie mich bitte auf!«

»Das Spiel wurde 1934 in Budapest von dem großen peruanischen Schachmeister Esteban Canal gespielt. Er hat seinen Gegner in vierzehn Zügen matt gesetzt, indem er seine Dame und beide Türme geopfert hat.«

Mit einer Handbewegung lädt er sie ein, Platz zu nehmen.

»Zeigen Sie mir das doch mal.«

Sie zögert kurz, setzt sich dann aber zu ihm und beginnt, in rasantem Tempo die Figuren zu bewegen.

»Wenn Sie die Rochade machen, erwischt Sie Ihr Gegner auf b4, dann nehmen Sie ihm mit Ihrer Dame den Turm, ja? Er schiebt seinen König auf d2, und Sie haben keine andere Wahl: Ihre Dame muss seinen Turm auf h1 nehmen. Seine Dame kassiert Ihren Bauern auf c6, und Sie sind gezwungen, ihm seine Dame abzunehmen. Damit sind Sie schachmatt, denn sein Läufer geht auf a6.«

Nick betrachtet sie verblüfft. Kate erhebt sich und schließt ihre Lektion mit den Worten: »Das ist ein Boden-Matt.«

Leicht verärgert betrachtet er das Schachbrett und vollzieht im Kopf die Partie nach.

»Nein, warten Sie! Warum sollte meine Dame seinen Turm nehmen?«

Sie zuckt die Schultern.

»Wenn das zu schnell für Sie war, spielen Sie die Partie in Ruhe nach. Sie werden sehen, dass das die einzig machbare Lösung ist.«

Nick ignoriert die Demütigung und bietet ihr an, eine Partie mit ihm zu spielen, doch sie wirft einen Blick auf die Uhr und lehnt ab.

Er sieht ihr nach, wie sie hinter die Theke zurückkehrt, als der Besitzer des Restaurants eintritt.

»In Ordnung, Kate, du kannst gehen«, sagt er und reicht ihr eine Zehn-Dollar-Note.

Das Mädchen steckt sie ein, nimmt ihre Schürze ab, packt das Buch ein und schickt sich an, den Raum zu verlassen.

Nick ruft sie zurück.

»Eine kleine Partie um zehn Dollar«, beharrt er. »Ich überlasse Ihnen die Weißen.«

Kate zögert kurz, betrachtet den Geldschein, setzt sich ihm gegenüber hin und schiebt eine Figur vor.

Nick lächelt. Die ersten Züge werden rasch gemacht. Kate merkt sofort, dass sie die Partie gewinnt – wenn sie will, sogar sehr schnell –, doch etwas in ihr sträubt sich. Fast unbewusst lässt sie manche Gelegenheiten verstreichen, um das Spiel in die Länge zu ziehen. Für eine Weile zwingt sie sich, nicht aus dem Fenster auf das Schneetreiben zu sehen. Sie weiß, dass sie draußen schneidender Wind, beißende Kälte, Angst und Ungewissheit erwarten. Sie weiß, dass sie früher oder später den Mut finden muss, sich ihnen zu stellen, doch im

Moment gönnt sie sich diese Auszeit bei dem schwarzen Ritter mit dem goldblonden Haar, eingehüllt von der Musik und der leicht stickigen Wärme des Restaurants.

»Ich bin gleich wieder da«, sagt Nick und erhebt sich.

Sie sieht ihm nach, als er zur Toilette geht. Kurz darauf erscheint er wieder und schenkt sich eine Tasse Kaffee ein, als wäre er hier zu Hause, ehe er an den Tisch zurückkehrt. Beide verlangsamen ihr Spiel immer mehr. Sie zögert das Vergnügen noch gute fünf Minuten hinaus, dann überstürzt sie die Sache und setzt ihn in drei Zügen matt.

Schachmatt.

»Fertig«, sagt sie in hartem Ton und greift nach dem Geldschein.

Sie erhebt sich und nimmt ihre Tasche.

»Warten Sie!«, ruft er. »Gewähren Sie mir eine Revanche.«

»Nein, Ende ...«

Sie geht und schließt die Tür hinter sich. Er sieht ihr durch das Fenster nach. Ihre letzten Worte hallen in seinem Kopf wieder.

Ende ...

»Wer, zum Teufel, ist dieses Mädchen?«, fragt er und wendet sich der Theke zu.

»Keine Ahnung«, antwortet der Wirt. »Ich glaube, eine Russin. Ich habe sie heute Morgen eingestellt.«

»Wie heißt sie?«

»Erinnere mich nicht. Irgendwas Kompliziertes. Russisch eben. Der Einfachheit halber nennt sie sich Kate.«

»Kate«, murmelt Nick.

Er runzelt die Stirn, zückt sein Portemonnaie und legt einen Geldschein auf die Theke. Dann zieht er seine dicke Lederjacke an, bindet sich den Schal um und sucht zuerst in der Hosentasche, dann im seinem Blouson nach seinem Autoschlüssel.

»Verdammt!«

»Was?«, fragt der Wirt.

»Sie hat mir den Schlüssel geklaut!«

—

Am selben Tag
Fünf Stunden später

Das Klopfen an der Tür reißt Nick aus dem Schlaf. Er öffnet die Augen und sieht sich um. Er braucht eine Weile, um sich zu erinnern, wo er ist (in einem kleinen Zimmer in einem schäbigen Motel in Oregon) und warum (weil er blöd genug war, sich von einem Mädchen den Autoschlüssel klauen zu lassen, dabei hat er in wenigen Stunden eine entscheidende Sitzung in San Francisco ...).

»Ja?«, fragt er und öffnet die Tür.

»Mister Fitch? Ich bin Gabriel Alvarez, der stellvertretende Sheriff von Columbia. Wir haben Ihren Wagen und die Diebin gefunden.«

»Wirklich? Kann ich ihn schnell zurückbekommen?
Ich habe es eilig ...«

»Kein Problem, ich bringe Sie hin.«

—

Der Geländewagen des Sheriffs kämpft sich durch die
Nacht. Es hat aufgehört zu schneien, aber die Straßen
sind glatt.

»Was hat Sie denn in unser Kaff verschlagen?«,
brummt Gabriel Alvarez.

»Ich habe an einer Konferenz über Videospiele in
Seattle teilgenommen. Auf dem Rückweg nach San
Francisco hat es angefangen zu schneien und ...«

»Videospiele? Wirklich? Mein Sohn verbringt Stunden mit diesem Zeug. Da wächst eine Generation von
Idioten heran.«

»Das ist nicht sicher«, erwiderte Nick vorsichtig.
»Und wo haben Sie mein Auto gefunden?«

»Versteckt im Wald, etwa zwanzig Kilometer von
hier. Das Mädchen schlief im Wagen.«

»Wie heißt sie?«

»Ekaterina Swatkowski. Sie ist sechzehn Jahre alt.
Nach dem, was sie uns erzählt hat, wohnte sie mit ihrer
Mutter in einem Mobilhome in Bellevue. Die ist aber
vor zwei Monaten gestorben. Das Mädchen wollte nicht
in eine Pflegefamilie und ist aus dem Heim, in dem
man sie untergebracht hat, ausgerissen. Seither schlägt
sie sich durch.«

»Was passiert mit ihr?«

»Ich vermute, nichts Gutes. Wir haben die sozialen Einrichtungen verständigt, aber damit ist das Problem noch nicht gelöst.«

»Sollte ich vielleicht meine Anzeige zurückziehen?«

»Das müssen Sie selbst wissen.«

»Kann ich mit ihr sprechen?«

»Wenn Sie Lust haben, aber Achtung, wir haben sie in eine Zelle gesperrt.«

—

Nick öffnete die Tür der Zelle.

»Hallo, Caitlín! Brrrr, ist das kalt hier.«

»Verschwinden Sie!«

»Immer langsam! Was ist mit dir los?«

»Meine Mutter ist tot, mein Vater ist verschwunden, ich habe kein Geld und weiß nicht, wo ich schlafen soll. Reicht Ihnen das?«

Er setzt sich zu ihr auf die hölzerne Bank.

»Warum willst du nicht in eine Pflegefamilie oder ein Heim gehen?«

»Lassen Sie mich in Ruhe!«, schreit sie und versetzt ihm einen Rippenstoß.

Er hält ihre Hände fest.

»Nun beruhige dich doch, verflixt!«

Sie sieht ihn herausfordernd an und versucht, ihn ans Ende der Bank zu schieben.

»Aber was willst du denn bei dieser Kälte anfangen? Ewig in dieser öden Gegend herumstreunen?«

»Lassen Sie mich los, verdammt noch mal!«

»Der Polizist hat mir deine Tasche gezeigt. Ich habe die Biologiebücher gesehen. Du willst Ärztin werden, ja?«

»Ja, und ich schaffe es auch!«

»Nein, nicht, wenn du den Unterricht schwänzt.«

Sie wendet den Kopf ab, um ihre Tränen zu verbergen. Sie weiß, dass er recht hat, und sie schämt sich.

»Lass mich dir helfen!«

»Mir helfen? Warum sollten Sie mir helfen? Wir kennen uns doch gar nicht.«

»Stimmt«, räumt er ein. »Aber was ändert das? Die Menschen, die ich am besten kenne, sind die, die ich am meisten verabscheue.«

Sie bleibt eisern.

»Ich habe Nein gesagt. Hilfe ist nie umsonst. Ich will Ihnen nichts schuldig sein.«

»Du wirst mir nichts schuldig sein.«

»So heißt es am Anfang immer ...«

Er zieht sein elektronisches Schachspiel aus der Tasche und wechselt das Thema.

»Gewährst du mir nun eine Revanche?«

»Sie geben wohl nie auf«, erwidert Kate seufzend.

»Ich glaube, das ist eine Qualität, die auch du besitzt, Caitlín!«

»Hören Sie auf, mich so zu nennen. Um was spielen wir diesmal?«

»Wenn du gewinnst, verschwinde ich«, schlägt er vor.

»Und wenn *Sie* gewinnen?«

»Dann darf ich dir helfen.«

Sie schnieft. Er reicht ihr ein Papiertaschentuch.

»Okay«, entscheidet sie, »wenn Sie wirklich eine zweite Niederlage wollen ... Sie nehmen die Weißen.«

Er lächelt, stellt die Figuren auf und macht seinen ersten Zug. Sie ebenfalls.

»Stimmt, hier ist es eiskalt«, sagt sie zitternd.

»Nimm meinen Blouson«, bietet er an.

Sie schüttelt den Kopf.

»Brauche ich nicht.«

Er steht auf und legt ihn ihr um die Schultern.

Sie kuschelt sich hinein und sagt: »Das Ding wiegt eine Tonne, aber es ist unglaublich warm.«

Während sie schweigend spielen, spürt sie, wie Furcht und Misstrauen nach und nach von ihr abfallen. Doch der Geruch der Angst hat sich in ihre Haut gefressen, seit sie ein kleines Mädchen ist: Angst, dass die Mutter stirbt, Angst, die Wohnung zu verlieren, Angst, ganz allein auf der Welt dazustehen ...

Sie schließt die Augen und trifft eine Entscheidung, die sie unglaublich erleichtert: Sie wird dieses Spiel verlieren. Sie wird die Hilfe dieses aus dem Nichts aufgetauchten Ritters annehmen.

Sie weiß es zwar noch nicht, aber dies ist ein maßgeblicher Moment in ihrem Leben.

In den kommenden Jahren wird sie ihre erste Begegnung mit Nick Fitch immer wieder vor ihrem inneren Auge abspulen. Der erste Mann, den sie liebt, der einzige. Und jedes Mal, wenn es ihr an Energie fehlt, wenn ihre Entschlossenheit ins Wanken gerät, wird ihr dieser magische Augenblick, in dem Nick in ihr Leben getreten ist, neue Kraft verleihen. Jener Tag, an dem sie beschließt, für immer zu ihm zu gehören »in guten wie in schlechten Tagen, in Reichtum wie in Armut, in Gesundheit wie in Krankheit, in Freud und in Leid, bis dass der Tod uns scheidet«.

»Schachmatt«, sagt er und schiebt seine Dame vor.

»Okay, die zweite Runde geht an Sie.«

Zufrieden legt er ihr die Hand auf die Schulter.

»Gut, dann hör mir jetzt zu, Caitlín: Ich ziehe meine Anzeige zurück und rufe meinen Anwalt an. Ich bitte dich, inzwischen Ruhe zu bewahren. In Ordnung?«

»Ihren Anwalt?«

»Er holt dich hier raus und erspart dir die Pflegefamilie oder ein Heim. Er wird es so einrichten, dass du das Recht hast, deinen Schulbesuch am St. Joseph College fortzusetzen.«

»Was ist das?«

»Eine kleine katholische Privatschule, die von Nonnen geleitet wird. Ich habe sie auch besucht. Der ideale Ort, wenn du arbeiten willst.«

»Aber wie soll ich …«

»Du hast drei Jahre Zeit, während derer alle Kosten bezahlt werden«, unterbrach er sie. »Essen, Unterkunft, Wäsche … du brauchst dich nur ums Lernen zu kümmern. Wenn du dich anstrengst, schaffst du danach die Aufnahmeprüfung zum Medizinstudium. Danach gibt es Stipendien, da musst du sehen, wie du klarkommst. Einverstanden?«

Sie nickt schweigend und fragt dann: »Und ich schulde Ihnen nichts?«

Er schüttelt den Kopf.

»Du hast mir gegenüber nicht nur keine Schulden, sondern du wirst auch nie wieder etwas von mir hören.«

»Warum tun Sie das?«

»Damit du nicht sagen kannst, du hättest keine Chance gehabt«, antwortet er, als wäre es das Natürlichste von der Welt.

Er steckt das Schachspiel ein, erhebt sich und sieht auf seine Uhr.

»Ich bin spät dran, Caitlín, ich werde in San Francisco erwartet. Freut mich, deine Bekanntschaft gemacht zu haben. Pass auf dich auf.«

Er geht und lässt seinen Blouson zurück. Absichtlich oder unbewusst? Auf jeden Fall behält sie ihn ihr ganzes Leben lang.

Fünfter Teil
Die Wahl des Bösen

Sechster Tag

Kapitel 20

Der Datenspeicher

Männer bevorzugen Blondinen,
weil Blondinen wissen, was Männer bevorzugen.

Marilyn Monroe

Boston
24. Dezember 2010
07:46 Uhr

Die Sonne war über Boston aufgegangen, schien in das Hotelzimmer und ließ die metallene Oberfläche der Regale funkeln. Von der Spiegelung geblendet, hob Romuald die Hand vor die Augen und wandte das Gesicht ab, um sich vor dieser gleißenden Helligkeit zu schützen.

Er brauchte eine ganze Weile, um zu sich zu kommen. Seine Kehle war trocken, die Nase verstopft, und seine Arme kribbelten. Als er sich aufrichtete, stellte er fest, dass seine Gliedmaßen steif waren. Er wollte die Mineralwasserflasche holen, die auf dem niedrigen

Tisch stand, stolperte dabei aber über seine Reisetasche und schlug der Länge nach hin. Verärgert rappelte er sich auf und tastete nach seiner Brille.

Als er sie wieder auf der Nase hatte, bemerkte er, dass Emma nicht im Zimmer war. Er schaute auf seine Armbanduhr und wurde von Unruhe erfasst. Unter keinen Umständen wollte er Kates Ankunft im Krankenhaus verpassen.

Er drückte auf eine Taste, um die Bildschirme zu aktivieren, tippte den Code ein, und schon erschienen die Aufnahmen der Überwachungskameras des Außenparkplatzes.

Anschließend rief er Emma an.

»Gut geschlafen, Brillenschlange?«, fragte sie außer Atem.

»Wo sind Sie?«

»In der obersten Etage, im Fitnessraum. Dir täte etwas Bewegung auch gut, um dein Fett zu verbrennen.«

»Keine Zeit«, wich er aus. »Wenn Sie an Ihrer Nachforschung noch interessiert sind, sollten Sie sich schleunigst hier einfinden.«

»In Ordnung, ich komme.«

Der Junge kratzte sich am Kopf, während er die Bilder eingehend betrachtete.

Mit wenigen Mausklicks übernahm er die Kontrolle der Kameras. Nun hatte er nicht nur Zugriff auf die Aufnahmen, sondern er konnte die Kameras auch nach Belieben ausrichten oder Ausschnitte heranzoomen. Er suchte die gesamte Parkplatzfläche ab: Kates Auto war noch nicht da.

Eine Flasche Wasser in der Hand und ein Handtuch um den Hals geschlungen, betrat Emma das Zimmer.

»Gibt's was Neues?«, erkundigte sie sich und schloss die Tür.

»Noch nicht, aber bald ist es so weit. Und bei Ihnen?«

Emma wischte sich den Schweiß aus dem Gesicht, bevor sie den Jungen genauestens über ihre Ermittlungen vom Vortag informierte. Romuald hörte ihr interessiert zu, behielt dabei jedoch die ganze Zeit seine Monitore im Auge. Plötzlich unterbrach er sie.

»Der Typ da ist Kates Ehemann, oder?«, fragte er und deutete auf einen Mann, der soeben sein Motorrad abstellte.

Emma näherte sich dem Bildschirm. Der Computerfreak hatte recht. Matthew war dabei, eine alte Triumph mit einem Kabelschloss zu sichern.

»Was macht er hier allein?«

»Seine Frau wird sicher gleich kommen«, vermutete Emma.

Und tatsächlich, knapp eine Minute später fuhr das Mazda Cabrio durch die geöffnete Schranke, um neben dem Motorrad zu parken.

»Kannst du das heranzoomen?«

Romuald kam der Bitte nach, und gleich darauf war der rote Roadster in Großaufnahme zu sehen. Mit seinen runden Formen und den Schalensitzen, den ver-

senkbaren Scheinwerfern und den verchromten Tür-
griffen hatte der Wagen eine Silhouette, die man sofort
erkannte. Man sah diesen Wagentyp mittlerweile weniger, aber Emma erinnerte sich, dass in den 1990er-Jah-
ren Hunderttausende dieser Modelle überall auf der
Welt unterwegs gewesen waren.

Kate öffnete die Tür, kletterte aus dem Cabriolet und
ging auf ihren Mann zu.

»Oh!«, entfuhr es Emma, die auf den Bildschirm
deutete. »Schau dir das an!«

Romuald nahm seine Brille ab und beugte bis auf
wenige Zentimeter zu dem Monitor vor.

In einem eleganten taillierten Trenchcoat ging die
Chirurgin auf Matthew zu.

In der linken Hand trug sie eine große rote Sporttasche.

—

Der Wind fegte über den in der Sonne glänzenden Parkplatz. Ein großer Blutspendebus mit dem Logo des
Roten Kreuzes parkte mitten auf dem Asphalt. Darüber
war ein Banner gespannt mit der Aufschrift: *Blutspenden kann Leben retten.*

Matthew rieb seine Hände aneinander, um sie aufzuwärmen.

»Du verlangst tatsächlich von mir, dass ich am frühen Morgen Blut spende?«, fragte er seine Frau seufzend.

»Natürlich! Ich war schon gestern hier«, versicherte Kate. »Heute bist du dran.«

»Aber du weißt doch, dass ich seit jeher Angst vor Spritzen habe!«

»Schluss mit dem Theater, Liebling! Ein Mal alle sechs Monate kannst du mir diesen Gefallen tun! Du weißt genau, dass meine Abteilung diese Aktion mit dem Roten Kreuz organisiert. Es ist das Mindeste, dass wir für das restliche Krankenhauspersonal mit gutem Beispiel vorangehen.«

»Aber ich arbeite ja gar nicht hier!«

»Komm schon, Matt, wir beeilen uns und gönnen uns anschließend ein feines Frühstück in der Cafeteria. Dann kannst du mir erzählen, was du von ihren Pancakes mit Ahornsirup hältst.«

»Wenn das so ist«, meinte er lächelnd, »kann ich natürlich nicht widerstehen.«

Hand in Hand betraten sie den Blutspendebus, der äußerst komfortabel eingerichtet war. Die Heizung lief auf vollen Touren. Aus dem Radioapparat ertönten Weihnachtslieder.

»Hallo, Mary«, begrüßte Kate die Sekretärin, die im Empfangsbereich hinter dem kleinen Schreibtisch saß.

»Guten Tag, Doktor Shapiro.«

Bereits seit einigen Jahren spendeten Matt und Kate beim Roten Kreuz Blut, und die Angestellten brauchten nur ihren Namen in den Computer einzugeben, um die Kartei zu öffnen. So konnte das Paar rasch in den Blutspendebereich weitergehen, wo vier Plätze für die Spender eingerichtet waren.

»Alles in Ordnung, Vaughn?«, begrüßte Kate ihren Kollegen. »Du kennst ja meinen Mann, oder?«

Der zuständige Arzt nickte und grüßte.

»Matthew findet dich zu brutal«, scherzte Kate. »Er zieht es ehrlich gesagt vor, dass ich die Nadel setze. Bei der Gelegenheit haben wir uns auch kennengelernt!«

»Gut, dann lasse ich euch Turteltäubchen allein«, bot Vaughn an, ohne genau zu wissen, wie er das verstehen sollte. »Ich genehmige mir inzwischen einen Kaffee. Sag Bescheid, wenn ihr fertig seid.«

Während der Arzt verschwand, zog Matthew seinen Mantel aus und ließ sich in einen der verstellbaren Sitze fallen.

»Ich wusste gar nicht, dass wir ein Spielchen spielen würden«, scherzte er und schob den Ärmel seines Hemdes hoch.

»Jetzt sag bloß nicht, dass dich das nicht ein bisschen anturnt«, antwortete sie, während sie sich die sterilen Handschuhe überzog.

Kate desinfizierte den Arm ihres Mannes mit einem alkoholgetränkten Tupfer. Anschließend legte sie einen Stauschlauch um seinen Oberarm, sodass in der Ellenbeuge eine Vene hervortrat.

»Mach eine Faust.«

Matthew kam der Aufforderung nach und wandte den Blick ab, um nicht sehen zu müssen, wie sie die Kanüle setzte.

»Was ist das für eine Tasche?«, fragte er und deutete auf das rote Bündel. »Die habe ich noch nie gesehen.«

»Mein Trainingsanzug und meine Turnschuhe«, antwortete Kate, während sie den Kunststoffbeutel zurechtrückte, der sich zu füllen begann.

»Treibst du wieder Sport?«

»Ja, vielleicht gehe ich zwischen zwölf und dreizehn Uhr in den Fitnessraum der Klinik. Ich muss mich unbedingt wieder etwas bewegen. Hast du meinen Hintern gesehen?«

»Ich liebe deinen Hintern!«

—

Emma kaute an den Nägeln.

»Verdammt, warum geht sie das Risiko ein, mit einer Tasche herumzuspazieren, in der fünfhunderttausend Dollar sind?«

»Denken Sie, dass ihr Mann Bescheid weiß?«

Emma schüttelte den Kopf.

»Das glaube ich nicht.«

Nervös und mit gesenktem Kopf drehte Romuald im Zimmer seine Runden.

»Wenn sie mit dem Geld außer Haus geht, dann sicher nicht, um es auf die Bank zu tragen.«

Er setzte sich wieder neben Emma, und sie blickten schweigend auf den Bildschirm, bis sie das Ehepaar aus dem Bus kommen sahen.

Dank des Videoüberwachungssystems konnten sie

den Shapiros in die Eingangshalle und über die Gänge des Krankenhauses bis zur Cafeteria folgen.

»Schade, dass man nicht hören kann, worüber sie sprechen«, bemerkte Emma.

»Sie sind aber auch nie zufrieden!«, maulte Romuald, der die Bemerkung als Vorwurf auffasste.

»Auf jeden Fall hat Kate die Kohle noch«, sagte Emma und deutete auf die Sporttasche, die die Chirurgin auf einem Stuhl neben sich abgestellt hatte.

Eine gute Viertelstunde lang starrten sie auf den Monitor. Sie sahen jedoch nichts weiter als ein Paar, das frühstückte.

»Mit ihren Pancakes machen sie mir richtig Hunger«, jammerte der Junge, als habe er seit drei Tagen nichts zu essen bekommen.

Emma war erbost.

»Du weißt schon, dass es im Leben noch andere Interessensgebiete gibt außer Essen und Computer?«

Romuald biss sich auf die Lippen und lenkte das Gespräch auf ein anderes Thema.

»Man hat wirklich den Eindruck, dass sie verliebt sind. Schwer zu glauben, dass sie eine Affäre hat, oder?«

»Stimmt, sie weiß sich gut zu verstellen ...«

Nach einer Viertelstunde erhob sich das Paar. Kate und ihr Mann umarmten sich wie zwei Verliebte und verließen die Cafeteria in verschiedene Richtungen.

Matthew kehrte zu seinem Motorrad auf dem Parkplatz zurück, während Kate den Umkleideraum der Chirurgen betrat, wo sie die Sporttasche in ihrem Spind zurückließ, bevor sie in den Operationstrakt hinaufging.

Romuald konsultierte den Dienstplan der Chirurgin, den er heruntergeladen hatte.

»Ihr Arbeitstag beginnt mit dem Auswechseln einer Herzklappe und geht dann weiter mit einem Aneurysma der thorakalen Aorta. Wollen Sie sich das anschauen?«

»Nein, danke. Bis mittags wird da nichts weiter geschehen, und ich habe alle Folgen von *Emergency Room* und *Grey's Anatomy* gesehen.«

»Ich habe von den Pancakes Hunger bekommen«, wiederholte Romuald treuherzig.

»Soll das eine versteckte Aufforderung sein, dass ich dir ein Frühstück spendiere?«, fragte Emma mit einem Lächeln.

»Vielleicht«, antwortete Romuald schulterzuckend und zufrieden, durchschaut worden zu sein.

»Also gut, du hast gewonnen, denn ich habe auch Hunger und muss dir noch einiges sagen.«

—

Ein Ober mit Hipster-Bart und karierter Jacke brachte ihnen zwei Cappuccino, deren Schaum auf der Oberfläche ein Herz bildete.

Emma und Romuald hatten sich in unmittelbarer Nähe ihres Hotels in einem kleinen In-Café an der Boylston Street niedergelassen.

Mit seinen Grünpflanzen, Vintage-Tischen und seinen Retro-Lampen verströmte der Ort auf den ersten Blick eine fast ländliche Atmosphäre.

Emma mischte ihr Bircher Müsli mit Joghurt und sah Romuald mit einer gewissen Zärtlichkeit dabei zu, wie er sorgfältig die Hälfte des Inhalts aus dem Ahornsiruptopf auf seinen Pancakes verteilte.

»Romuald, du musst mir etwas erklären.«

»Allesch, wasch Schie wollen«, versprach er mit vollem Mund.

»Warum bist du in die USA gekommen?«

Er schluckte ein Stück Pancake und spülte mit einem großen Schluck Cappuccino nach.

»Das habe ich Ihnen doch schon gesagt: Ich bin meiner Freundin hinterhergereist, die als Au-pair-Mädchen nach New York gegangen ist ...«

»... und die dich im Stich gelassen hat, kaum dass ihr hier wart. Ja, das hast du mir erzählt. Aber wir wissen beide, dass das nicht stimmt, oder?«

»Natürlich stimmt das!«, begehrte er auf.

»Lassen wir das mal gelten«, antwortete sie. »Aber warum meldest du dich nicht bei deinen Eltern?«

»Das tue ich doch«, entgegnete der Junge und starrte auf seinen Teller.

»Nein, das stimmt nicht. Ich habe sie heute Nacht angerufen. Sie waren in großer Sorge. Du hast dich seit drei Wochen nicht mehr gemeldet.«

»Aber ... wie haben Sie ihre Telefonnummer herausgefunden?«

»Ach, geht's noch? Du glaubst wohl, du wärst der Einzige, der mit einem Computer umgehen kann.«

»Dazu hatten Sie kein Recht«, warf er ihr vor.

»Zumindest habe ich sie beruhigt. Und wenn wir schon dabei sind, sag mir eines: Warum bist du in New York geblieben, wenn dich dieses Mädchen tatsächlich verlassen hat? Warum bist du nicht nach Frankreich zurückgekehrt, um weiter zur Schule zu gehen?«

»Weil ich die Schnauze voll hatte von Beaune und von meinen Eltern, können Sie das nicht verstehen?«

»Doch, sehr gut, aber wenn du schon in den USA bist, hättest du reisen, etwas vom Land sehen und einen lustigeren und einträglicheren Job finden können. Du hättest die Möglichkeit gehabt, du bist doch clever. Stattdessen versauerst du vierzehn Tage als Praktikant im Imperator, um dort etwas zu machen, das dir gar nicht gefällt. Warum?«

»Verschonen Sie mich mit Ihren Fragen. Sie sind schließlich nicht bei der Polizei.«

»Doch, ein wenig schon, seit ich den hübschen Ausweis habe, den du mir gebastelt hast. Und als gute Polizistin, die etwas auf sich hält, habe ich noch eine Frage: Was hattest du letzten Sonntag in Scarsdale bei Michele Berkowic, der Generaldirektorin des Imperator, zu suchen?«

Er schüttelte den Kopf.

»Da war ich in meinem ganzen Leben noch nicht.«

»Hör auf, mich für blöd zu verkaufen«, drohte sie

ihm und legte das Bahnticket auf den Tisch, das sie in seiner Tasche gefunden hatte.

»Sie haben geschnüffelt? Dazu hatten Sie kein Recht!«

»Schon gut, und was machst du an deinen Bildschirmen und Kameras? Du verbringst deine Tage damit, das Leben anderer Leute auszuspionieren, sie zu beobachten, in ihre Privatsphäre einzudringen.«

»Aber ich mache das, um Ihnen zu helfen«, verteidigte er sich.

»Auch ich will dir helfen. Warum warst du bei Michele Berkowic?«

»Weil sie meine Mutter ist.«

Emma verdrehte die Augen und wurde wütend.

»Was für Dummheiten willst du mir denn noch auftischen? Ich habe heute Nacht mit deiner Mutter telefoniert! Sie heißt Marie-Noëlle Leblanc. Sie arbeitet in … der Krankenkasse von Beaune«, sagte sie und las dabei die Notizen, die sie sich auf den Unterarm geschrieben hatte.

Romuald starrte mit leerem Blick Richtung Fenster und versank in merkwürdiges Schweigen.

Emma rüttelte ihn an der Schulter.

»Hey, Dickschädel! Willst du mir das nicht erklären?«

Er seufzte tief und rieb sich die Augen. Lieber wäre er woanders gewesen, auch wenn er in gewisser Weise froh war, sein Geheimnis loszuwerden.

»Vor drei Jahren«, begann er, »habe ich in den Sachen

meiner Mutter herumgeschnüffelt und entdeckt, dass ich kurz nach der Geburt adoptiert worden bin.«

Emma blickte ihn erstaunt an.

»Das hatten dir deine Eltern nie gesagt?«

»Nein, aber ich hatte es vermutet.«

»Wie das?«

»Wegen verschiedener Kleinigkeiten, Überlegungen, gewissen Bemerkungen, oder weil sie plötzlich verstummten. Das hat mich misstrauisch gemacht ...«

Emma ahnte, was danach passiert war.

»Du hast versucht, deine biologischen Eltern zu finden?«

»Dafür habe ich zwei Jahre gebraucht. Es ist mir gelungen, meine Karteikarte in der Entbindungsstation in Auxerre zu entwenden, aber, wie ich schon befürchtet hatte, war die Identität meiner Mutter dort nicht verzeichnet. Anschließend habe ich die Dienststelle der Jugendfürsorge des Département Côte-d'Or gehackt. Auch dort habe ich nichts gefunden. Die Sache hat sich erst erledigt, als ich in das Computersystem des Nationalrats vordringen konnte und Zugang zu den Daten über die persönliche Abstammung bekam. Ich habe Mails gefunden, aus denen hervorging, dass meine biologische Mutter 1993 anonym entbunden hatte. Damals hieß sie Michèle Roussel. Durch verschiedene Datenabgleiche habe ich ihre Spur gefunden. Sie hat in den USA ein neues Leben begonnen, einen Banker geheiratet und seinen Namen angenommen, Berkowic. Sie hat mit ihm zwei Kinder. Als ich gesehen habe, dass sie die

Verwaltung des Imperator leitet, habe ich beschlossen, nach New York zu reisen, in der Hoffnung, mit ihr Kontakt aufnehmen zu können. Ich musste sie sehen, mit ihr sprechen. Das war stärker als alles andere. Ich war davon wie besessen. Ich musste einfach wissen, woher ich komme ...«

»Gut, und was geschah dann?«

»Nichts, gar nichts. Es ist mir gelungen, mich anstellen zu lassen. Ich bin ihr jeden Morgen im Büro begegnet, aber sie hat mich nicht einmal angeschaut.«

»Das ist normal. Hast du erwartet, dass ...?«

»Nach vierzehn Tagen habe ich beschlossen, sie mit der Wahrheit zu konfrontieren. Ihre Adresse habe ich herausgefunden, indem ich mir Zugang zu den Gehaltsabrechnungen des Restaurants verschafft habe. Ich habe das Wochenende abgewartet und mir ein Bahnticket nach Scarsdale gekauft. Ich kam dort kurz nach elf Uhr an. Vom Bahnhof musste ich gut eine halbe Stunde bis in ihr Viertel laufen. Es war kalt, es regnete, und ich war durchnässt. Meine Beine zitterten, mein Herz schlug mir bis zum Hals. Schließlich klingelte ich an der Tür, und sie hat mir geöffnet. Sie wich zurück, beinahe abwehrend. Ich glaube, wegen meiner durchnässten Kleidung und meiner Aufmachung hielt sie mich für einen Obdachlosen.«

»Und dann?«

»Dann habe ich gesagt: ›Guten Tag, Mrs Berkowic.‹

›Guten ... Tag, wer sind Sie?‹, erwiderte sie.

›Ich bin Romuald Leblanc. Ich arbeite in der Presse-

und Kommunikationsabteilung des Imperator. Sie haben mich eingestellt.‹

›Ach ja, ich erinnere mich, der französische Praktikant. Was wollen Sie?‹

Sie hatte die Tür halb offen gelassen. Durch den Spalt sah ich ein gemütliches Wohnzimmer, einen Weihnachtsbaum. Ich hörte Musik, fröhliches Kindergeschrei und roch ein leckeres Essen, das gerade zubereitet wurde.

Ich habe ihr in die Augen geschaut. Bis zuletzt war ich überzeugt, dass sie mich erkennen würde, dass sie in meinen Zügen oder meiner Stimme eine Ähnlichkeit wahrnehmen würde. Aber nichts. Sie stand vor einem Fremden. Jemandem, der ihr lästig war.

›Gut, das reicht jetzt‹, sagte Michele Berkowic verärgert. ›Sie wollen doch wohl nicht noch länger hier herumstehen und dämlich glotzen. Gehen Sie, oder ich bitte meinen Mann, die Polizei zu rufen.‹

Ich habe genickt, habe gezögert, dann habe ich zu ihr gesagt: ›Ich bin Ihr Sohn.‹

Zuerst erstarrten ihre Gesichtszüge, dann gerieten sie außer Kontrolle.

›Was erzählst du da?‹, fragte sie alarmiert.

Sie schloss die Tür hinter sich und ging einige Schritte in den Garten und bedeutete mir, ihr zu folgen.

›Hör zu, ich weiß nicht, wer dir solchen Quatsch erzählt hat, aber es stimmt nicht.‹

Daraufhin habe ich die Unterlagen, die ich mit so großer Mühe zusammengetragen hatte, aus meiner

Tasche gezogen und ihr gereicht – darunter die Adoptionsakte der Jugendfürsorge, in der ihr Name stand.

Sie überflog das Papier, und ich sah Panik in ihren Augen aufsteigen. Ständig drehte sie sich um, um sich zu vergewissern, ob ihr Mann oder eines der Kinder uns folgte. Ich war auf der Suche nach Liebe gekommen, und sie hatte mir nur ihre Angst zu bieten.

Sie gab mir das Dokument zurück und begleitete mich zur Straße. Sie erklärte mir, diese Geburt sei nur die Folge einer ›Jugendsünde‹. Sie sei damals erst achtzehn Jahre alt gewesen und, obwohl sie verhütet habe, schwanger geworden, ohne dies jedoch sofort zu bemerken ...«

—

»Du hast sie vermutlich gefragt, wer dein Vater ist?«

»Sie wusste es selbst nicht. ›Ein One-Night-Stand‹, hat sie behauptet. Ein Angehöriger der Armee, den sie in einer Bar in Besançon kennengelernt hatte. Damals war sie allein, aber ehrgeizig: Sie wollte um jeden Preis den Osten Frankreichs verlassen und in den USA studieren. Es war ausgeschlossen, sich mit einem Kind zu belasten ...«

»Hat sie dir Fragen über dich und dein Leben gestellt?«

»Nicht eine Einzige. Ich habe sehr wohl verstanden, dass sie so wenig wie möglich wissen wollte. Sie hat mir erklärt, weder ihr Mann noch ihre Kinder wüssten über diese Phase ihres Lebens Bescheid, und es sei sehr wichtig, dass sie nie etwas darüber erführen, denn diese Art von Enthüllungen könne eine Familie zerstören. Dann verschwand sie kurz von der Bildfläche. Als sie zurückkam, hatte sie ein Scheckheft in der Hand. Sie bat mich, am nächsten Tag nicht mehr zur Arbeit ins Restaurant zu kommen, und stellte mir einen Scheck über fünftausend Dollar aus. Sie reichte ihn mir, als seien wir damit quitt, und befahl mir, ich solle nie wieder versuchen, sie zu sehen. Sie ging ins Haus zurück und schloss die Tür. Ich blieb stehen, wie vor den Kopf geschlagen, mutterseelenallein im Regen. Dann bin ich zum Bahnhof gegangen, habe den Scheck in einen öffentlichen Mülleimer geworfen und beschlossen, nach Frankreich zurückzukehren. Sie haben mich genau in dem Moment angerufen, als ich meine Koffer fertig gepackt hatte ...«

»Es tut mir leid, dass es so abgelaufen ist, Romuald. Aber du musst versuchen, darin auch etwas Positives zu sehen. Deine wahren Eltern sind die, die dich aufgezogen haben, das ist dir sicher klar. Und zumindest weißt du jetzt, wer deine biologischen Eltern sind. Du kannst nach vorn schauen und ...«

Das Klingeln seines Handys unterbrach Emmas Rede.

Romuald schaute auf das Display und beschloss, das Gespräch anzunehmen. Es war Jarod.

Er wechselte einige Worte mit dem Informatiker und riss die Augen weit auf.

»Wir müssen so schnell wie möglich ins Hotel zurück«, sagte er und schlüpfte in seinen Parka.

»Was ist los?«

»Ich weiß jetzt, woher Kate die fünfhunderttausend Dollar hat.«

Kapitel 21

A girl on the run

Die Hand wandelt sich,
indem man sie in die eines anderen legt.

Paul Eluard, *Picasso et la peinture*

Boston
24. Dezember 2010
09:43 Uhr

»Rühren Sie den Computer ja nicht an!«

Als sie in die Suite zurückkamen, trafen sie das Zimmermädchen in einem lebhaften Gespräch mit ihrer Vorgesetzten an, die man über Romualds eigenartige Installation informiert hatte.

»Es tut mir leid, aber die Steckdosen in den Zimmern sind nicht für so viele elektronische Geräte ausgerichtet«, sagte die Hotelmanagerin zu Emma und deutete auf das Bündel von Kabeln und Verlängerungsschnüren. »Ich sehe mich gezwungen, Sie zu bitten …«

»Wir stöpseln alles aus«, versprach Emma und komplimentierte die beiden Frauen rasch hinaus.

Sie schloss hinter ihnen die Tür und drückte auf den Knopf, um das »Bitte-nicht-stören«-Signal zu aktivieren.

»Erklärst du es mir jetzt?«, fragte sie und trat zu dem Jungen, der vor seiner Wand von Monitoren saß. »Wie konnte sich Kate so viel Geld besorgen?«

Romuald loggte sich ins Internet ein und öffnete sein Postfach.

»Erinnern Sie sich an Kates Blog *Abenteuer einer Bostonerin?*«

»Natürlich.«

»Ich habe ihn, wie Sie mir gesagt haben, genauer unter die Lupe genommen, aber nichts gefunden. Also habe ich den Link vorsichtshalber an Jarod geschickt und ihn gebeten, sich das einmal anzusehen.«

»Dein Informatiker-Freund?«

»Ja, und ich habe ihm versprochen, dass Sie ihm tausend Dollar zahlen, wenn er fündig wird ...«

»Du bist großzügig mit dem Geld anderer«, meinte sie lächelnd, »aber das war eine gute Idee.«

»Zunächst ist ihm aufgefallen, dass die Fotos für einen solchen Blog ziemlich groß waren.«

»Und weiter?«

»Er hat die Dateien mit einem Entschlüsselungsprogramm bearbeitet.«

»Und was wollte er entschlüsseln?«, fragte Emma und hockte sich auf die Fensterbank.

Romuald drehte seinen Stuhl zu ihr um.

»Haben Sie schon mal was von Steganografie gehört?

»Stenografie?«

»Nein, Steganografie, das ist eine Technik zur Übermittlung von verborgenen Informationen in einem digitalen Bild.«

Emma kniff die Augen leicht zusammen.

»Warte mal, das sagt mir was … kam das nicht erst kürzlich in den Nachrichten?«

»Ja, dieser Technik haben sich die zehn russischen Spione bedient, die neulich in den USA verhaftet worden sind. Sie haben geheime Dokumente in Urlaubsfotos versteckt und via Internet nach Moskau gesandt. Auch im Zusammenhang mit Nine Eleven war von Steganografie die Rede. Das FBI hat durchblicken lassen, Bin Ladens Männer hätten ihre Anschläge mit den in scheinbar harmlosen Fotos verschlüsselt vermittelten Informationen koordiniert, die über Diskussionsforen verschickt wurden.«

»Und all das ist wirklich mit bloßem Auge nicht zu sehen?«

»Garantiert nicht.«

»Aber wie ist das möglich? Wie kann man ein Bild in ein anderes einschleusen?«

»Das ist nicht sehr schwer. Es gibt verschiedene Softwareprogramme, mit denen man eine solche Operation durchführen kann. Vereinfacht gesagt, besteht die Technik darin, den Wert jedes einzelnen Pixels in einem Foto nicht wahrnehmbar zu verändern.«

Emma zog sich einen Stuhl heran und setzte sich neben Romuald.

»Ich verstehe kein Wort, erkläre das etwas genauer.«

»Also, Sie wissen, was ein Pixel ist?«

»Die kleinen Rechtecke, aus denen ein Bild besteht?«

Er nickte und setzte seine Erläuterung fort: »Jedes Pixel besteht aus drei Oktetts: eines für die rote Komponente, eines für die grüne, eines für die blaue. Jede dieser drei Farben besteht aus 256 Nuancen, das ergibt 256 mal 256 mal 256, das heißt, über sechzehn Millionen Farben. Können Sie mir noch immer folgen?«

Emma versuchte zu überspielen, dass sie verloren war. Romuald fuhr fort: »Ein Oktett besteht aus achtzehn Bit. Der Trick liegt darin, ein Bit jedes Oktetts, das in den Pixel eines Bildes enthalten ist, zu nutzen. So wird das Bild durch die Manipulation des Pixels nur so geringfügig verändert, dass man es mit dem bloßen Auge nicht erkennen kann ...«

Emma folgte der Logik.

»Und das freie Bit benutzt man zum Speichern anderer Informationen.«

Der Junge pfiff anerkennend.

»Nicht schlecht für jemanden, der seinen Unterarm als Notizblock benutzt!«, meinte er mit einem zufriedenen Lächeln.

Sie klopfte ihm auf die Schulter.

»Aber was hat das mit Kate zu tun?«

»Kate hat ihren Blog als sogenannten toten Briefkasten genutzt. Alle Aufnahmen, die sie dort gepostet hat, waren verschlüsselt.«

»Aber warum?«

Romuald klickte ein erstes Foto an.

»Dieses zum Beispiel. Kate hat es bei der Beschreibung der Konditorei North End eingefügt.«

Emma erinnerte sich an die Aufnahme, die ein Schaufenster voller bunter Torten zeigte.

Romuald drückte eine Taste, und auf dem Monitor öffnete sich ein neues Fenster.

»Und das kommt heraus, wenn man das versteckte Bild extrahiert.«

Was jetzt erschien, war kein Foto im eigentlichen Sinn, sondern eher eine Art Plan mit mathematischen Formeln und Reihen von Codezeilen. Emma verzog das Gesicht.

»Was ist denn das nun wieder?«

»Ich vermute, ein Prototyp. Wenn Sie so wollen das Schema einer Erfindung, bevor sie in die Herstellung geht. Vielleicht ein Bewegungsmelder. Aber jetzt kommt das Interessanteste.«

Er vergrößerte mit dem Zoom einen Ausschnitt, auf dem man ein stilisiertes Einhorn sah.

»Dieses Dokument gehört der Fitch Inc.!«, rief Emma. »Glaubst du, dass Kate Industriespionage betrieben hat?«

Den Rest des Vormittags verbrachten sie damit, mit Jarods Hilfe sämtliche Fotos des Blogs zu entschlüsseln. Die älteren enthielten Entwürfe von Ingenieuren der Fitch Inc. Es ging um die Entwicklung eines revolutionären Bewegungsmelders, der durch eine einfache Fingerbewegung mit einem Computer interagiert.

»Wie Tom Cruise in *Minority Report*.« Romuald lachte.

Andere Dateien enthielten die Beta-Version einer Software, die jegliche Art von Tondokumenten direkt übersetzen konnte. Aber das brisanteste Material befand sich in den neueren Fotos. Es handelte sich um Teilausschnitte von Kontrollsystemen der amerikanischen Kampfdrohnen MQ1 Predator und MQ9 Reaper – das waren die am weitesten entwickelten Waffen der amerikanischen Armee. Zurzeit wurden solche Modelle in Afghanistan eingesetzt.

Technologische und militärische Geheimnisse ...

Emma spürte, wie sich ihr Magen zusammenkrampfte.

Allem Anschein nach hatte Kate ihre Nähe zu Nick Fitch genutzt, um Industriespionage zu betreiben und das Ergebnis dann zum Höchstpreis an Konkurrenzunternehmen oder andere Staaten weiterzuverkaufen, die an amerikanischen Militärgeheimnissen interessiert waren.

»Dazu dienten also die auf dem Blog hinterlassenen Kommentare!«, mutmaßte Romuald, als könne er ihre Gedanken lesen. »›Sehr banal‹, ›interessant, darüber möchten wir mehr erfahren‹ ... Dabei ging es sicher darum, die Suche der Chirurgin zu lenken, ihr mitzuteilen, welche Informationen nützlich waren und welche

nicht. Sie aufzufordern, bestimmte Spuren weiterzu-
verfolgen und mehr Dokumente zu liefern.«

Emma und Romuald wechselten einen beunruhigten
Blick. Beide empfanden angesichts dieser Entdeckung
eine wachsende Erregung und zugleich das Gefühl
einer drohenden Gefahr. Ganz so, als wären sie plötzlich die Akteure eines Thrillers geworden, als führten
ihre Nachforschungen in ungeahnte Bereiche, in die sie
sich niemals hätten vorwagen dürfen.

Verdammt.

Von Angst ergriffen, schloss Emma die Augen und
stützte das Kinn auf die verschränkten Hände.

Wie war sie nur in eine solche Situation geraten?
Vor fünf Tagen hatte sie einfach auf die E-Mail eines
Philosophieprofessors geantwortet, dessen Charme sie
erlegen war. Dabei hatte sie doch nur einen Mann ken-
nenlernen wollen! Und jetzt steckte sie in einem gefährlichen Räderwerk, dem sie absolut nicht gewachsen
war. Hinter dem Anschein des geregelten Lebens von
Matthew und Kate hatte sie eine Realität aus Lügen und
bedrohlichen Geheimnissen aufgespürt. Bis jetzt hatte
sie Glück gehabt, doch je weiter sie bei ihren Recherchen kam, desto stärker spürte sie die Bedrohung.

»All das bringt uns nicht wirklich weiter«, meinte
Romuald. »Kate hat enorme Risiken eingehen müssen,
um an diese Informationen zu gelangen. Dabei deuten
alle Indizien darauf hin, dass sie keine käufliche Frau
ist. Es geht ihr nicht um das Geld an sich, es ist nur ein
Mittel, um etwas anderes zu erreichen.«

»Etwas, was eine halbe Million Dollar kostet …«, murmelte Emma. »Wir müssen herausfinden, was Kate mit dem Geld vorhat.«

Kaum hatte sie das ausgesprochen, griff Romuald nach seiner Brille.

»Ich glaube, das werden wir gleich erfahren«, rief er und deutete auf einen der Monitore.

Es war fast dreizehn Uhr, und Kate hatte ihre beiden Operationen beendet.

Von einem Bildschirm zum anderen folgten sie der Chirurgin vom OP über die Gänge des Krankenhauses. Sie sahen, wie sie vor ihrem Spind stehen blieb und die Sporttasche herausholte.

»Ich gehe hin!«, rief Emma und schlüpfte in ihren Blouson.

»Aber …«

Sie griff nach ihrem Rucksack und ihrem Handy und stürzte aus dem Zimmer.

»Lass sie nicht aus den Augen!«, befahl sie und schlug die Tür hinter sich zu.

—

Schneller!

Emma rannte, um den Eingang der Klinik zu erreichen. Nach Verlassen des Hotels war sie nach rechts in die Charles Street eingebogen, eine der großen Arterien der Stadt zwischen Boston Common und Public Garden. Sofort hatte sie die eisige Kälte gespürt. Sie lief gegen den Wind, der ihr ins Gesicht peitschte. Bei jedem Atemzug hatte sie das Gefühl, Nase, Rachen und Bronchien würden sich mit Eis füllen.

Auf den nächsten zweihundert Metern lief sie noch schneller. In der Hoffnung, Zeit zu gewinnen, wählte sie einen Weg quer durch den Park. Ihre Muskeln schmerzten, die Lunge verlangte nach Sauerstoff, den sie ihr nicht zuzuführen vermochte. Noch dazu waren die Sohlen ihrer Stiefeletten viel zu glatt und die Jeans viel zu eng. Der Rucksack war schwer, und bei jeder Bewegung schlug ihr der Laptop ins Kreuz.

Schneller!

Auf der Joy Street brauchte sie ein paar Sekunden, um sich zu orientieren. Als sie wieder lossprinten wollte, spürte sie, dass ihre Kräfte sie verließen. Alles um sie herum begann, sich zu drehen, die Kälte ließ ihre Augen tränen, und ihre Brust brannte. Sie schwankte leicht und wäre fast über die Bordsteinkante gestolpert.

Mach jetzt bloß nicht schlapp! Nicht jetzt …

Obwohl sie kurz davor war aufzugeben und ein stechender Schmerz durch ihren Brustkorb schoss, gelang es ihr, ihren Lauf wieder aufzunehmen. Denn wenn sie sich jetzt ausruhen würde, würde sie Kate nicht mehr rechtzeitig erreichen.

Die letzten dreihundert Meter, die sie vom Eingang trennten, waren die schlimmsten. Auf der Cambridge Street angekommen, zog sie ihr Telefon heraus. Sie musste sich fast übergeben, und ihr war so schwindlig, dass sie nicht mehr klar sehen konnte.

»Wo ist sie, Romuald?«, schrie sie und hielt das Smartphone ans Ohr gepresst.

Ein Hustenanfall schüttelte sie. Am liebsten hätte sie sich auf dem Bürgersteig ausgestreckt.

»Ich habe sie verloren«, erklärte der Junge. »Kate hat das Krankenhausgelände verlassen und ist auf den Überwachungskameras nicht mehr zu sehen.«

»Verdammt! Welchen Ausgang hat sie genommen?«

»Blossom Street, auf der Höhe des Holiday Inn, das war vor knapp zwei Minuten.«

Emma sah sich um. Die Einmündung in die Straße war nicht einmal hundert Meter entfernt. Kate war ganz in der Nähe, das spürte sie.

»Wie war sie angezogen?«

»Sie hatte noch ihren Kittel an und darüber einen Regenmantel.«

Außer Atem, die Hände auf die Knie gestützt, rang Emma nach Luft.

Ein Kittel und ein beigefarbener Regenmantel ...

Sie versuchte, diese Kleidungsstücke unter den Passanten auszumachen, doch um diese Tageszeit wimmelte es von Ärzten und Pflegepersonal, die in den umliegenden Restaurants ihre Mittagspause machten.

Weiße Kittel, grüne Chirurgen-»Pyjamas«, die lachsfarbenen Uniformen des Pflegepersonals ...

Sie wischte sich die Schweißtropfen von der Stirn. Plötzlich entdeckte sie in der Menschenmenge etwa fünfzig Meter vor sich einen roten Punkt, der sich auf den Whole Food Market zubewegte.

Die Sporttasche …

Sofort war ihre Erschöpfung vergessen, und Emma mobilisierte ihre letzten Kräfte, um den Supermarkt zu erreichen.

»Bleib am Telefon, Brillenschlange! Ich hab sie!«

—

Emma stürmte in den Supermarkt und näherte sich der Ärztin mit großen Schritten. Sie war allein und hatte noch immer die Tasche über der Schulter. Emma mischte sich unter die Menge, ohne Kate dabei aus den Augen zu lassen. Mit seiner großen Auswahl an Bioprodukten richtete sich das Whole Foods an eine wohlhabende und ökobewusste Kundschaft. Jetzt, so kurz vor den Festtagen, wurden auch hier Weihnachtslieder gespielt. Am Eingang befand sich eine große Cafeteria. Hier konnte man Erfrischungen zu sich nehmen oder an dem langen Büfett mit warmen Gerichten und an den Sushi- und Bagel-Ständen ein Mittagessen auswählen.

Als sie sich ihr bis auf wenige Meter genähert hatte, passte Emma ihren Schritt dem der Chirurgin an. Sie reihte sich in die Schlange an der Salatbar ein, nahm eine kleine Schale, die sie mit Rohkost und Sprossen füllte. Dazu wählte sie eine Flasche Kombucha und bezahlte an der nächsten Kasse.

Sie folgte Kate durch den lang gestreckten Selbstbedienungs-Imbissbereich, wo die Gäste beim Essen durch die große verglaste Front das Treiben auf der Straße beobachten konnten.

Die Cafeteria war brechend voll, und alle drängelten, um an den langen Tischen einen Sitzplatz zu ergattern.

Hier herrschte eine Stimmung wie in einer gehobenen Kantine. Mit gespielter Selbstverständlichkeit wärmten die Gäste ihre Gerichte in den bereitgestellten Mikrowellen auf. Die Zeit war knapp. Es wurde schnell gegessen: Ein kleiner Imbiss inmitten des angenehmen Stimmengewirrs, ehe man ins Krankenhaus oder in die Büros des West End zurückkehrte. Der ideale Ort, um nicht aufzufallen.

Als sie sah, wie sich Kate durch die Reihen schlängelte, begriff sie, dass sie verabredet war. Die Chirurgin nahm am Ende eines Tisches auf einem Stuhl Platz, den ein Mann mit seinem Mantel für sie reserviert hatte. Emma versuchte, sich zu nähern, doch der einzig freie Platz, den sie entdeckte, war mindestens sechs Meter entfernt. Zwei lange Tische trennten sie, und der Lärmpegel machte jegliche Hoffnung zunichte, das Gespräch belauschen zu können.

Was für ein Pech!

Sie setzte sich und musterte den Fremden mit leicht zusammengekniffenen Augen. Ein Mann um die fünfzig mit grau meliertem Haar, der einen dunklen Nadelstreifenanzug trug. Seine blaugrauen Augen schienen transparent und kalt und passten hervorragend zu seinem starren Gesichtsausdruck.

»Hörst du mich, Brillenschlange?«

In wenigen Sätzen informierte Emma Romuald über die Situation.

»Herrgott, und dann wird sie ihm sicher auch die Tasche übergeben. Ich muss unbedingt hören, was sie sagen!«

»Dann setzen Sie sich doch näher heran«, antwortete Romuald.

Sie ärgerte sich.

»Du bist ja wirklich nicht sehr schlau! Ich hab dir doch gerade gesagt, dass das unmöglich ist. Außerdem bin ich Kate schon am Sonntag und gestern Morgen begegnet. Irgendwann werde ich ihr auffallen.«

»Okay, ist ja schon gut ...«, schmollte der Junge.

»Romuald, das ist nicht der geeignete Augenblick, um beleidigt zu sein, du musst mir helfen. Sie reden ununterbrochen. Ich brauche jetzt einen Geistesblitz.«

Der Junge überlegte kurz und rief dann: »Ihr Handy, legen Sie es auf den Boden und stoßen Sie es mit dem Fuß in ihre Richtung. Ich nehme die Unterhaltung auf.«

Sie schüttelte den Kopf.

»Du bist ja wohl nicht ganz dicht«, zischte sie. »Wie soll denn das gehen?«

Nervös kaute sie an ihren Nägeln. Doch da ihr nichts Besseres einfiel, folgte sie dem Rat des Computerfreaks. Sie tat so, als würde sie ihre Schnürsenkel zubinden, legte dabei das Telefon auf den hellen Holzboden und kickte es dann in die Richtung der beiden.

Das Smartphone glitt über das versiegelte Parkett, unter der Bank hindurch, an den Füßen der Gäste vorbei und blieb unter dem großen Tisch, an dem Kate und der Unbekannte saßen, liegen.

Anfängerglück ...

Angespannt trank Emma ihre Flasche Kombucha aus und betete im Stillen, niemand möge ihr Handy bemerken. Ihre Qual war nicht von langer Dauer, denn wenige Minuten später erhoben sich Kate und der Unbekannte gleichzeitig.

Emma tat es ihnen gleich, nahm unter den verwunderten Blicken der anderen Gäste ihr Telefon wieder an sich und folgte den beiden.

—

Emma stürmte aus dem Supermarkt.

»Hast du verstanden, was sie gesagt haben, Romuald?«

»Nein, nicht wirklich«, meinte der Junge bedauernd. »Die Nebengeräusche waren zu laut, ich muss die Aufnahme reinigen.«

»Dann beeil dich!«, befahl sie und legte auf, ehe er etwas entgegnen konnte.

Die Chirurgin kehrte zum Krankenhaus zurück, während der Unbekannte die entgegengesetzte Richtung einschlug. Emma beschloss, demjenigen zu folgen, der jetzt die Tasche mit den fünfhunderttausend Dollar hatte.

Sie hatte Kate und ihn die ganze Zeit über beobachtet und war sich ganz sicher, dass es keinen Austausch gegeben hatte: Der Mann hatte das Geld genommen und nichts dafür gegeben.

Wer ist dieser Typ? Was hat er Kate für so viel Geld versprochen?

Der Unbekannte lief mehrere hundert Meter die Cambridge Street entlang. Emma folgte ihm in gebührendem Abstand. Das Viertel war so kurz vor Weihnachten stark bevölkert. Die breite Avenue war mit unzähligen Lichtern und jedes Haus mit Stechpalmenkränzen oder Mistelzweigen geschmückt. Viele der mit Paketen beladenen Passanten schienen fröhlich und voller Vorfreude auf die bevorstehenden Feiertage. Selbst der eisige Wind, der den Duft von Tannenbäumen, Karamell und gerösteten Maronen mit sich führte, trug zu dieser ausgelassenen Stimmung bei.

Bei der Station Bowdoin angekommen, glaubte Emma zunächst, der Mann würde in der U-Bahn verschwinden, doch stattdessen überquerte er die Straße und nahm einen Bus der Linie 18. In letzter Sekunde gelang es auch Emma, dank ihres »LinkPass«, den sie am Vorabend für den Rückweg von Joyce Wilkinson gekauft hatte, einzusteigen.

Der Bus fuhr an, und sie fand einen Platz drei Reihen hinter dem Mann, den sie beschattete. Er rührte sich den ganzen Weg über nicht vom Fleck und starrte aus dem Fenster auf die vorbeiziehende städtische Landschaft.

Der Omnibus erreichte in einem großen Bogen die Park Street, fuhr dann am Boston Common und am Public Garden vorbei zur Commonwealth Avenue. Nach etwa einem Kilometer auf der breiten, von Ulmen und Kastanien gesäumten Allee erhob sich der Mann und ging zur hinteren Tür.

An der Haltestelle Gloucester Street sah Emma ihn aussteigen und nutzte das Gedränge, um ebenfalls den Bus zu verlassen, ohne dass er es bemerkt hätte. Sie folgte ihm in gut einhundert Metern Abstand bis zur Boylston Street.

Die Straße von Back Bay, in der sich die Luxushotels befinden ...

Der Mann betrat die Halle des St. Francis, dessen Fassade aus Glas und Ziegelsteinen modernen Luxus und den Charme des alten viktorianischen Stils miteinander verband. Emma kannte dieses teure Hotel. Das heißt, vor allem das Restaurant, das im letzten Jahr seinen dritten Michelin-Stern bekommen hatte. Sie folgte dem Unbekannten zu den Aufzügen, stieg im letzten Augenblick mit ihm ein und ließ ihn mit seiner Keycard den Aufzug betätigen. Als er sich im dritten Stock anschickte auszusteigen, sagte sie:

»Ah, das ist auch mein Stockwerk.«

Er musterte sie schweigend von Kopf bis Fuß.

Jetzt hat er Verdacht geschöpft ...

Die Glastür öffnete sich auf einen mit dickem Teppichboden ausgelegten Gang. Der Fremde besaß nicht die Galanterie, ihr den Vortritt zu lassen. Ohne Zögern bog er nach rechts ab. Emma machte einige Schritte in die entgegengesetzte Richtung und wandte sich dann um, gerade noch rechtzeitig, um zu sehen, wie sich die Zimmertür schloss. Sie merkte sich die Nummer und fuhr zurück in die Hotelhalle. Als sich die Aufzugtür hinter ihr schloss, hatte sie plötzlich einen Geistesblitz, wie sie die Identität des »geheimnisvollen Unbekannten« lüften könnte.

Das Restaurant des St. Francis mit seiner hypermodernen Einrichtung war ein wahres Schmuckstück. Das gesamte Dekor – von den Paravents aus Satin bis hin zu den mit Metallfäden bestickten Vorhängen – war in Creme- und Silbertönen gehalten. Selbst der riesige Kristalllüster hatte einen elfenbeinfarbenen Glanz.

»Herzlich willkommen, haben Sie reserviert?«, empfing der Maître d'hotel sie.

»Ich komme nicht zum Mittagessen, habe aber Ihrem Sommelier, Michael Bouchard, etwas Wichtiges auszurichten.«

»Würden Sie sich bitte einen Moment gedulden?«

Emma wartete, bis nach wenigen Minuten der junge Sommelier zu ihr kam.

»Lovenstein? Was machst du denn hier?«, fragte ihr Québecer Kollege.

Sie waren zwar nicht wirklich befreundet, trafen sich aber immer mal wieder bei Seminaren, Verkostungen oder Wettbewerben.

»Hallo, Michael. Ich brauche deine Hilfe.«

»Ich bin gerade voll beschäftigt, du weißt ja, wie das

ist. Wollen wir später zusammen was trinken gehen?«, schlug er vor.

Sie trat einen Schritt näher zu ihm.

»Es tut mir leid, so zu insistieren, aber es ist wirklich sehr dringend.«

»Okay, dann mach schnell.«

»Kannst du herausfinden, wie der Gast von Zimmer 321 heißt?«

»Soll das ein Scherz sein? Hast du schon mal was von Diskretion gehört? Geht ihr etwa im Imperator so mit euren Gästen um?«

»Bitte, Michael, es ist wirklich sehr wichtig. Ruf die Rezeption oder den Empfangschef an.«

»Damit setze ich meinen Job aufs Spiel!«

»Nun übertreib mal nicht, ich bitte dich lediglich um einen Namen.«

»Und was habe ich davon?«

»Ich weiß nicht. Was willst du? Soll ich dir einen runterholen, gleich hier und jetzt, hinter der Küchentür?«

Sie hatte absichtlich die Stimme erhoben, und einige Gäste drehten sich bereits nach ihnen um.

Der Kanadier wurde blass und zog Emma in die Halle.

»Du bist unmöglich, Lovenstein. Du hast wirklich nicht alle Tassen im Schrank!«

»Geh zur Rezeption und finde den Namen des Typen heraus, der das Zimmer 321 bewohnt. Bitte!«

Widerwillig fügte er sich. Das Gespräch dauerte nicht

lange. Wenig später kam er zu Emma zurück und erklärte:

»Der Mann hat sich unter dem Namen Oleg Tarassow angemeldet. Zufrieden?«

Sie zog einen Stift aus ihrem Rucksack.

»Danke für deine Hilfe, lieber Kollege«, sagte sie und notierte den Namen auf ihrem Unterarm.

»Scher dich zum Teufel, Lovenstein«, antwortete Michael und wandte sich ab.

—

Mit glänzenden Augen starrte Romuald auf seine Monitore. Er hatte die Tonaufnahme auf seinem Computer entcodiert und schickte sich an, sie von Nebengeräuschen zu reinigen.

Er startete das entsprechende Programm, und ein Fenster öffnete sich, das die Konfiguration eines Mischpults zeigte. Er hörte sich die Aufnahme an und kopierte eine Passage heraus, bei der die Nebengeräusche besonders laut und kontinuierlich waren. Anhand dieses Ausschnitts erstellte er ein »Lärmprofil«, indem er genau die Frequenzen und Dezibel festlegte. Dann markierte er die gesamte Aufnahme und gab den Befehl zum Löschen der ausgewählten Geräusche.

Anschließend hörte er sich die Tondatei noch einmal an, war aber vom Erfolg seiner Operation nicht überzeugt.

In Fernsehkrimis sieht das leichter aus …

Doch er ließ sich nicht entmutigen, sondern veränderte die Stimmfrequenzen immer wieder und experimentierte mit den Amplituden, bis er zu einem zufriedenstellenden Ergebnis gelangte.

Dann spielte er die Aufnahme erneut ab.

Und was er hörte, ließ ihm das Blut in den Adern gefrieren.

—

Emma wählte in der Bar des St. Francis einen Platz in der Nähe der Tür, von dem aus sie die Eingangshalle überblicken konnte, für den Fall, dass Tarassow noch einmal das Hotel verlassen sollte. Sie bestellte einen Caipiroska, zog ihren Laptop aus dem Rucksack und loggte sich in das Wi-Fi des Hotels ein.

Ihr Verstand war in höchster Alarmbereitschaft, und sie konnte an nichts anderes mehr denken. Noch nie hatte sie ein solches Gefühl empfunden. Die Erregung lockte sie aus der Reserve und ließ sie alle Vorsicht vergessen.

Sie tippte »Oleg Tarassow« in die Suchmaschine ein und bekam zahlreiche Treffer. Facebook-Profile, Einträge bei LinkedIn und bei dem russischen sozialen Netzwerk VK ... Sie rief »Google Bilder« auf und war erstaunt, sogleich auf ein Foto von Oleg Tassow zu stoßen. Auf der Aufnahme war er zwar gut zehn Jahre jünger, aber schon damals hatte er den gleichen versteinerten Gesichtsausdruck, als wären seine Züge in Marmor gemeißelt. Die Bildunterschrift verwies auf die On-line-»Bibel« für Filmfreaks, die Internet Movie Database. In der IMDb war Oleg Tarassow bei einer eindrucks-vollen Anzahl von Thrillern aus den 1990er-Jahren als »Stuntman« und »Stunt-Koordinator« gelistet. Zumeist keine Meisterwerke, sondern eher Fernsehproduktio-nen, B-Serien oder Low-Budget-Thriller, die oft direkt auf VHS oder DVD erschienen waren. Er arbeitete fast immer mit seinem Bruder Wassili, und die Spezialität des Duos schienen Motorrad-Stunts zu sein. Ihre Karri-ere als »Künstler« endete vor gut zehn Jahren, doch mit wenigen Klicks gelang es Emma, ihre Spur in Los Ange-les wiederzufinden, wo sie anscheinend bei einem pri-vaten Sicherheitsdienst engagiert waren. Nach der Web-site ihrer Agentur zu urteilen, hatten die Tarassows auf Personenschutz umgesattelt.

Als sie ihr Smartphone zücken wollte, um Romuald zu verständigen, klingelte es – der Computerfreak war ihr zuvorgekommen. Sie nahm das Gespräch sofort an.

»Hast du etwas gefunden, Brillenschlange?«

»Ja«, antwortete er mit tonloser Stimme.

»Bist du einem Gespenst begegnet, oder was ist los?«

»Ich habe die Aufnahme gereinigt«, begann er.

»Und?«

»Hören Sie es sich selbst an, es ist grauenvoll.«

Emma runzelte die Stirn, presste das Telefon an das rechte Ohr und hielt sich das linke zu, um besser hören zu können.

Kate: Das Geld ist in der Tasche. Ich habe mich genau an unsere Abmachung gehalten: Ich übergebe Ihnen abermals fünfhunderttausend Dollar. Fünf Päckchen mit Hundertdollarscheinen.

Oleg: Und der Rest?

Kate: Den bekommen Sie, wenn ich mich davon überzeugt habe, dass die Arbeit genau nach meinen Anweisungen ausgeführt wurde.

Oleg: Heute Abend soll es also stattfinden?

Kate: Ja, aber Sie müssen unbedingt meinen Anruf abwarten, um in Aktion zu treten. Das wird nicht vor 21 Uhr der Fall sein. Wenn ich mich nicht bei Ihnen melde, unternehmen Sie nichts, verstanden?

Oleg: Und der Ort?

Kate: Ich habe Ihnen auf diesem USB-Stick ein Memo zusammengestellt. Der Ort heißt »The Corniche«. Eine schmale betonierte Rampe, eine Einbahnstraße hinter dem Bahnhof von Jackson Square in Jamaica Plain, die eigentlich keine richtige Straße ist. Auf diesem Weg kann man Staus und Ampeln umgehen, aber die Leute nehmen sie nicht gerne, weil sie die Obdachlosen und Drogensüchtigen fürchten, außerdem ist es verboten, dort entlangzufahren.

Oleg: Und Sie sind sicher, dass dort niemand ist?

Kate: Man kann nie ganz sicher sein, aber bei dieser Kälte dürften die Dealer und die Drogenabhängigen zu Hause bleiben. Den Modus Operandi muss ich nicht noch einmal wiederholen?

Oleg: Nein, der ist klar.

Kate: *Haben Sie sich die Adresse aufgeschrieben?*

Oleg: *Ja.*

Kate: *Eines muss klar sein: Wenn Sie sich nicht genau an die Vorgaben halten, ist unser Abkommen hinfällig.*

Oleg: *Ich sagte Ihnen doch, dass ich Bescheid weiß. Eine Frage noch: Wer ist derjenige, den ich töten soll?*

Kate: *Es handelt sich um den Mann auf diesem Foto. Er heißt Matthew Shapiro. Er ist mein Ehemann.*

Kapitel 22

Helsinki-Gruppe

Den Tod kann jeder Mensch nur einmal zahlen.

William Shakespeare, *Antonius und Cleopatra*,
Akt IV, Szene 12

Emmas Herz schlug zum Zerspringen. Eine Weile saß sie in Schockstarre da und versuchte, die Neuigkeit zu verdauen.

Kate hat einen Killer engagiert, um Matt beseitigen zu lassen ...

Aber warum? Weil sie ihn nicht mehr liebte und mit Nick leben wollte? Unmöglich, deshalb brachte man niemanden um. Man brauchte sich nur scheiden zu lassen. Um das alleinige Sorgerecht für ihre Tochter zu bekommen? Auch das war nicht logisch. Geld? So weit sie verstanden hatte, besaß Matthew kein Vermögen, und Nick war einer der reichsten Männer des Landes. Was dann? Rache?

Emma versuchte, Ordnung in ihre Gedanken zu bringen. Was wusste sie mit Sicherheit? Kate hatte sich nie von ihrer großen Jugendliebe – Nick Fitch – gelöst. Nach einer langen Trennung hatte sie die Beziehung zu ihm wieder aufgenommen und diese Nähe genutzt, um ihm Firmengeheimnisse zu entlocken, welche sie dann offenbar zu Höchstpreisen verkauft hatte. Mit diesem Geld hatte sie einen Killer angeheuert, der ihren Ehemann aus dem Weg räumen sollte.

Eine total verrückte Geschichte ...

Es gab zwangsläufig eine Verbindung zwischen all diesen Elementen, die sie momentan allerdings nicht herzustellen vermochte. Emma stützte den Kopf in die Hände. Ihr Nacken war verkrampft, Beine und Brustkorb schmerzten.

Eine andere Frage quälte sie. Warum war Matt im Jahr 2011 noch immer am Leben? Warum war es dem Stuntman letztlich nicht gelungen, ihn umzubringen?

»Bist du noch dran, Romuald? Spiel mir bitte die Aufnahme noch einmal vor.«

Der Junge tat, wie geheißen. Emma blieb an folgendem Satz hängen:

»..., *aber Sie müssen unbedingt meinen Anruf abwarten, um in Aktion zu treten. Das wird nicht vor 21 Uhr der Fall sein. Wenn ich mich nicht bei Ihnen melde, unternehmen Sie nichts, verstanden?*«

Sie erinnerte sich an das, was Matthew ihr erzählt hatte: Der Fahrer des Mehltransporters, der das Auto seiner Frau gerammt hatte, hatte stets behauptet, sie hätte ein Smartphone in der Hand gehabt. Und Matthew hatte geglaubt, Kate hätte ihn anrufen wollen, um ihm mitzuteilen, dass der Mazda schließlich doch angesprungen war. In Wahrheit aber hatte sie versucht, den Killer zu erreichen, um ihm grünes Licht zu geben. Doch durch den Unfall war der Anruf zum Glück unterbrochen worden.

Matts Leben war nur deshalb gerettet worden, weil seine Frau kurz vor dem verhängnisvollen Anruf gestorben war.

Ein Tod für ein Leben ...

Ohne die Hotelhalle aus den Augen zu lassen, teilte sie Romuald, der aufmerksam lauschte, ihre Überlegungen mit. Sie hatten jetzt viele Elemente, Indizien und Beweise gesammelt, doch das Wichtigste blieb im Dunkel: Kates Motiv. Das fehlende Glied in der Kette, das den Sinn dieser ganzen makaberen Geschichte erhellen würde.

»Und Kate? Was gibt es bei ihr Neues?«, fragte Emma.

»Wie vorgesehen, hat sie ihren Wagen genommen und ist gerade am Kinderkrankenhaus von Jamaica Plain angekommen.«

»Sonst nichts?«

»Da war noch etwas, ich weiß nicht, ob es von Bedeutung ist.«

»Sag es trotzdem.«

»Als Kate vom Whole Foods zurückgekommen ist, hat sie ihren beruflichen Posteingang überprüft, und die einzige Mail, die sie geöffnet und ausgedruckt hat, betraf die Blutuntersuchung ihres Mannes.«

»Von der Blutspende, die Matthew heute Morgen im Rotkreuzbus abgegeben hat?«

»Ja, ist aber doch seltsam, dass man ihr die Ergebnisse übermittelt, oder?«

»Keine Ahnung, ich kenne das Prozedere nicht. Hast du Zugang zu dieser Mail?«

»Ich habe Zugang zu den Postfächern des gesamten Personals«, erinnerte er sie stolz.

»Dann leite sie mir weiter.«

—

Das Ergebnis der Blutuntersuchung umfasste zwei Seiten. Emma, die nichts davon verstand, versuchte, sich an ihre spärlichen Kenntnisse zu erinnern, um sich in dem Dschungel von Fachbegriffen und komplizierten Zahlen zurechtzufinden. Am Anfang der Liste wurden die Ergebnisse der hämatologischen Untersuchung aufgeführt: Erythrozyten, Hämoglobin, Hämatokrit, Erythrozyten-Einzelvolumen, Leukozyten, Thrombozyten, Gerinnungsfaktor, Eisen, Ferritin ...

Sie überflog die Zeilen, in der Hoffnung, irgendeinen Hinweis zu finden, und verglich Matthews Werte mit den vorgegebenen Richtwerten.

Dann wandte sie sich der biochemischen Analyse zu: Blutzucker, Kreatinin, Harnsäure, Enzyme, Gamma-GT, Aminotransferasen, TSH-Wert, HDL-Cholesterin, LDL-Cholesterin ...

Leber, Schilddrüse, Nieren ... scheint alles normal ...

Sie las die gesamte Auswertung noch einmal, ohne dass ihr etwas Besonderes aufgefallen wäre. Doch plötzlich bemerkte sie ein kleines Kästchen oben rechts auf dem Dokument, in dem stand: Seltenes erythrozytäres Blutgruppen-Antigen – Helsinki-Gruppe.

Emma horchte auf.

Helsinki-Gruppe? Was hat das nun wieder zu bedeuten?

Sie starrte ratlos auf den Bildschirm. Die letzten Tage waren anstrengend gewesen, hatten sie aber dennoch von ihrer Angst befreit und gezwungen, ihre Schutzhaltung aufzugeben und Mut zu zeigen. Doch jetzt kam sie nicht weiter. Sie brauchte die Hilfe eines Biologen oder eines Arztes, aber sie kannte keinen.

Seufzend wandte sie den Kopf zum Fenster. Der Schnee, der auf Bürgersteig und Straße lag, glitzerte im Sonnenlicht.

Obwohl sich eine Migräne ankündigte, waren ihre Gedanken jedoch völlig klar. Als sie im Geiste ihr Adressbuch durchging, fiel ihr plötzlich ein, dass der Mann ihrer Therapeutin ein medizinisches Labor an der Upper West Side leitete. Es lag im selben Haus wie die Praxis seiner Frau, doch Emma hatte die Verbindung erst hergestellt, als das Paar eines Abends im Imperator gegessen hatte. Das Problem war, dass Margaret Wood zum Wintersport in Aspen war. Emma hatte zwar ihre Handynummer, doch die Therapeutin antwortete nie direkt auf die Anrufe ihrer Patienten – und noch weniger in ihrer Freizeit. Sie versuchte es dennoch und geriet, wie erwartet, an die Mailbox, auf der sie eine

Nachricht hinterließ, eine dringende Bitte um Rückruf, da es »um Leben und Tod« gehe. Margaret Wood nahm vermutlich an, Emma sei im Begriff, sich von der Brooklyn Bridge zu stürzen, denn sie rief sie umgehend zurück. Emma entschuldigte sich und erklärte, sie benötige eine unglaublich wichtige Auskunft, die ihr Mann ihr vielleicht geben könne.

»Ich bin auf meinen Skiern auf dem Gipfel des Aspen Mountain, aber wenn Sie George erreichen wollen, der ist unten geblieben und trinkt in der Ajax Tavern seinen Bourbon. Ich schicke Ihnen eine SMS mit seiner Handynummer.«

—

»Mister Wood?«

»Am Apparat.«

»Es tut mir wirklich leid, Sie im Urlaub zu stören, aber ich habe die Nummer von Ihrer Frau bekommen.«

»Hm hm ...«, brummte der Mann wenig erfreut.

»Vielleicht erinnern Sie sich an mich. Mein Name ist Emma Lovenstein, ich war ihre Sommelière, als Sie letztes Jahr im Restaurant Imperator zu Abend gegessen haben.«

Bei diesem Hinweis wurde seine Stimme freundlicher.

»Wie könnte ich das vergessen haben? Ein wundervoller Abend. Das haben wir zum Teil Ihnen zu verdanken. Sie haben mir zu meinem Roquefort einen herausragenden Portwein empfohlen.«

»Ja, stimmt.«

»Einen Quinta do Noval, wenn ich mich nicht irre.«

»Ja, einen Quinta do Noval Nacional Vintage von 1987.«

»Man sagt, der von 1964 sei noch besser.«

»1963, genauer gesagt«, korrigierte Emma. »Das ist ein legendärer Jahrgang, von dem es nur noch wenige Flaschen gibt. Wenn es Ihnen Freude macht, versuche ich, eine für Sie aufzutreiben. Mister Wood, wenn ich Sie damit nicht allzu sehr belästige, würde ich Ihnen gerne ein paar Fragen stellen.«

»Natürlich, junge Frau, nur zu.«

Emma beugte sich zum Bildschirm vor, um die Worte korrekt auszusprechen.

»Was ist ein Phänotyp ...«

»Ah, das Blut macht weniger her als der Wein, nicht wahr? Dabei sind unsere Berufe gar nicht so weit voneinander entfernt: ›Trinket, dies ist mein Blut ...‹, wie unser Freund sagte!«

Zufrieden mit seinem Scherz, brach er in schallendes Gelächter aus.

»Was also ist ein ›seltenes erythrozytäres Blutgruppen-Antigen‹?«, wiederholte Emma und versuchte, ihre Ungeduld zu verbergen.

»Das bedeutet einfach, dass es sich um eine äußerst seltene Blutgruppe handelt.«

»Inwiefern selten?«

George Wood räusperte sich.

»Kennen Sie das Prinzip der Blutgruppen, Emma?«

»Ja, was man gemeinhin so weiß. Es gibt die vier großen Blutgruppen: A, B, AB und o und den positiven und negativen Rhesusfaktor.«

»Das ist immerhin ein Anfang, aber die Dinge sind viel komplexer. Das wissen zwar nur die wenigsten, aber es gibt Menschen, die weder die Blutgruppe A noch B noch AB oder o haben.«

»Wirklich?«

»Ja, ihre Blutgruppe wird als ›Bombay‹ bezeichnet, nach dem Namen der Stadt, in der die Wissenschaftler diese Beobachtung zum ersten Mal gemacht haben. Andere Menschen haben weder einen positiven noch einen negativen Rhesusfaktor. Dann spricht man vom RhNull-Phänotyp. Das sind nur zwei Beispiele unter vielen. Um es einfach auszudrücken, eine seltene Blutgruppe zeichnet sich dadurch aus, dass ihr ein oder mehrere Antigene fehlen, die normalerweise in den anderen Gruppen vorhanden sind.«

Professor Wood war jetzt ganz bei der Sache und es machte ihm offensichtlich Spaß, ein wenig zu dozieren.

»Die Besonderheit dieser Phänotypen besteht darin, dass sie bestimmte Antikörper produzieren, die bei Transfusionen oder Transplantationen Abstoßungsreaktionen hervorrufen. Menschen der Gruppe ›Bombay‹ können nur Blut von den Spendern derselben Gruppe empfangen.«

Schließlich stellte Emma die Frage, die ihr auf den Lippen brannte:

»Und die Gruppe ›Helsinki‹?«

Der Biologe stieß ein zufriedenes Grunzen aus.

»Ah, ›Helsinki‹, natürlich. Die ist noch seltener als Ihr Portwein von 1963. Unter dieser Gruppe fasst man Menschen zusammen, bei denen verschiedene Phänotypen seltener Erythrozyten zusammenkommen. Soweit ich weiß, gibt es auf dem amerikanischen Kontinent höchstens ein Dutzend Betroffener.«

Und Matthew gehört dazu …

Emma wurde immer aufgeregter. Die Migräne war wie weggeblasen. Sie wusste noch nicht genau, wie, aber sie war sich sicher, dass der Schlüssel zu dem Geheimnis in Matthews seltener Blutgruppe lag.

»Eine letzte Frage, Professor, dann lasse ich Sie in Ruhe Ihren Urlaub genießen: Unter welchen Umständen wird dieser seltene Phänotyp festgestellt?«

»Nun, dafür gibt es verschiedene Anlässe: Schwangerschaftsbetreuung, Abstoßungsreaktionen bei einer Transfusion, eine genauere Immunphänotypisierung bei einem Blutspender. Wenn im Labor eine seltene Blutgruppe auffällt, muss sie der Nationalen Spender-Datenbank gemeldet werden.«

»Vielen Dank, Sie haben mir wirklich sehr geholfen.«

»Ich rechne mit meiner Flasche Portwein«, sagte er.

»Ich werd's nicht vergessen.«

—

Emma spürte ihr Herz schneller schlagen. Sie hatte die Information gefunden, die sie von Anfang an gesucht hatte!

Auch wenn sie noch nicht das volle Ausmaß erfasste, war sie doch sicher, dass Matthews Zugehörigkeit zur »Helsinki-Gruppe« im Zentrum des Geheimnisses stand, das Kate umgab.

Ganz ruhig bleiben …

Um Ordnung in ihre Gedanken zu bringen, konzentrierte Emma sich auf den perlmuttfarbenen Schimmer, den das Sonnenlicht in ihr Glas zauberte. Sie beschloss, noch einmal alles zusammenzufassen, was sie über Kate und Matthew wusste. Sie fing mit ihrer ersten Begegnung an und erinnerte sich an das, was Sarah, die erste Frau von Matthew, ihr erzählt hatte.

Herbst 2006: Nachdem sich Matt mit einer Gartenschere verletzt hat, begibt er sich in die Notaufnahme. Dort trifft er Kate, die an diesem Tag Dienst hat. Sie sind sich auf Anhieb sympathisch, und sie näht die Wunde mit einigen Stichen.

Und sie hat ihm sicher auch Blut abgenommen …

Emma führte ihre Überlegungen weiter: Wenn Kate wirklich eine Blutuntersuchung vorgenommen hat, hat sie entdeckt, dass seine Blutgruppe zu der äußerst seltenen »Helsinki-Gruppe« gehört. Einige Tage später geht sie mit ihm aus, und nach wenigen Monaten heiratet sie ihn.

Aber warum?

Emma hob den Kopf, und der Anblick des »Stuntman« riss sie aus ihren Gedanken. Oleg Tarassow hatte gerade seine Keycard an der Rezeption abgegeben und steuerte nun auf den Ausgang zu.

Sie machte sich ganz klein, damit er sie nicht bemerkte, und sah ihm so lange wie möglich hinterher.

Dann verließ sie, das Smartphone am Ohr, im Laufschritt die Bar des St. Francis.

»Romuald? Tarassow macht sich aus dem Staub. Ich versuche, ihm zu folgen, bleib am Telefon. Ich habe eine ungeheuerliche Entdeckung gemacht.«

»Ich habe Ihnen auch was zu erzählen.«

»Später, ich ... Verdammt!«

»Was ist?«

»Ich glaube, er hat ein Auto.«

Entgegen allen Erwartungen fuhr der Parking Valet des Hotels mit einem eindrucksvollen bordeauxroten Pick-up vor, dessen kreuzförmiger Kühlergrill mit einem silbernen Widderkopf verziert war. Er reichte Tarassow die Schlüssel, und dieser nahm am Steuer Platz.

Überrascht hielt Emma nach einem Taxi Ausschau. Sie bat den Angestellten, ihr eines zu rufen, doch der Pick-up hatte sich bereits in den Verkehr eingefädelt und verschwand aus ihrem Blickfeld.

So ein Mist!

»Ich habe ihn verloren, Romuald. Er fährt in Richtung Park.«

»Auf der Boylston Street?«

»Ja.«

»Mit welcher Marke ist er unterwegs?«

»Mit einem bordeauxroten Dodge, aber ...«

»Ich kann ihn beschatten!«

»Nein! Was redest du da? Mach keinen ...«

—

Der Junge zog seinen dicken Parka mit dem Pelzkragen an und schob das Handy in die Tasche. Eilig verließ er das Zimmer und stürzte die Treppe hinab, als ginge es um sein Leben. In der Halle des Luxushotels brachte er beinahe eine alte Dame zu Fall, die sich, auf ihren Rollator gestützt, mühsam fortbewegte, stolperte dann fast über ihren Malteser-Hund und rempelte einen Etagenkellner an, der ein Tablett mit Champagnergläsern trug.

»Entschuldigung, tut mir leid, ich ...«

Er stürmte auf den Vorplatz des Four Seasons und sah, wie der Portier in seiner dunklen Livree mit den Goldknöpfen einer Familie half, das Gepäck auszuladen.

Jetzt stell dir ausnahmsweise mal keine Fragen ...

Der Motor des Wagens lief noch. Im Handumdrehen saß Romuald auf dem Fahrersitz und gab Vollgas. Er zog die Tür zu, und der SUV raste mit quietschenden Reifen davon.

Kapitel 23

Die Linie des Herzens

Wer zittert nicht bei dem Gedanken an all das Unglück,
das ein einziges gefährliches Verhältnis hervorbringen kann.

Choderlos de Laclos, *Gefährliche Liebschaften*

Als Romuald in die Avenue einbog, hatte er plötzlich wieder den bordeauxroten Pick-up im Blickfeld. Aus seiner Tasche drang ein Knistern und die gedämpfte Stimme von Emma, die noch immer nicht aufgelegt hatte. Er hielt sein Handy ans Ohr.

»Du lässt diesen Wagen sofort stehen und kehrst auf der Stelle ins Hotel zurück!«, rief Emma.

Sie rannte fast, um so schnell wie möglich im Four Seasons zu sein, und rempelte dabei mehrere Passanten an.

»Hast du mich verstanden?«

»Das ist unsere einzige konkrete Spur!«

»Du sitzt in einem gestohlenen Wagen und kannst nicht mal fahren!«

»Kann ich doch!«

»Du baust einen Unfall und landest im Knast!«

»Ich denke nicht daran, aufzugeben.«

Romuald legte einfach auf.

Und zum ersten Mal seit ihrer Begegnung wurde Emma klar, welch enormer Gefahr sie den Jungen aussetzte. Sie hatte ihn in ihre Nachforschungen einbezogen und dabei nur an sich selbst gedacht. Sie war entsetzt über ihre eigene Leichtfertigkeit, doch jetzt war es zu spät. Sie hatte jegliche Kontrolle über den jungen Franzosen verloren.

Sie betrat die Halle des Four Seasons und steuerte auf die Aufzüge zu. Sie musste sich beruhigen, sich in den Griff bekommen. Den Kontakt zu dem Jungen wieder aufnehmen. Sie wählte erneut seine Nummer. Er nahm ab.

»Bist du dran, Brillenschlange? Okay, dann hör zu: Einverstanden, folge diesem Typen. Aber fahr vorsichtig und lass dich nicht erwischen, weder von ihm noch von der Polizei – das ist ein Befehl! Du gehst kein Risiko ein, und du steigst unter keinen Umständen aus dem Wagen. Kapiert?«

»Ja, Mama.«

»Und du legst nicht mehr einfach so auf!«

Romualds Handy gab ein Summen von sich. Er sah auf das Display. Ein Symbol signalisierte ihm, das der Akku nur noch zu sieben Prozent geladen war.

Am liebsten hätte er sich die Haare gerauft. Wie hatte er, der sein Leben zwischen Smartphone und Laptop verbrachte, so nachlässig sein können?

»Meine Batterie ist gleich leer«, hauchte er gequält. »Ich melde mich, sobald es was Neues gibt.«

—

Wütend auf sich selbst und von Schuldgefühlen gepeinigt, betrat sie die Suite. Außer beten konnte sie nichts tun, um Romuald zu helfen. Tapfer kämpfte sie gegen ihr schlechtes Gewissen an. Der Junge hatte das Zimmer überstürzt verlassen, ohne die Bildschirme auszuschalten und die Programme zu schließen. Sie ließ sich in seinem Sessel nieder und starrte auf den Monitor. Kurz vor seinem übereilten Aufbruch hatte Romuald die Archive des *Wall Street Journal* durchforstet. Er hatte in einem Fenster einen der vielen Artikel geöffnet, den das Wirtschaftsjournal Nick Fitch gewidmet hatte. Der Artikel war nicht aktuell, sondern stammte aus dem Jahr 2001. Er hatte nur die Länge einer Agenturmeldung, doch sein Inhalt war interessant.

Die Affäre Nick Fitch

Obwohl ihr Spitzenprodukt Unicorn einen Erfolg nach dem anderen verbucht, muss man sich die Frage stellen: Hat die Firma Fitch Inc. noch einen Kapitän an Bord?

»Was ist los mit Nick Fitch?«, heißt es im Silicon Valley. Die lange Abwesenheit des Mitbegründers und Hauptaktionärs im Firmensitz macht allmählich einige Leute stutzig.

Schlimmer noch: Seit zwei Monaten »schwänzt«
Fitch wie ein fauler Schüler die Hauptversammlung
und die Präsentation der neuesten Produkte.
Ein ungewöhnliches Verhalten für dieses Arbeitstier,
das Misstrauen bei den Investoren auslöst und den
Aktienkurs in den Keller rutschen lässt.
Zu diesem Thema befragt, hat der Pressesprecher der
Gruppe in einem lakonischen Kommuniqué ver-
sichert, »alles läuft bestens« im Leben des Nick
Fitch, dieser habe nur eine schwere Bronchitis hinter
sich und sei bald wieder auf seinem Posten.

Emma klickte auf andere Links der Seite. Allem Anschein nach war Fitch an den folgenden Tagen in die
Firma zurückgekehrt. Die Börsenkurse hatten erneut
ihren schwindelerregenden Höhenflug angetreten, und
die Information hatte sich peu à peu im allgemeinen Gedächtnis und in den Mäandern des Internets verloren.

Emma las noch einmal das Ende des Artikels.

Eine schwere Bronchitis? Von wegen ...

Sie schüttelte den Kopf und schloss die Augen, um
sich besser konzentrieren zu können.

Und wenn Nick tatsächlich krank war?

Nach und nach fügten sich die Puzzleteile zusammen.

Die Krankheit, das Blut, der Arzt, die Gesundheit ...

So viele Elemente, die sich wie Perlen auf dem Ari-
adne-Faden aufreihten und allmählich zur Auflösung
ihrer Nachforschungen führten.

Emma öffnete die Augen und warf einen Blick auf die anderen Bildschirme.

Das Intranet des Krankenhauses ...

Sie näherte sich der Tastatur und griff nach der Maus. Nach guten fünf Minuten und mehreren Manipulationen hatte sie begriffen, wie sie an die Patientenakten kam und mittels Keyword darin recherchieren konnte.

Sie gab zunächst »Nick Fitch« ein.

Keine Antwort.

Das wäre ja auch zu schön, um wahr zu sein ...

Dann versuchte sie es mit: »Gruppe + Helsinki«.

Eine Patientenakte erschien auf dem Bildschirm.

Sie fühlte ihr Herz heftig schlagen. Noch nie war sie der Wahrheit so nahe gewesen.

Es handelte sich um einen gewissen P. Drake, der zur Zeit in der kardiologischen Abteilung von Jamaica Plain untergebracht war!

Sie klickte, um das Dossier zu öffnen. Und als sie den Vornamen des Patienten las, fügten sich weitere Puzzleteile in ihrem Kopf zusammen.

Der Mann hieß Prince Drake.

Prince Dark, Dark Prince: der Schwarze Prinz ...

Es war Nick Fitch. Der Geschäftsmann, der sich momentan in Kates kardiologischer Abteilung stationär behandeln ließ!

Fassungslos ob dieser Entdeckung, las Emma aufgeregt die Krankenakte durch. Sie brauchte Zeit, verstand aber das Wesentliche. Und was sie folgerte, ließ sie erstarren.

Fitch war mit nur einer Herzkammer zur Welt gekommen. Ein schwerer angeborener Herzfehler, der die ausreichende Sauerstoffversorgung im Blut verhinderte und ein »blue Baby« aus ihm machte: Ein blausüchtiges Kind, von dem man nicht wusste, ob es das Erwachsenenalter erreichen würde.

Im Alter von acht Jahren wurde ein palliativer Eingriff an ihm vorgenommen, um die Sauerstoffversorgung des Bluts zu verbessern, gefolgt von zwei Operationen am offenen Herzen, sieben und zehn Jahre später.

Diese Operationen hatten ihn zwar am Leben gehalten, die Frist aber letztlich nur verlängert: Früher oder später würde man ihm ein neues Herz transplantieren müssen. Ein quasi unmöglicher Eingriff angesichts seiner extrem seltenen Blutgruppe, die besagte Helsinki-Gruppe. Mit seinen zweiundvierzig Jahren war es also ein Wunder, dass Nick Fitch noch lebte. Über Jahre hinweg stand er unter peinlich genauer ärztlicher Aufsicht, ohne dass die Öffentlichkeit je davon erfahren hätte. Er hatte sich mit eisernem Willen ans Leben geklammert. Jetzt aber schien sein Herz zu versagen.

Emma scrollte weiter durch die Krankenakte. Den letzten Anmerkungen zufolge war Fitch vor vierundzwanzig Stunden eingeliefert worden und wartete auf eine Herztransplantation. Dieses Mal hatte der Geschäftsmann die Karten auf den Tisch gelegt: entweder Transplantation oder Tod.

—

Romuald konzentrierte sich ganz aufs Fahren. Er hatte sich gerade selbst einen Mordsschrecken eingejagt, als er »seinen« SUV vor einer roten Ampel auf der Beacon Street abgewürgt hatte. Er hatte ein Weilchen gebraucht, um den Wagen wieder anzulassen, und einen Augenblick lang befürchtete er, die Spur des Stuntman verloren zu haben. Schließlich hatte er den roten Pick-up wieder auf dem Expressway ausmachen können, der um das Stadtzentrum im Nordwesten herumführte.

Auf Höhe der Abzweigung zur Interstate 93 kam es vorübergehend zu einem Stau. Während die Autos Stoßstange an Stoßstange fuhren, gab er höllisch acht, nicht versehentlich den falschen Gang einzulegen. In Frankreich hatte er mit seinem Vater erste Stunden des begleiteten Fahrens absolviert, hatte sich aber keinen Augenblick vorstellen können, dass er so schnell allein am Steuer eines Wagens sitzen würde.

Der Stau löste sich rasch wieder auf. Er behielt den Pick-up im Auge, war aber peinlich darauf bedacht, unbemerkt zu bleiben. Momentan fuhr der Dodge recht zügig in nördliche Richtung und durchquerte das Gebiet Middlesex Fells Reservation, das von Eichen, Weißtannen und Nussbäumen umgeben war, dann bog der Pick-up Richtung Osten ab und fuhr schließlich in eine kleinere Nebenstraße.

Auf dem Weg nach Lowell, eine ehemals blühende Industriestadt, gab der Junge besonders acht, einen sicheren Abstand zu seinem »Zielobjekt« zu wahren. Die Schönheit der Landschaft war atemberaubend. Die

Sonne touchierte den Horizont und malte zarte gelbe und orangefarbene Streifen an den Himmel. Dann wieder das silbrige Schimmern eines Sees oder eines Wasserlaufs.

In dem Augenblick, als Romuald es am wenigsten erwartet hätte, bog der Pick-up abrupt in einen engen Waldweg ein.

Wo will er nur hin?

Der Junge hielt am Seitenstreifen und rief Emma an, um ihr seinen Standort mitzuteilen.

—

In Boston war die Sonne soeben hinter einer dicken Wolkenschicht verschwunden. Emma blieb eine Weile reglos im Halbdunkel der Suite sitzen. Die Zeit ringsumher schien stehen geblieben zu sein. Auch wenn es keinen Zweifel gab, fiel es ihr doch schwer, die furchtbare Wahrheit, die sie aufgedeckt hatte, zu akzeptieren: Kate plante, ihren Ehemann umzubringen, um dessen Herz ihrem Geliebten einzupflanzen.

Ihre Gedanken wirbelten durcheinander, doch nach und nach wurde die furchtbare Wahrheit zur Gewissheit. Die seit einer Woche gesammelten Informationen fügten sich zu einer tödlichen Falle. Das Porträt einer Frau zeichnete sich immer deutlicher ab, einer Frau, die aus wahnsinniger Liebe ihre Intelligenz in den Dienst eines monströsen Plans gestellt hatte.

Emma sah einen Film vor sich, Bilder und Szenen,

denen sie nicht beigewohnt hatte und deren Details sie nicht kannte, die sich aber zu einer grausamen Wahrheit zusammenfügten.

Mitte der 1990er-Jahre: Kate und Nick durchleben eine intensive Leidenschaft. Diese beiden sind dafür geschaffen, zusammenzuleben und einander zu lieben. Umwerfende Schönheit, Jugend, Intelligenz. Sie inspirieren sich gegenseitig. Ihre Geschichte ist stark und einzigartig. Sie beginnt bei dieser berühmten ersten Begegnung, von der Joyce Wilkinson ihr erzählt hat, an einem verschneiten Tag im Restaurant einer Autobahnraststätte. Die wichtigste Geschichte für Kate überhaupt: Der Tag, an dem ihr Leben ins Wanken geraten ist, der Tag, an dem sie einander gesehen haben, der Tag, an dem Nick sie gerettet hat ...

Aber Nick hat ein Geheimnis: Eine Herzkrankheit, die lebensgefährlich ist, die er aber seit seiner frühsten Jugend verheimlicht. Vielleicht, weil er nicht bemitleidet werden will, mit Sicherheit aber, weil er die Kontrolle über seine Firma nicht verlieren will. Er weiß, er kann jeden Moment sterben, und will Kate diese Belastung, diesen Schmerz ersparen. Deshalb geht er auf Distanz, macht sie unglücklich und zwingt sie dadurch, sich von ihm zu entfernen. Kate ist verzweifelt. Sie verliert jegliches Selbstvertrauen, versteht nicht, warum Nick sie zurückweist, und geht sogar so weit, sich einer Schönheitsoperation zu unterziehen, in der Hoffnung, ihn dadurch zurückzuerobern.

Was geschieht dann? Zweifellos begreift Nick, dass

dies nicht der richtige Weg ist, dass er der geliebten Frau die Wahrheit enthüllen muss. Ein Geständnis, das sie mit großer Erleichterung aufnimmt. Es bedeutet nicht nur, dass Nick noch immer verliebt in sie ist, sondern darüber hinaus, dass sie jetzt die Gelegenheit hat, ihn ihrerseits zu retten. Diese Erkenntnis treibt sie dazu an, von einem Tag zum anderen ihr Neurologiestudium abzubrechen, um sich dem Fach Herzchirurgie zuzuwenden. Der Beginn eines neuen Lebens, das ganz der Arbeit gewidmet ist, der medizinischen Forschung und damit Nicks Gesundheit. Ihre Recherchen sind brillant und gehen in verschiedene Richtungen – die Behandlung mit Immunosuppressiva, die genetische Modifikation der Blutgruppen –, führen aber zunächst nicht zu einem Ergebnis, das Nick kurzfristig helfen könnte. Denn sie stößt immer auf dasselbe Hindernis: Nur eine Transplantation kann das Leben des geliebten Mannes retten. Sie weiß aber auch, dass der Spender des eingepflanzten Herzens dieselbe seltene Helsinki-Blutgruppe haben müsste, um eine Abstoßungsreaktion zu verhindern.

—

Wie weit kann man aus Liebe gehen?
Weit.
Sehr weit.
Aber es gibt eine Grenze, über die sich nur wenige Menschen hinauswagen.

Kate hatte sie überschritten.

Was hatte Kate zu diesem Schritt getrieben? Was war der Auslöser gewesen? Und auch hier war Emma in der Lage, die Szene zu »sehen«, als säße sie vor einer Kinoleinwand.

August 2006. Während eines endlosen Bereitschaftsdienstes erscheint ein Patient, charmanter als die anderen, in der Notaufnahme des Krankenhauses. Er hat sich mit einer Gartenschere verletzt. Es ist ein junger Philosophieprofessor, ein wirklich cooler Typ, intelligent und humorvoll. Kate behandelt ihn und näht die Wunde mit einigen Stichen. Sie spürt, dass sie ihm gefällt, aber auch, dass er äußerst korrekt ist. Trotzdem kann er nicht umhin, sich auf das Spiel der Verführung einzulassen. Bei ihr verhalten sich *alle* Männer so. Obwohl sie nicht sonderlich stolz darauf ist, weiß sie, dass sie dieses Etwas hat, das andere nicht haben. Das schmeichelt ihr nicht, stärkt auch nicht ihr Selbstvertrauen. Seit Langem führt sie einen anderen Kampf. Einen anderen Krieg.

Trotzdem entspannt sich an diesem Nachmittag etwas in ihr. Was passiert wirklich? Vielleicht ist es ein schwieriger Tag gewesen, und Matthew hat sie zum Lachen gebracht. Vielleicht gefällt ihr seine kultivierte Art oder die Tatsache, dass er sie nicht plump anmacht und sie sich in Sicherheit fühlt. Und so nimmt sie seine Einladung an, einen Kaffee mit ihm zu trinken.

Es ist Anfang Oktober. Altweibersommer. Goldenes Sonnenlicht fällt auf den Krankenhausparkplatz, auf dem ein Blutspendebus des Roten Kreuzes steht. Die beiden trinken in aller Ruhe ihren Kaffee. So, wie sie es gewöhnlich mit jedem macht, versucht sie, ihn zum Blutspenden zu überreden. Sie erklärt ihm, dass sie diese Initiative ins Leben gerufen hat und dass es nett wäre, wenn er daran teilnehmen würde. Er hört sie, ohne ihr zuzuhören. Er beobachtet, wie sie eine blonde Strähne hinters Ohr schiebt. Er denkt an Grace Kelly in den alten Hitchcock-Filmen. Er fragt sich, ob es einen Mann gibt, der das Glück hat, jeden Morgen neben dieser Frau aufzuwachen. Und er ist augenblicklich eifersüchtig. Er überlegt schon, wie er es anstellen kann, sie wiederzusehen. Er findet es rührend, wie sie ihn zum Blutspenden zu animieren versucht. Er antwortet, er sei nicht nüchtern. Sie meint, das spiele keine Rolle. Er entgegnet, er habe Angst vor den Kanülen. Sie schlägt vor, ihn zu begleiten. Er stimmt erfreut zu.

Dann nimmt das Leben wieder seinen gewohnten Lauf. Vielleicht haben sie ihre Telefonnummern ausgetauscht, aber das ist nicht sicher. Kate hält sich nicht lange mit der Erinnerung auf. Diese beginnt bereits zu verblassen, als sie zwei Tage später das Ergebnis der Blutanalyse sieht.

Zunächst traut sie ihren Augen nicht und bittet das Labor, eine zweite Analyse vorzunehmen. Das Resultat wird bestätigt: Matthew gehört tatsächlich der Helsinki-Gruppe an! Matthew ist im selben Jahr geboren wie Nick. Er hat den gleichen Körperbau. Er ist der »perfekte Spender«.

Wie sollte man das nicht als Zeichen des Himmels sehen? Eine unglaubliche Chance, die sich nie wieder bieten würde. Was spielt sich genau in diesem Moment in Kates Kopf ab? Was empfindet sie, als ihr klar wird, dass der einzige Weg, den Mann, den sie liebt, zu retten, darin besteht, zur Mörderin zu werden?

Wann überschreitet man die Grenze zwischen Liebe und Wahnsinn?

—

Das Telefon klingelte mehrmals, bis Emma aus ihren Gedanken aufschreckte.

»Ja, Romuald. Wo bist du?«

»Gut zehn Kilometer südlich von Lowell. Der Pick-up des Stuntman ist in einen Waldweg eingebogen.«

»Okay. Der Typ muss eine Hütte oder was Ähnliches in der Ecke haben. Da wir jetzt wissen, wo er sich versteckt, kommst du schnurstracks ins Hotel zurück.«

Der Junge zögerte. Emma vernahm im Hintergrund das Geräusch des Motors, der noch immer lief.

»Komm her, Romuald. Ich hab dir ganz viel zu erzählen. Wir müssen eine Entscheidung treffen.«

Doch er hörte gar nicht zu.

»Romuald, bitte!«

Der Junge putzte seine Brillengläser. Er konnte nicht mitten im Geschehen aufhören. Nicht herauszufinden, was es am Ende dieses Weges gab, bedeutete für ihn ein Mangel an Mut, eine persönliche Niederlage.

Er setzte seine Brille wieder auf und schaltete in den ersten Gang.

»Ich schaue mich um«, sagte er. »Ich lasse das Handy an.«

Er prüfte den Ladestand seines Akkus – drei Prozent – und fuhr dann in den Wald. Der Weg war von einer dicken Schneeschicht bedeckt, doch die gewaltigen Reifen des Dodge hatten eine Spur gebahnt.

Je weiter er vordrang, desto finsterer wurde es. Die Sonne war verschwunden, verborgen hinter den dicht stehenden Nadelbäumen. Langsam fuhr er etwa einen halben Kilometer weiter.

Emma wurde vor Sorge immer nervöser.

»Bist du noch da, Brillenschlange?«

»Ja, aber ich stecke in einer Sackgasse.«

Der Junge hielt das Lenkrad umklammert. Der Dodge war am Ende des Weges umgekehrt und stand jetzt vor ihm.

»Der Pick-up ist hier, aber ...«

Er kniff die Augen zusammen.

»Aber was?«

»Ich glaube, es sitzt niemand am Steuer.«

»Romuald, kehr um, verdammt!«

»Ja, das ist vernünftiger«, gab er zu.

Jetzt bekam er wirklich Angst. Innerhalb weniger Sekunden war der Wald undurchdringlich geworden und schien sich um ihn herum zu schließen. Er legte den Rückwärtsgang ein, aber der Weg war schmal, und der Wagen blieb im Schnee stecken.

Mist ...

Schweiß perlte von seiner Stirn. Er zog die Handbremse an und stieg aus. Unheimliche Stille umhüllte ihn. Vereinzelte Flocken lösten sich von den Zweigen und tanzten in der Luft.

»Ist da jemand?«, fragte er mit zitternder Stimme.

Keine Antwort.

Mit wenigen Schritten näherte er sich dem Pick-up und warf einen Blick hinein.

Niemand.

Er bemerkte, dass die Fahrertür nicht abgeschlossen war. Er wollte sie öffnen, als er ein Knirschen im Schnee vernahm. Er fuhr herum und registrierte einen schwarzen Schatten, der sich auf ihn stürzte.

Er riss den Mund auf, um etwas zu brüllen, doch der Griff einer Waffe prallte auf seinen Schädel.

Er verlor das Bewusstsein.

Emma vernahm eine Folge von dumpfen Geräuschen und geriet in Panik.

»Brillenschlange? Hörst du mich?«, rief sie aufgeregt. »Erkläre mir, was passiert, Romuald. Bitte!«

Tränen schossen ihr in die Augen, ihre Verzweiflung war groß. Sie hörte nur noch den Piepton des leeren Akkus.

Die Verbindung war abgebrochen.

Sechster Teil
Jenseits der Grenze

Kapitel 24

Helden und Schurken

Bedauere jene, die Angst haben,
denn sie schaffen sich ihr eigenes Grauen.

Stephen King, *The Green Mile*

Es war schon fast Nacht, als der bordeauxrote Pick-up das Industriegebiet von New Hartland an der Grenze zwischen New Hampshire und Massachusetts erreichte.

Es schien gut mit Gittern und Holzzäunen gesichert, doch wer wirklich hier hineinwollte, fand auch einen Zugang. Der Dodge fuhr am Haupteingang vorbei die Straße entlang und bog dann auf einen kleinen, versteckten Schotterweg ein, über den er ein schweres, mit einem Vorhängeschloss gesichertes Eisentor erreichte. Der Stuntman bremste scharf und stieg, bewaffnet mit einem Bolzenschneider und einer Blechschere, aus. Im Licht der Scheinwerfer hatte er im Handumdrehen das Tor geöffnet. Er stieg wieder in den Wagen und setzte seinen Weg fort.

Das Areal, das zwischen dem Fluss und einer alten Bahnlinie lag, war im Laufe der letzen Jahre nach und nach in Vergessenheit geraten. Der Dodge fuhr durch ein düsteres, mehrere Hektar großes Terrain: Lagerschuppen, verfallene Güterhallen, Fabrikgebäude mit zugemauerten Fenstern, Brachlandflächen.

Oleg Tarassow lenkte den Wagen in eine lang gestreckte Halle, in der früher das Schlachthaus von County Hillsborough untergebracht gewesen war. Es war das letzte Unternehmen auf diesem Gelände, das vor drei Jahren geschlossen hatte. Einige Gebäude waren von einem Makler aufgekauft worden und noch am Stromnetz angeschlossen.

Die Gemeinde hatte, zusammen mit privaten Investoren, geplant, hier ein Kultur- und Freizeitzentrum zu schaffen, aber das Projekt war wegen der Wirtschaftskrise nicht zustande gekommen. Jetzt war hier Brachland, und die leer stehenden Gebäude verfielen langsam – zur großen Freude der Hausbesetzer, Gangs und Drogenhändler.

Tarassow stieg aus und schaltete das Licht ein, das flackernd die Halle erhellte.

Unsanft zerrte er Romuald aus dem Pick-up auf den Boden und versetzte ihm ein paar heftige Ohrfeigen, damit er wieder zu Bewusstsein kam.

Erfolglos.

Tarassow war beunruhigt. Er hatte sich aufmerksam den Pass angesehen, den der Junge in der Tasche hatte: Er war minderjährig und Ausländer. Warum war er ihm seit dem St. Francis gefolgt? Hatte das etwas mit dem Auftrag zu tun, den er heute Nacht ausführen sollte? In Gedanken ging er noch einmal seinen Tag durch. Im Nachhinein machte ihn die junge Frau, die mit ihm zusammen den Aufzug genommen hatte, stutzig. Wenn er es sich jetzt genau überlegte, war ihr Verhalten seltsam gewesen. Verfolgte auch sie ihn? Aber warum? Er hatte sich doch genau an die Regeln gehalten. Wie so oft war der Auftraggeber das schwächste Glied in der Kette. Er zögerte, Kate Shapiro anzurufen, aber die Anweisungen waren eindeutig: keine Telefonate, kein Kontakt, keine Spuren. Er fragte sich, ob die noch ausstehende Summe die Mühe lohnte. Die Frau hatte sich korrekt verhalten. Sie hatte ihm bereits zwei Anzahlungen von jeweils fünfhunderttausend Dollar übergeben. Er wusste nicht, woher sie das viele Geld hatte, und das ging ihn auch nichts an, auf jeden Fall hatte sie Zugang zu Bargeld. Viel Bargeld. Und die Scheine waren nicht markiert. Er konnte sich eine weitere Million Dollar verdienen. Also beschloss er, den Vertrag auch weiterhin einzuhalten.

Während er darauf wartete, dass der Junge, der noch immer ohnmächtig am Boden lag, wieder zu sich kam, griff er nach einem Stuhl, wischte die Spinnweben mit der Hand ab und setzte sich an einen metallenen Tisch. Er zündete sich eine Zigarette an und legte die Schachtel Streichhölzer auf den Tisch. Während er den Rauch ausstieß, zog er ein Notebook aus seinem Köfferchen, klappte es auf und ging noch einmal all die gewissenhaft festgehaltenen Informationen über den Mann durch, den er töten sollte.

—

Romuald nahm zunächst nur ein schwaches, gelbliches Licht wahr. Ein dumpfes Brummen und ein stechender Schmerz erfüllten seinen Schädel. Er lag auf dem nackten Fußboden und versuchte, sich aufzurappeln, stellte dann aber fest, dass seine Hände gefesselt waren.

Wo bin ich?

Als er wieder ganz zu sich kam, erkannte er, dass er sich in einer Lagerhalle mit unverputzten Betonwänden befand, die von einem trüben Licht erhellt wurde. Er zerrte an seinen Fesseln, doch dadurch schnitten die Nylonseile nur noch tiefer in sein Fleisch. Vor Schmerzen verzog er das Gesicht und begriff, dass es ihm nicht gelingen würde, sich zu befreien.

Tränen stiegen ihm in die Augen, und plötzlich sah er einen Mann auf sich zukommen. Er versuchte, sich aufzurichten oder gar aufzurappeln, doch schon stellte Tarassow seinen Fuß auf Romualds Brust.

»Wehe, du rührst dich!«

Entsetzt wagte der Junge nicht einmal, den Blick zu heben.

»Warum folgst du mir?«, fragte der Fremde und trat fester zu.

Romuald schloss die Augen und presste die Lippen aufeinander.

»Warum?«, brüllte Tarassow so laut, dass der Junge in Schluchzen ausbrach.

Außer sich vor Wut, versetzte der Russe Romuald einen so heftigen Tritt in die Rippen, dass der Junge nach Luft rang und husten musste.

Brutal packte Tarassow ihn beim Kragen und schleifte ihn in einen fensterlosen Raum, dessen Wände und Decke aus Metall waren. Der Stuntman schleuderte Romuald auf den Boden und schloss ihn ein. Der Junge brauchte nicht lange, um zu begreifen, wo er sich befand. Ein eisiger Wind schlug ihm ins Gesicht. Die kalte Luft kam aus einem riesigen Gebläse. Er war in einer Kühlkammer eingesperrt.

—

Boston
Feinkostgeschäft Zellig Food

Matthew versuchte, sich mit seinem Einkaufswagen einen Weg zur Obst- und Gemüseabteilung zu bahnen.

»Schneller, Papa, schneller«, rief Emily, die auf dem Kindersitz saß.

Matthew streichelte die Wange seiner Tochter und wählte einen Bund Petersilie, Estragon sowie ein Netz Schalotten und kleine Zwiebeln.

Dann entdeckte er sie endlich ganz am Ende der Auslage – die kleinen französischen Delikatess-Kartoffeln, die seine Frau so sehr liebte. Er hatte schon erfolglos bei etlichen Gemüsehändlern der Stadt nachgefragt. Er hatte ein Festessen geplant, das nur aus Kates Lieblingsgerichten bestand. Trotz des bemerkenswerten Preises füllte er eine große Tüte mit den Kartoffeln, prüfte auf seiner Liste, ob nichts fehlte, und eilte zur Kasse.

»Papa, wir haben das Getränk für den Weihnachtsmann vergessen«, rief Emily plötzlich.

»Ja, stimmt«, pflichtete er ihr bei und kehrte um. In der Abteilung mit Molkereiprodukten wählten sie zusammen ein Tetra Pak Eggnog.

»Wir geben dann einen guten Schuss Bourbon dazu. Das mag der Weihnachtsmann gerne, und bei der Kälte wird es ihm guttun«, meinte Matthew und zwinkerte seiner Tochter zu.

»Eine tolle Idee!«, rief die Kleine lachend.

Matthew lächelte und sagte sich, er dürfe nicht vergessen, das Glas zu leeren, bevor die Kleine morgen früh ins Wohnzimmer käme.

—

Die Kälte lähmte Romuald. Die Knie an die Brust gezogen, hatte er sich zusammengerollt und den Kopf in die Pelzkapuze seines Parkas geschoben. Er schaute auf die Uhr. Jetzt war er schon seit zwanzig Minuten in dem Kühlraum. Er hatte Zeit gehabt, sich umzusehen. In einer Ecke lag ein Stapel zerbrochener Holzpaletten. Die Wände waren mit Rost und Schimmel überzogen.

Unmöglich, die Kühlung von hier drinnen abzustellen. Unmöglich, die Tür zu öffnen.

Verzweifelt rieb er seine Hände aneinander, um sie aufzuwärmen. Er zitterte am ganzen Leib und klapperte mit den Zähnen. Sein Herz raste wie nach einer großen Anstrengung.

Zuerst war er von einem Fuß auf den anderen gehüpft, um nicht zu erfrieren, aber die Kälte war zu groß. Sie durchdrang seine Kleider, er war wie gelähmt.

Plötzlich, als er schon nicht mehr damit rechnete, übertönte ein zischender Laut das Surren der Kühlung, und die Tür öffnete sich. In der einen Hand eine Pistole, in der anderen ein Messer, kam der Stuntman langsam auf ihn zu.

»Die Kälte ist furchtbar, was?«, sagte er und beugte sich über den Jungen. »Wenn man das noch nicht erlebt hat, kann man sich die Qual gar nicht vorstellen.«

Mit einem Schnitt durchtrennte er die Fesseln an Romualds Handgelenken. Auf allen vieren kroch dieser aus dem Kühlraum.

Tarassow beobachtete ihn. Er wusste genau, wie schlimm der plötzliche Temperaturwechsel war. Es verschlug Romuald den Atem. Er hustete laut und rieb sich Schultern, Arme und Gesicht, doch er fror noch immer. Nur die warme Luft, die er einatmete, brachte ihm etwas Linderung.

Tarassow ließ ihm nur wenige Augenblicke Ruhe.

»Ich stelle dir die Frage nicht zehn Mal. Du hast

nur zwei Möglichkeiten: Entweder du antwortest mir, oder du kehrst in den Kühlraum zurück – und zwar für immer.«

Mit geschlossenen Augen rang der Junge nach Luft. Tarassow drohte ihm weiter: »Du glaubst, dass das, was du erlebt hast, die Hölle wäre, aber da irrst du dich. Das war nur ein kleiner Vorgeschmack. Denk gut nach: Du bist hier im absoluten Niemandsland, du kannst schreien, so laut du willst, es wird dich niemand hören. Wenn du nicht redest, krepierst du ganz allein, langsam und unter unendlichen Qualen.«

Romuald öffnete die Augen und sah sich schnell um. Keine Möglichkeit zur Flucht. Kein Ort, um sich zu verstecken.

Der Russe baute sich vor ihm auf.

»Ich frage dich jetzt zum letzten Mal: Warum bist du mir gefolgt?«

Der Junge bekam einen erneuten Hustenanfall. Tarassow verlor die Geduld und packte ihn bei den Haaren.

»Wirst du mir jetzt endlich antworten?«

Romuald nahm all seine Kraft zusammen, senkte den Kopf und rammte ihn in den Brustkorb seines Peinigers.

Überrascht steckte der Russe den Schlag ein. Der Junge nutzte die Gelegenheit und versuchte wegzurennen, doch der Stuntman stellte ihm ein Bein und brachte ihn zu Fall.

»Wohin so eilig?«

Romuald schlug auf den Metalltisch, auf dem der Killer seine Sachen abgestellt hatte.

In der nächsten Sekunde hatte sich Tarassow auf ihn gestürzt und schlug ihn nach allen Regeln der Kunst zusammen. Die Schläge prasselten erbarmungslos auf ihn nieder. Sobald Romuald am Boden lag, ging es mit Fußtritten weiter.

Als die Attacke vorüber war, hatte der halb ohnmächtige Junge nicht mehr die Kraft, aufzustehen. Tarassow packte ihn beim Kragen und schleifte ihn erneut in die Kühlkammer, brüllte etwas auf Russisch und schlug die Metalltür zu. Dann vergewisserte er sich, dass sie gut verschlossen war, und kehrte in die große Halle zurück. Dort richtete er den Tisch wieder auf, den der Junge umgeworfen hatte, und sammelte Laptop, Zigaretten und Schlüssel ein. Er überzeugte sich, dass das Notebook noch funktionierte, schob es in sein Köfferchen, das er auf den Beifahrersitz des Pick-up legte. Er nahm sich eine Zigarette und sah auf die Uhr.

Später, dachte er und schob sie zurück in die Schachtel.

Er ging zum Ende der Halle zu den mit Metalltüren verschlossenen Abteilen und öffnete das erste, in dem eine umgebaute Harley Davidson im Stil der 1970er-Jahre stand: eine chromverzierte, gelbe Fat Boy.

Er schob die Maschine ins Licht. Sie hatte einen riesigen Tank, breite Reifen mit Aluminiumfelgen und eine eindrucksvolle Gabel.

Er überprüfte, dass seine Glock im Holster steckte,

und schob eine zweite, kleinere Waffe in das Etui an seinem Knöchel. Dann setzte er einen Helm auf, schlüpfte in einen dicken Blouson und schwang sich auf die Maschine.

Er startete den Motor, schaltete das Navi an und gab die genauen Koordinaten von Matthew Shapiros Haus ein. Sofort zeigte ihm das Gerät die verschiedenen Wege nach Beacon Hill an. Tarassow entschied sich für die kürzeste Route. Er streifte die Handschuhe über, blickte noch einmal auf seine Uhr, rollte zum Ausgang der Lagerhalle, schaltete das Licht aus und verließ den ehemaligen Schlachthof.

—

Das Motorrad hatte die kurvigen Straßen um Windham hinter sich gelassen und brauste jetzt über die Interstate 93 Richtung Boston. Oleg Tarassow fuhr mit offenem Visier, der Wind wehte ihm ins Gesicht, und er genoss den Rhythmus seiner Maschine. Bei diesem Tempo würde er keine vierzig Minuten bis in die Stadt brauchen.

Während er sich auf den Verkehr konzentrierte, dachte er noch einmal über den ungewöhnlichen Auftrag nach, den er ausführen sollte. Es wäre einfacher gewesen, Matthew Shapiro eine Kugel in den Kopf zu jagen oder ihm die Kehle mit einem Messer durchzuschneiden. Aber Kate Shapiros Anweisungen waren eindeutig: Sie wollte keine Waffe. Denn der Einsatz einer Pistole oder eines Messers würde automatisch polizeiliche Ermittlungen nach sich ziehen. Und sie wollte auf keinen Fall, dass sich die Bullen in diese »Sache« einmischten.

Heute Nachmittag hatte sie ihm noch einmal bestätigt, dass die letzte Rate der ausgemachten Summe von der strikten Einhaltung des Plans abhing, den sie entwickelt hatte. Ihr Mann musste bei einem Unfall ums Leben kommen. Ein Unfall, der zu einem Schädeltrauma mit Hirnblutung führte.

Oleg schluckte. Kate hatte ihn ausgewählt, weil er in Russland ein Medizinstudium begonnen und als Krankenpfleger gearbeitet hatte. Er hatte also mühelos die Anweisungen der Chirurgin verstanden: Das zentrale Nervensystem musste vollständig und unwiderruflich geschädigt werden, ohne dass der Rest des Körpers verletzt würde. Mit anderen Worten, er sollte einen Unfall vortäuschen, um das Gehirn zu zerstören, dabei aber alle anderen Organe retten. Im Fall eines Hirntods konnte das Herz noch vierundzwanzig Stunden weiterarbeiten und das Blut über Maschinen mit Sauerstoff versorgt werden.

Tarassow stellte sich prinzipiell nie Fragen über die Motive seiner Kunden. Jeder hatte seine Gründe. Dennoch lief ihm bei dem teuflischen Plan, den diese Frau ausgearbeitet hatte, ein kalter Schauder über den Rücken. Sie war sogar so weit gegangen, ihm den Ort des Unfalls vorzugeben. Und das war eine verdammt gute Idee …

»The Corniche« war eine schmale betonierte Rampe, die nicht einen Felsen, sondern einen Erdhügel umrundete und die Möglichkeit bot, Verkehrsstaus zu umgehen. So konnte man auf dem Weg von der Connoly Avenue zur Rope Street, ein kleiner Fahrweg hinter dem Bahnhof von Jamaica Plain, wertvolle Zeit gewinnen.

Obwohl eine solche Straßenführung überhöhte Geschwindigkeit verbot, hatte es dort im letzten Jahr drei tödliche Motorradunfälle gegeben. Schuld daran waren die metallenen Sicherheitsgeländer, auf deren Gefährlichkeit die Motorradclubs bereits seit einiger Zeit hinwiesen. Durch den geringen Abstand zwischen dem Boden und den Streben konnten sich diese leicht in eine Guillotine verwandeln, wenn sich der Motorradfahrer nach einem Sturz unglücklich darin verfing. Innerhalb von zwei Monaten war zwei Männern dieses Schicksal widerfahren, während ein dritter gegen einen der Pfosten des Geländers geprallt war. Diese drei Todesfälle am selben Ort hatten den Stadtrat beschäftigt und eine Diskussion über die Gefährlichkeit dieses Streckenabschnitts ausgelöst. Einstweilen hatte man sich der Verantwortung entzogen, indem man sie für Zweiräder gesperrt hatte.

Aber wer hielt sich schon an dieses Verbot?

Nach Kates Aussage ihr Mann auf alle Fälle nicht …

Oleg schloss das Visier seines Helms. Er warf einen Blick in den Rückspiegel und scherte aus, um eine Reihe von Lastwagen zu überholen. Die vielen Wegweiser kündigten die Nähe der Stadt an. Er konzentrierte sich, um nicht die Ausfahrt 26 Richtung Storrow Drive zu verpassen. Wie das Navi vorgab, folgte er der Schnellstraße, die am Charles River entlang bis zur Kreuzung Beacon Street führte. Dann fuhr er Richtung Copley Square und weiter über die Vernon Street bis zum Louisburg Square. Dort parkte er sein Motorrad unter den Bäumen, nahm den Helm ab und schob sich eine Zigarette zwischen die Lippen. Frustriert, sie nicht anzünden zu können, sah er zu dem Fenster, das ihm Kate Shapiro beschrieben hatte. Hinter dem Vorhang meinte er, vage die Gestalt eines Mannes mit einem Kind erkennen zu können.

Dumm für den Typen, doch in knapp zwanzig Minuten wäre er tot.

—

»Sind meine Bilder nicht schön?«, fragte Emily und zeigte ihrem Vater drei kartonierte Blätter.

Matt betrachtete sie aufmerksam. Inmitten einer Symphonie von warmen Farben erkannte man deutlich die Rentiere, die den Schlitten des Weihnachtsmanns zogen, eine Prinzessin und einen Schneemann. Nicht schlecht für ein kleines Mädchen von dreieinhalb Jahren.

»Sie sind wunderbar, Liebes«, lobte er und strich ihr übers Haar. »Mama wird sich freuen, dass du die Menükarten so hübsch bemalt hast. Willst du sie aufstellen?«

Emily nickte, eilte ins Esszimmer, kletterte auf einen Stuhl und legte auf jeden Teller die Karte mit dem Weihnachtsmenü, das aus den Lieblingsgerichten ihrer Mutter bestand:

Carpaccio de Saint-Jacques mit eisgekühltem Kaviar
Artischockensuppe mit getrüffelter Brioche
Austern à la Rockefeller
Hummereintopf mit Delikatess-Kartoffeln »Noirmoutier«
Schokoladenkuchen mit Pecannüssen

»Pass auf, dass du nicht runterfällst«, rief Matthew, der sie von der Küche aus beobachtete.

Er wischte sich die Hände an der Schürze ab und rekapitulierte in Gedanken die Füllung für die Austern à la Rockefeller: *Knoblauch, Butter, Petersilie, Estragon, Schalotten, Speck, Paniermehl, Olivenöl, Cayennepfeffer …*

Matt sah auf die Uhr. Kate musste jeden Augenblick kommen. Er überzeugte sich, dass der Champagner, den er für diesen Anlass aufgehoben hatte, kalt gestellt war, fragte sich, ob er den Backofen schon vorheizen sollte, und prüfte, ob die Kartoffeln gar waren …

»Papa, ich habe Hunger«, klagte Emily.

Er sah auf. Die Kleine spielte wieder unter dem Weihnachtsbaum.

»Gleich ist es so weit, Liebes«, beruhigte er sie.

Die blinkenden Lichterketten schafften einen märchenhaften Schimmer aus Rosa-, Silber- und Blautönen, der seine Tochter wie eine Prinzessin wirken ließ.

»Ich mache ein Foto von dir unter dem Weihnachtsbaum und schicke es Mama, damit sie schneller kommt«, erklärte er.

Als er nach seinem Handy griff, begann dieses zu klingeln.

Es war seine Frau.

Kapitel 25

Im Tal der Schatten

Not gleicht einem starken Wind. Damit meine ich nicht
nur, dass sie uns von Orten fernhält, die wir sonst auf-
gesucht hätten. Nein, sie entreißt uns auch alles, bis auf
das, was uns nicht entrissen werden kann, sodass wir
danach dastehen, wie wir wirklich sind, und nicht so,
wie wir vielleicht gerne wären.

Arthur Golden, *Die Geisha*

24. Dezember 2010
Jamaica Plain (Stadtteil von Boston)
20:59 Uhr

Das Krankenzimmer war in ein milchiges Licht getaucht. Um ihn auf die Transplantation vorzuberei-
ten, hatte man Nick Fitch in ein künstliches Koma versetzt. Jetzt hing das Leben des Geschäftsmanns von
dem Beatmungsgerät neben dem Bett ab. Kate kniff
leicht die Augen zusammen und überprüfte die zahlreichen Schläuche der Perfusionen und die Werte und

überzeugte sich, dass die Monitore funktionierten. Dann beugte sie sich zu ihrem Geliebten hinab und drückte ihm einen flüchtigen Kuss auf die Lippen.

Bis gleich. Mach dir keine Sorgen. Ich kümmere mich um alles.

Sie schloss die Augen und konzentrierte sich, um ihre Energien zu sammeln, dann atmete sie tief durch, zog ihren weißen Kittel aus und verließ das Zimmer.

Jetzt nur nicht schwach werden. Halte dich an deinen Plan.

Sie fuhr mit dem Aufzug ins Erdgeschoss und begrüßte die wenigen Kollegen, denen sie auf dem Weg in die Notaufnahme begegnete.

Bloß keine Zeit verlieren.

Wie erwartet, ging es im Krankenhaus ruhig zu. Die durch Austernmesser verursachten Verletzungen einmal ausgenommen, war am Heiligen Abend im Allgemeinen weniger Betrieb als an Silvester. Selbst der Ruheraum mit seiner Weihnachtsdekoration schien in eine Art Schlaf versunken. Kate holte ihren Mantel, ihre Tasche und ihr Handy aus dem Spind. Der erste Anruf galt ihrem Mann. Während sie über den verglasten Gang zum Parkplatz lief, sprach sie mit ihm. Als perfekte Ehefrau sah sie jede von Matts Reaktionen voraus.

»Mein Wagen steht auf dem Krankenhausparkplatz und springt nicht an, Darling«, log sie. »Du hattest wie immer recht: Ich muss mich von dieser Klapperkiste verabschieden.«

»Ich hab's dir schon tausend Mal gesagt ...«

»Aber ich hänge doch so an diesem alten Mazda Coupé! Du weißt, es war der erste Wagen, den ich mir als Studentin leisten konnte!«

»Das war in den Neunzigern, Liebling, und schon damals war es schon eine Art Auslaufmodell ...«

»Ich versuche, eine U-Bahn zu erwischen.«

»Du machst wohl Witze? In der Gegend, um diese Zeit, das ist viel zu gefährlich. Ich nehme das Motorrad und hole dich ab.«

»Nein, es ist wirklich sehr kalt. Und bei diesem Schneeregen wäre das viel zu riskant, Matt.«

Sie wusste genau, dass er auf seinem Vorhaben bestehen würde. Also ließ sie ihn seine Beschützerrolle spielen, ehe sie »nachgab«.

»Okay, aber sei bitte sehr vorsichtig! Ich warte auf dich.«

Sie legte auf und trat durch die automatische Tür auf den Parkplatz.

Ein eisiger Wind schlug ihr entgegen, doch sie spürte ihn nicht.

—

21:03 Uhr

Sameer Naraheyem startete seinen Mehltransporter und verließ das Gelände der Müllerbetrieb AllWheat im westlichen Industriegebiet von Jamaica Plain.

Das war für heute seine letzte Lieferung, dann würde er nach Hause zu seiner Frau Sajani fahren. Der Tag war lang und anstrengend gewesen. Eigentlich hätte Sameer an diesem Heiligabend freigehabt, doch am Vormittag hatte ihn sein Chef voller Panik angerufen und gebeten, einen Kollegen zu vertreten, der nicht zum Dienst erschienen war. Obgleich seine Frau und er einen ruhigen Tag mit der Familie geplant hatten, hatte er es nicht gewagt, den »Vorschlag« seines Chefs abzulehnen. Angesichts der Wirtschaftskrise und Sajanis Schwangerschaft war dies nicht der geeignete Moment, seinen Job zu riskieren.

Trotzdem hart …

Er sah auf die Uhr am Armaturenbrett.

Ich darf keine Zeit verlieren!

Er musste das Mehl vor zweiundzwanzig Uhr in einer Fabrik in Quincy im Süden von Boston abgeliefert haben.

Sameer gab Gas und näherte sich gefährlich der Höchstgeschwindigkeit.

Er konnte nicht ahnen, dass er wenige Minuten später jemanden mit seinem Lastwagen töten würde.

—

21:05 Uhr

Kate lief über den Außenparkplatz zu ihrem Wagen. Als sie den Platz Nummer 66 erreichte, stellte sie verwundert fest, dass er leer war. Man hatte ihr Coupé gestohlen!

Das darf doch wohl nicht wahr sein!

Als sie am frühen Nachmittag gekommen war, hatte sie den Mazda auf diesem Platz abgestellt, da war sie sich ganz sicher!

Sie spürte Zorn in sich aufsteigen und überlegte, was sie nun tun sollte. Sie musste den Auftragskiller anrufen und ihm grünes Licht geben, ehe Matt das Haus verließ. Aber der Erfolg ihres Plans hing auch davon ab, dass sie als Erste den »Unfallort« erreichte.

Sie musste unbedingt die Ankunft der Rettungskräfte überwachen und von der personellen Unterbesetzung am Heiligen Abend profitieren. Zunächst plante sie, ihre Doppelrolle als Ärztin und Ehefrau des Opfers auszunutzen. Sie würde darauf drängen, Matthews Körper bis zum Krankenhaus »unter ärztlicher Aufsicht« zu behalten, um dort dann sogleich eine Angiografie zur Bestätigung des Hirntods anordnen zu lassen. Sie würde sich auch vergewissern, dass sein Herz wirklich künstlich am Leben gehalten würde, und rasch einer Organspende zustimmen. Am selben Morgen hatte sie noch überprüft, ob ihr Mann seinen Spenderausweis, zu dem sie ihn drei Jahre zuvor gedrängt hatte, auch wirklich bei sich trug. Sie wusste, dass die Ärzte ihr die Entscheidung überlassen würden, denn Matthew hatte zwar eine lockere Beziehung zu seinen Eltern in Florida, aber außer ihr keine Familie in Boston.

Damit ihr Plan gelang, musste alles blitzschnell über

die Bühne gehen. Sobald die Richtigkeit der Zustimmung zur Organspende überprüft wäre, würde das Labor eine serologische Untersuchung vornehmen und die Organe mit bildgebenden Verfahren überprüfen. Die Ergebnisse dieser Tests würden dann mit der Liste der potenziellen Empfänger verglichen, die eine Verträglichkeit aufwiesen. Nick stand an erster Stelle auf dieser »roten Liste«, und man würde ihn sofort wählen. Bereits seit zwei Wochen überprüfte sie den Zeitplan der OP-Teams, und da sie wusste, dass sie Nick nicht selbst operieren könnte, hatte sie darauf geachtet, dass der diensthabende Herzchirurg einer der besten der Klinik war.

Seit Tagen, Monaten und Jahren hatte sie *alles* geplant.

Außer, dass man ihr jetzt auf diesem verdammten Parkplatz ihr Auto stehlen würde.

Nur nicht die Nerven verlieren.

Auch wenn Kate eine solche Art von Schwierigkeiten nicht vorhergesehen hatte, durfte sie ihre Kaltblütigkeit nicht verlieren. Wie beim Schach. Sie erinnerte sich an jenen Satz von Tartakower, einem Genie der Disziplin: »Der Taktiker muss wissen, was er zu tun hat, wenn es etwas zu tun gibt, der Stratege muss wissen, was er zu tun hat, wenn es nichts zu tun gibt.«

Im Laufschritt begab sie sich zu dem Häuschen, in dem der diensthabende Parkwächter saß, und meldete ihm den Diebstahl ihres Wagens.

»Das ist unmöglich, Madam. Ich habe meinen Dienst schon heute Mittag angetreten. Ich kenne Ihr Cabriolet und bin sicher, dass es den Parkplatz nicht verlassen hat.«

»Aber Sie sehen doch selbst, dass es nicht mehr da ist!«

»Dann haben Sie es vielleicht woanders geparkt! So was kommt jeden Tag vor. Letzte Woche hat Doktor Stern gedacht, man hätte ihm seinen Porsche geklaut, dabei war er mit dem Taxi zur Arbeit gekommen!«

»Aber ich bin schließlich nicht verrückt!«

»Das habe ich auch nicht gesagt. Ich sehe mich mal in der Tiefgarage um«, erklärte er und deutete auf die Überwachungskameras.

Tu das …

Kate hatte sich schon abgewandt, als der Mann sie zurückrief: »Ihr Coupé steht hier, Madam. Im dritten Untergeschoss, Platz 125!«, verkündete er und deutete mit siegessicherem Lächeln auf den Bildschirm, so als wolle er sagen: *Was für Idioten, diese Ärzte …*

Statt den Aufzug zu nehmen, rannte Kate die Treppe hinunter zur Tiefgarage.

Dieser Trottel von Wächter hatte recht. Der Mazda stand im untersten Geschoss.

Wie war das möglich? Sie hatte draußen einen reservierten Parkplatz. Sie war überhaupt noch *nie* hier gewesen. Jemand hatte ihren Wagen umgeparkt, das war sicher. Aber warum? Gab es einen Zusammenhang mit dem Schlüsselbund, den sie Anfang der Woche verloren hatte? Die Fragen überschlugen sich in ihrem Kopf, doch sie beschloss, sie zunächst zu ignorieren.

Sie sah auf ihr Telefon: »Kein Empfang«. Normal, sie befand sich im Untergeschoss.

Sie schloss den Wagen auf, ließ den Motor an, fuhr an die Oberfläche und raste zur Ausfahrt. Ehe sie sich auf den Weg machte, rief sie Oleg Tarassow an, um ihm endlich grünes Licht zu geben.

Als sie sich in den Verkehr einfädelte, erblickte sie im Rückspiegel einen großen Lastwagen, der an der Kreuzung in die entgegengesetzte Richtung abbog.

—

Altes Industriegebiet von Windham
21:08 Uhr

In dem Kühlraum war es stockfinster.

Romuald riss eines der Streichhölzer aus der Schachtel an, die er entwendet hatte, als der Killer auf ihn einschlug. Naiv hatte er geglaubt, sie könnten ihm nützlich sein. Aber in diesem eisigen Lager gab es nichts zu verbrennen, die Paletten waren viel zu feucht.

Das kleine Hölzchen verbreitete wenige Sekunden einen schwachen Schein.

Dann war es wieder vollständig dunkel.

Eine tödliche Kälte umhüllte den Jungen und ließ Gesicht, Nase und Ohren erstarren. Der eisige Luftzug verbrannte seine Hände und durchdrang seinen ganzen Körper, fuhr ihm durch Mark und Bein. Ein unsichtbarer Feind, gegen den er nicht anzukämpfen vermochte.

Nachdem sich sein Herzschlag zunächst beschleunigt hatte, wurde er jetzt immer schwächer. Das Zittern und die Angst verbanden sich mit einer furchtbaren Müdigkeit. Er spürte, wie ihn seine Kräfte nach und nach verließen. Er war erschöpft. Um nicht in Lethargie zu verfallen, hatte er sich das Ziel gesetzt, alle zehn Minuten ein Streichholz anzuzünden – ein Ritual, an das er sich klammerte.

Seine Beine und Füße waren so gefühllos, als wären sie gelähmt. Im Biologieunterricht hatte er gelernt, dass sich das Blut im Fall einer Unterkühlung aus den Extremitäten des Körpers zurückzog, um die beiden lebenswichtigen Organe – das Herz und das Gehirn – zu versorgen.

Seine Gedanken wurden immer verwirrter, und er war einer Ohnmacht nahe. Er war nicht mehr in der Lage, den Mund zu öffnen und zu sprechen, sein Gehirn funktionierte immer langsamer. Seine Bronchien waren verschleimt, doch er hatte keine Kraft mehr zum Husten und kaum noch genug zum Atmen.

In seinen schlimmsten Albträumen hätte er sich nicht vorstellen können, dass Kälte so intensiv sein konnte. Der Stuntman hatte recht gehabt: Das Schlimmste war das Bewusstsein, dass ihm niemand zu Hilfe kommen würde. Die Erkenntnis, dass er hier im Dunkeln allein und unter furchtbaren Qualen krepieren würde.

—

Direkt nachdem er aufgelegt hatte, sah Oleg Tarassow
Matthew Shapiro die Stufen der Außentreppe herunter-
laufen. Ohne den jungen Professor aus den Augen zu
lassen, setzte er seinen Helm auf und streifte die Handschuhe über. Er sah ihn auf sein Motorrad steigen und
stellte mit Kennerblick fest, dass es sich um eine hervor-
ragend restaurierte Triumph Tiger Club aus den Fünfzi-
gerjahren handelte, mit dem runden Scheinwerfer, dem
niedrigen Sattel und dem glänzenden Chrom. Er ließ
Shapiro einen kleinen Vorsprung, startete dann seine
Harley und folgte ihm.

—

Da er es eilig hatte, seine Frau abzuholen, raste Matthew
mit hoher Geschwindigkeit durch die Stadt. Er kannte
das Viertel wie seine Westentasche, diesen Weg hatte er
schon hundert Mal zurückgelegt. Charles Street, Beacon Street, Arlington Street … Trotz des feinen Schnee-
regens hielt sein altes Motorrad gut die Spur. Auf der
breiten, geraden Columbus Street, die das Zentrum mit
South End, Roxbury und im Osten mit Jamaica Plain
verband, steigerte er das Tempo. Das Licht des Weih-
nachtsschmucks vermischte sich mit dem der Schau-

fenster und Büros. An den Straßenlaternen hingen silberne Engel, um die Bäume wanden sich blinkende Lichterketten mit Sternen und fluoreszierenden Kugeln, die eine futuristische Atmosphäre schufen.

Als er sich den Außenbezirken näherte, wurde die festliche Beleuchtung spärlicher. Matthew fuhr zu schnell in den Kreisverkehr oberhalb des Jackson Square und bemerkte, wie sein Motorrad ins Schlingern geriet. Er hatte es jedoch schnell wieder im Griff, umrundete den Bahnhof und bog in »The Corniche«, jene Steigung zwischen der Rope Street und der Connoly Avenue, ein, wo das Krankenhaus lag. Im Prinzip war diese Abkürzung für Motorräder verboten, doch sie wurde nie von Polizisten kontrolliert. Dennoch war wegen des unebenen Belags größte Vorsicht geboten. Kurz bevor er in eine scharfe Kurve hineinfuhr, bemerkte er hinter sich eine andere Maschine, eine riesige Harley, die zu dicht auffuhr.

Die Scheinwerfer blendeten ihn.

Keine Lust auf ein Wettrennen, nicht heute, dachte er, bremste ab und fuhr nach rechts, um den anderen vorbeizulassen. Der setzte zum Überholen an, schwenkte dann aber in letzter Sekunde abrupt nach rechts. Das Vorderrad der Harley streifte das Hinterrad der Triumph und brachte sie ins Schleudern. Durch den plötzlichen Aufprall überrascht, verlor Matthew die Kontrolle über seine Maschine.

In einem letzten Reflex riss er den Lenker herum und blockierte das Hinterrad, um seine Maschine zu Fall zu bringen, die jedoch über den nassen Asphalt schlitterte und sich in der Sicherheitsrampe verkeilte. Matthew, der von seinem Sattel herabgerissen worden war, rollte über den Boden, sein Helm schlug mehrmals auf die Fahrbahn, und sein Bein prallte gegen einen Pfosten der Barriere. Als er endlich liegen blieb, brauchte er eine Weile, um zu begreifen, was geschehen war. Bei dem Versuch, sich aufzurappeln, schrie er vor Schmerzen. Sein rechtes Bein war gebrochen. Er stützte sich auf das Geländer und nahm den Helm ab. Sobald er einen freien Blick hatte, sah er den Fahrer der Harley, mit einem Baseballschläger bewaffnet, auf sich zurennen.

Der Mann holte aus, um ihm das Genick zu brechen.

—

Die beiden Projektile der Elektroschockpistole bohrten sich in den Nacken des Russen und übertrugen ihre elektrischen Impulse, die ihm einen Schlag versetzten. Wie vom Blitz getroffen, brach er zusammen.

Emma, mit schwarzen Leggings und einem Lederblouson bekleidet, nutzte seine Lähmung, um ihm den Baseballschläger abzunehmen.

»Alles in Ordnung?«, fragte sie und lief zu Matthew.

Er hob den Blick zu der Frau mit der Kapuzenmütze, die aus dem Nichts aufgetaucht war und ihm das Leben gerettet hatte.

»Aber ... was ist hier los?«

»Ihre Frau!«, rief Emma. »Sie versucht, Sie zu töten!«

»Was? Sie sind ja total verrückt! Wer sind Sie?«

Emma hatte keine Zeit, ihm zu antworten.

Der Strahl von zwei runden Scheinwerfern zerriss die Nacht. Kates Mazda Coupé hielt neben der Harley Davidson. Die Chirurgin stieg aus und erfasste die Lage mit kaltem Blick.

Nichts war gelaufen, wie vorhergesehen.

»Liebling!«, rief Matthew.

Kate beachtete ihn nicht. Sie fragte sich, wer diese Frau im Catwoman-Look sein mochte, die ihre Pläne durchkreuzt hatte.

Ich muss systematisch ein Problem nach dem anderen lösen.

Sie beugte sich über Tarassow und sah die beiden Projektile in seinem Nacken. Der Killer lag mit gelähmtem Nervensystem am Boden und hatte offenbar Mühe, wieder zu sich zu kommen. Im Brustholster fand sie, was sie suchte: eine Glock .17 mit vollem Magazin. Kate lud die automatische Waffe und zielte in Emmas Richtung, um sie zum Rückzug zu zwingen. Die Hand ausgestreckt, den Finger am Abzug, ging sie auf ihren Mann zu.

Noch kann ich Nick retten. Wenn ich Matthew eine Kugel in den Kopf jage, stirbt er, aber sein Herz bleibt unbeschädigt.

»Kate, Darling, was tust du da? Was …«

»Halt den Mund!«, brüllte sie, »und nenn mich nicht Darling. Du kennst mich nicht! Du weißt nichts von mir. Nichts!«

*Ich werde für den Rest meiner Tage im Gefängnis sitzen,
aber Nick wird leben.*

Das Gesicht der attraktiven Chirurgin hatte sich vollständig verändert. Es hatte jegliche Anmut und Schönheit verloren und war nur noch eine kalte, weiße Maske. Lediglich ihre Augen leuchteten, zwei Flammen, genährt von blindem Hass. Wie ein Roboter ging sie weiter auf ihren Mann zu.

»Ich würde es dir gerne erklären, Matt, aber du würdest es nicht verstehen.«

Emma war auf der anderen Straßenseite in Deckung gegangen. Sie ließ den Stuntman nicht aus den Augen, der verzweifelt versuchte, sich aufzurappeln. Als sie Tarassows Knöchelholster sah, kam ihr plötzlich eine Idee. Sie kroch zu ihm und riss die Smith & Wesson .36 aus dem Etui. Dann stand sie auf, hielt die Waffe umklammert und richtete sie auf Kate.

Keine Zeit für Fragen.

Kates Waffe war auf den Nacken ihres Mannes gerichtet, Emma zielte auf die Chirurgin. Beide Frauen hatten den Finger am Abzug.

Emma betete, sie möge nicht zittern.

Dann drückte sie als Erste ab.

—

In der Brust getroffen, fiel Kate hintenüber und stürzte über die Sicherheitsbarriere in den Abgrund.

—

Auf den Schuss folgte ein langes Schweigen, eine lange, fast unwirkliche Stille.

Durch die Wucht des Rückstoßes nach hinten gefallen, blieb Emma eine Weile zitternd liegen.

Oleg Tarassow hatte sich mühsam aufgerichtet und begriffen, dass es das Beste war, sich schleunigst aus dem Staub zu machen. Ohne Helm stieg er auf seine Harley, gab Gas und verschwand in die entgegengesetzte Richtung, aus der er gekommen war.

Nach fünfzig Metern stieß er an einer Kreuzung mit dem Mehltransporter von Sameer Naraheyem zusammen.

—

Emma kam wieder zu sich. Sie sah zu Matthew hinüber, der offenbar unter Schock stand. Aber er lebte.

Romuald!

Sie rannte zu dem Motorradwrack und riss das Navi aus der Halterung. Dann kehrte sie um und stieg in Kates Mazda.

—

Sie nahm die Kapuzenmütze ab und konsultierte das Navigationsgerät. Wie sie gehofft hatte, war der letzte Weg, den der Killer zurückgelegt hatte, noch gespeichert. Sie ließ den Motor an und schoss mit quietschenden Reifen davon.

Boston war wie ausgestorben. Sie fuhr auf die nördliche Interstate 93 und jagte unter Missachtung sämtlicher Sicherheits- und Verkehrsregeln über die Autobahn. Geschwindigkeitsbegrenzungen, Radar und mögliche Gefahren waren ihr völlig gleichgültig. Nichts zählte, außer Romuald.

Wenn ihm nur nichts passiert ist …

Eine halbe Stunde raste sie mit durchgedrücktem Gaspedal dahin, dann verließ sie die Autobahn auf der Höhe von Windham, an der Grenze zwischen Massachusetts und New Hampshire. Sie ließ sich von dem Navi über Nebenstraßen zu dem eingezäunten, verlassenen Industriegebiet leiten.

Und nun?

Emma betrachtete das Display des Geräts: Es zeigt an, dass das Ziel nicht weit entfernt, aber mit dem Wagen unzugänglich war. Bei aufgeblendeten Scheinwerfern stieg sie aus. Dieser Teil der Straße lag in völliger Dunkelheit. Außer dem Zaun sah sie nicht viel. Sie beschloss, über das Gittertor zu klettern. Dabei bohrte sich ein spitzer Draht in ihren Oberarm und riss ihn auf.

Der Schmerz war so heftig, dass sie taumelte. Ohne sich weiter darum zu kümmern, spürte sie, wie das Blut über ihre Haut rann. Auf der anderen Seite des Tors ließ sie sich fallen und rollte über den Boden. Sie rappelte sich auf und kletterte auf einen Erdhügel, von wo aus sie die Phantomstadt überblickte. Alte Fabrikgebäude und leer stehende Lagerhäuser, so weit das Auge reichte.

Ein völlig surrealistischer Ort, der eines Horrorfilms würdig war. Auf ehemaligen Eisenbahnschienen rosteten Waggons vor sich hin. Der heulende Wind brachte die Wellblechschuppen zum Knarren. Unwirkliche Gestalten drohten, jeden Augenblick dahinter hervorzuspringen. Ein Tal der Schatten, das sich über mindestens fünf oder sechs Hektar erstreckte.

Wie sollte sie den Jungen in diesem Labyrinth aus Eisen und Blech finden?

»Romuald! Romuald!«, schrie sie, doch ihre Stimme verhallte im Wind und im Schneegestöber. Auf der Suche nach einem Hinweis oder einem Detail, das ihr weiterhelfen könnte, sah sie sich um, aber die Sichtweite betrug nicht mehr als drei Meter.

Sie wischte sich die Schneeflocken aus dem Gesicht und rannte, das Handy als Taschenlampe vor sich ausgestreckt, gegen den Wind in nordöstliche Richtung. Tarassow hatte sich sicher einen möglichst weit von der Straße entfernten Ort ausgesucht, um seinen Wagen zu parken. Plötzlich ließ ein Geräusch sie innehalten. Unter ihren Füßen knirschte Kies. Sie gönnte sich eine kurze Verschnaufpause und leuchtete mit ihrem Mobiltelefon den Boden ab.

Sie befand sich auf einem Weg, der zu einer riesigen Lagerhalle führte. Nach einigen Metern entdeckte sie ein großes verrostetes Schild mit der Aufschrift:

REGIONAL SLAUGHTERHOUSE
COUNTY OF HILLSBOROUGH

Emma rannte weiter bis zum Haupteingang. Dort bemerkte sie Reifenspuren, die noch nicht ganz vom frischen Schnee bedeckt waren. Ihr Herz schlug schneller. Hier war vor Kurzem jemand gewesen.

Sie nahm all ihre Kräfte zusammen, um die große Schiebetür zu öffnen, die Zugang zu der Halle gewährte, und schob sie wegen des schneidenden Windes wieder hinter sich zu.

»Romuald!«

Es war völlig dunkel in dem Raum, doch man hörte das Surren einer Heizung oder Klimaanlage.

Emma betätigte den großen Schalter und erkannte in dem fahlen Licht eine fast leere Lagerhalle mit Wänden aus unverputztem Beton.

In der Mitte stand der Pick-up des Stuntman.

Sie warf einen Blick ins Innere.

Leer.

Jetzt bedauerte sie, Tarassows Revolver nicht mitgenommen zu haben.

»Romuald?«

Am Ende der Halle führte ein Gang zu mehreren Metalltüren. Der Raum hinter der ersten Tür war leer, die anderen Türen waren verriegelt. Sie schloss die Augen, ließ sich aber nicht lange entmutigen. Der Killer hatte, ehe er gegangen war, alles ausgeschaltet. Außer ...

Das Brummen eines Generators!

Sie kehrte um und lauschte, um auszumachen, woher das Geräusch kam. Aus einem Kühlraum! Sie trommelte gegen die Metalltür.

»Romuald?«

Nein, das ist doch nicht möglich. Nicht dort …

»Romuald? Ich bin es, Emma, hörst du mich?«

Vergeblich versuchte sie, die Tür zu öffnen. Als sie sich bückte, entdeckte sie einen Metallhebel. Sie legte ihn um, und die Tür ging auf.

Eisige Luft schlug ihr entgegen. Sie stürzte in den Raum.

»Romuald!«

Im Schein ihres Handys sah sie die Pelzkapuze des Jungen.

Sie lief zu ihm. Er lag reglos da. Sie nahm all ihre Kräfte zusammen und zerrte ihn aus der tödlichen Kälte auf den Gang. Dann griff sie nach ihrem Telefon, wählte die Nummer des Notrufs und bat um einen Krankenwagen für einen Patienten mit lebensbedrohlichen Erfrierungen.

Während sie wartete, lauschte sie auf die Atemzüge des Jungen, doch sie hörte keine. Sie versuchte, den Puls zu fühlen, war aber zu nervös, um ihn zu finden. Romualds Haut war bläulich-weiß wie bei einer Leiche.

Verdammt!

Und sie hatte nicht einmal eine Decke, um ihn zu wärmen. Plötzlich fielen ihr die lebensrettenden Maßnahmen ein, die sie einige Monate zuvor bei einem Erste-Hilfe-Kurs gelernt hatte, an dem das Personal des Imperator hatte teilnehmen müssen. Damals hatte sie diese Aktion albern gefunden und hätte sich nicht träumen lassen, dass sie ihr irgendwann nützlich sein

könnte. Doch jetzt erinnerte sie sich genau an die Maßnahmen, die sie an einer Puppe durchgeführt hatte. Sie
rollte den Jungen auf den Rücken, kniete sich neben seinen Oberkörper, schob seinen Pullover hoch und legte
die rechte Hand flach auf den unteren Teil des Brust-
beins, dann die linke Hand auf die rechte. Die Arme
ausgestreckt, drückte sie mit aller Kraft auf Romualds
Brust, richtete sich dann wieder auf und wiederholte
den Vorgang: rhythmisches Pressen und Loslassen, um
die Blutzirkulation zu stimulieren.

*Und eins und zwei und drei! Und eins und zwei und
drei!*

Nach dreißigmaligem Drücken beatmete sie ihn
dann zwei Mal von Mund zu Mund, wie sie es damals
gelernt hatte.

Du darfst nicht sterben!

Wütend nahm sie die Herzdruckmassage wieder
auf und bemühte sich um einen regelmäßigen Rhythmus.

Und eins und zwei und drei …

Bei jedem Druck auf den Brustkorb lief sie Gefahr,
ihm die Rippen zu brechen.

Und eins und zwei und drei …

Die Zeit schien stehen geblieben zu sein. Emma war
anderswo. Sie führte einen Kampf – für das Leben und
gegen den Tod.

*Du darfst nicht sterben, Romuald! Du darfst nicht ster-
ben!*

Ein Jahr später ...

Replay

Wenn es so ist, dass wir nur einen kleinen Teil
von dem leben können, was in uns ist
– was geschieht mit dem Rest?

Pascal Mercier, *Nachtzug nach Lissabon*

Harvard Universität
Cambridge
19. Dezember 2011

Der Hörsaal war überfüllt, doch es herrschte Ruhe. Die Zeiger des Bronze-Zifferblatts der alten Wanduhr zeigten auf 14:55. Die von Matthew Shapiro gehaltene Philosophievorlesung neigte sich dem Ende zu.

Die Glocke verkündete das Ende der Vorlesung. Matthew packte seine Sachen ein, zog seinen Mantel an, band sich seinen Schal um und ging hinaus auf den Campus. Sobald er draußen war, drehte er sich eine Zigarette und überquerte den Yard.

Der Park lag in einem schönen herbstlichen Licht.

Die Temperaturen waren für die Jahreszeit ausgesprochen mild, und der Sonnenschein schenkte den Bewohnern Neuenglands einen so angenehmen wie späten Altweibersommer.

»Mister Shapiro! Achtung!«

Matthew drehte den Kopf in Richtung der Stimme. Ein American Football sauste auf ihn zu.

Er konnte ihn gerade noch auffangen und spielte ihn sofort zurück zum Quarterback, von dem er gekommen war.

Dann verließ er das Universitätsgelände durch das riesige Tor, das auf den Harvard Square hinausführte.

Er hatte soeben den Fußgängerüberweg zur U-Bahn-Station betreten, als ein alter, blubbernder Chevrolet Camaro an der Ecke Massachusetts Avenue und Peabody Street auftauchte. Der junge Professor zuckte zusammen und wich zurück, um nicht von dem knallroten Coupé angefahren zu werden, das mit quietschenden Reifen vor ihm hielt.

Das Fenster an der Fahrerseite wurde geöffnet, und zum Vorschein kam die rote Haarpracht von April Ferguson, die seit der Ermordung seiner Frau mit in seinem Haus wohnte.

»Hallo, schöner Mann, soll ich dich mitnehmen?«

»Ich nehme lieber die öffentlichen Verkehrsmittel«, lehnte Matthew ab. »Bei dir hat man das Gefühl, in einem Fahrsimulator zu sitzen!«

»Na, komm schon, sei kein Angsthase. Ich fahre sehr gut, und das weißt du genau!«

»Vergiss es. Ich hänge am Leben. Ich möchte meiner Tochter ersparen, mit viereinhalb Jahren Vollwaise zu werden.«

»Schon gut! Nun übertreib mal nicht! Komm, Hasenfuß, beeil dich! Ich halte den ganzen Verkehr auf!«

Von dem Hupen gedrängt, ergab sich Matthew seufzend in sein Schicksal und stieg in den Chevrolet.

Kaum hatte er den Sicherheitsgurt angelegt, als der Camaro, unter Missachtung sämtlicher Verkehrsregeln, auch schon eine gefährliche Kehrtwende machte, um gen Norden zu brausen.

»Boston liegt aber in der anderen Richtung!«, protestierte Matthew und klammerte sich am Haltegriff fest.

»Ich mache nur einen kleinen Umweg über Belmont. Gerade mal zehn Minuten. Und keine Sorge wegen Emily. Ich habe ihren Babysitter gebeten, eine Stunde länger zu bleiben.«

»Was du dich traust! Also ehrlich, ich …«

Die junge Frau drückte das Gaspedal durch und beschleunigte so plötzlich, dass es Matthew die Sprache verschlug. Nachdem sie einen Lastwagen überholt hatte, wandte sie sich ihm zu und reichte ihm eine Kunstmappe.

»Stell dir vor, ich habe vielleicht einen Kunden für den Farbholzschnitt von Utamaro«, sagte April.

Der Chevrolet hatte das Universitätsviertel verlassen. Sie fuhren nun einige Kilometer auf einer Schnellstraße am Fresh Pond – dem größten See von Cambridge –

entlang, bevor sie Belmont erreichten, eine kleine Stadt westlich von Boston. April gab eine Adresse in ihr Navi ein und ließ sich zu einem schicken Wohnviertel leiten. Obgleich es ausdrücklich verboten war, überholte der Camaro einen Schulbus und parkte in einer ruhigen, von Villen gesäumten Allee.

»Kommst du mit?«, fragte April und griff nach der Kunstmappe.

Matthew schüttelte den Kopf.

»Ich warte lieber im Auto.«

»Ich beeile mich, so gut es geht«, versprach sie und erneuerte ihr Make-up.

»Übertreibst du nicht ein bisschen?«, fragte Matthew ein wenig provozierend.

»Ich bin nicht schlecht, ich bin nur so gezeichnet«, erwiderte sie kokettierend im Tonfall von Jessica Rabbit.

Schließlich öffnete sie die Wagentür, schwang ihre endlos langen Beine, die in Leggings steckten, nach draußen und stieg aus.

Er warf einen Blick auf die andere Straßenseite. Eine Mutter und ihre beiden kleinen Kinder dekorierten den Garten. Ihm wurde klar, dass in knapp einer Woche Weihnachten war, und diese Feststellung versetzte ihn fast in Panik. Er sah mit Entsetzen den ersten Jahrestag von Kates Tod auf sich zukommen … diesen verhängnisvollen 24. Dezember 2010, der sein Leben mit Trauer und Schwermut erfüllt hatte.

Seit der Ermordung seiner Frau war sein Leben ein einziger Albtraum. Wie sollte er mit der Tatsache umgehen, dass diejenige, die sein Leben vier Jahre lang geteilt hatte, die Mutter seiner kleinen Tochter, ihn nur deshalb geheiratet hatte, um ihn umzubringen? Und das einzig und allein, um ihrem Liebhaber sein Herz zu transplantieren. Wie sollte er mit dieser Erkenntnis weiterleben? Wie sollte er noch Vertrauen in die Menschheit haben? Wie jemals daran denken, wieder mit einer Frau zu leben?

Matthew seufzte. Nur seine Tochter hatte ihn daran gehindert, dem Wahnsinn zu verfallen oder seinem Leben ein Ende zu setzen. Als die Geschehnisse direkt nach Nick Fitchs Tod an die Öffentlichkeit gedrungen waren, hatte er kämpfen müssen, um Emily vor der Neugier der Journalisten zu schützen. Diese Zeit, in der ihm die Medien nicht von der Seite gewichen waren, war sehr schwer gewesen. Verleger hatten ihm für die Veröffentlichung immense Honorare angeboten, und Hollywood hatte die Tragödie verfilmen wollen. Um sich vor diesen Belästigungen zu retten, hatte er sogar erwogen, Massachusetts zu verlassen, aber er mochte Boston, sein Haus und seine Studenten zu sehr. Seit einigen Wochen hatte das Medieninteresse etwas nachgelassen, das hatte zwar seine Verzweiflung nicht gelindert, doch zumindest war er vom Druck dieser unangenehmen Bekanntheit befreit.

Durch Kleinigkeiten gewann er wieder Freude am Leben: einen Spaziergang in der Sonne mit Emily, ein Football-Match mit seinen Studenten, einen besonders gelungenen Scherz von April.

Doch diese Erholung stand auf tönernen Füßen. Der Schmerz lag auf der Lauer, jederzeit bereit, ihn zu überwältigen. Wie sollte er akzeptieren, dass die schönsten Jahre seines Lebens nur eine Farce gewesen waren? Wie sollte er wieder Selbstvertrauen entwickeln, nachdem er sich so hatte zum Narren halten lassen? Wie sollte er die richtigen Worte finde, um Emily die Situation zu erklären?

Er hatte zu schwitzen begonnen, und sein Herz klopfte heftig. Er ließ das Fenster des Camaro herunter, suchte in seiner Jeanstasche nach seinem Angstlöser und schob die Tablette unter seine Zunge. Sie löste sich langsam auf und verschaffte ihm einen künstlichen Trost, der seiner Unruhe innerhalb von Minuten ein Ende bereitete. Um sich gänzlich zu beruhigen, musste er rauchen. Er stieg aus, verriegelte die Tür und entfernte sich einige Schritte auf dem Bürgersteig, bevor er sich eine Zigarette anzündete und einen tiefen Zug nahm.

—

Mit geschlossenen Augen, das Gesicht der herbstlichen Brise zugewandt, genoss er die Zigarette. Das Sonnenlicht fiel zwischen den Zweigen hindurch. Die Luft war fast schon verdächtig mild. Einige Augenblicke verharrte er reglos, bevor er die Augen wieder öffnete. Am Ende der Straße vor einer der Villen hatte sich eine Menschenansammlung gebildet. Neugierig näherte er sich dem charakteristischen neuenglischen, mit Holz verkleideten Haus. Auf dem Rasen davor wurde eine Art Trödelmarkt abgehalten.

Matthew mischte sich unter die zahlreichen Neugierigen, die auf über hundert Quadratmetern in den angebotenen Sachen stöberten. Den Verkauf leitete eine hübsche junge Frau mit dunklem Haar und sanftem Lächeln. Neben ihr nagte ein Shar-Pei an einem Hundeknochen aus Latex.

Inmitten der bunt zusammengewürfelten Gegenstände entdeckte Matthew einen Laptop: ein MacBook Pro mit Fünfzehn-Zoll-Bildschirm. Nicht das neueste Modell, aber eines aus der letzten oder vorletzten Serie. Matthew ging zu dem Gerät und prüfte es von allen Seiten. Das Aluminiumgehäuse war durch einen Vinylaufkleber außen auf dem Deckel personalisiert. Der Sticker zeigte eine Figur à la Tim Burton: eine stilisierte Eva, sehr sexy, die zwischen ihren Händen das Apfel-Logo der bekannten Computerfirma zu halten schien. Unterhalb der Illustration war die Signatur »Emma L.« zu lesen, ohne dass man wirklich wusste, ob es sich um die Künstlerin handelte, die diese Figur gezeichnet hatte, oder um die frühere Eigentümerin des Laptops.

Warum nicht?, dachte er, während er das Etikett betrachtete. Sein altes Powerbook hatte Ende des Sommers den Geist aufgegeben. Zwar hatte er einen PC zu Hause, aber er benötigte wieder einen Laptop. Seit drei Monaten verschob er diese Ausgabe ständig auf später.

Das Gerät wurde für vierhundert Dollar angeboten. Ein Betrag, der ihm angemessen erschien.

Er ging zu der Verkäuferin und deutete auf den Mac.

»Der Computer funktioniert doch, oder?«

»Natürlich. Es ist mein alter Laptop. Die Festplatte ist formatiert und das Betriebssystem reinstalliert. Der ist quasi wie neu.«

»Ich weiß nicht recht.« Matthew zögerte.

»Glauben Sie, ich wollte Sie übers Ohr hauen?«, meinte sie scherzhaft.

Matthew erwiderte ihr Lächeln. Dann reichte sie ihm ihre Visitenkarte.

»Also, ich schlage Ihnen Folgendes vor: Wenn der Computer in den nächsten sechs Monaten Probleme macht, lasse ich ihn auf meine Kosten reparieren. Mein bester Freund ist ein hervorragender Informatiker.«

Matthew betrachtete die Karte:

Emma Lovenstein
Chef-Sommelière
Imperator
30 Rockefeller Plaza, NY 10020

»Sie arbeiten im Restaurant Imperator?«

»Ja, haben Sie schon einmal dort gegessen?«

»In einem anderen Leben«, antwortete er ausweichend und vertrieb die Erinnerung an seine Ehe mit Kate.

Der Shar-Pei kam fröhlich kläffend angelaufen und rieb den Kopf an seinem Bein.

»Er heißt Clovis, und es sieht ganz so aus, als würde er Sie mögen!«, erklärte Emma zufrieden.

Matt streichelte ihm über den Kopf. Die Sonne drang durch die Baumkronen.

»Meine Tochter träumt von so einem Hund.«

»Wie alt ist sie?«

»Viereinhalb.«

Emma nickte.

»Haben Sie Kinder?«, fragte er.

»Noch nicht.«

Er spürte, dass er sich auf privates Terrain vorgewagt hatte, und trat eilig den Rückzug an.

»Sie wohnen also in New York ...«

»Und ich fahre in einigen Stunden wieder zurück«, erklärte sie und sah auf ihre Uhr. »Ich bin nur gekommen, um meinem Bruder zu helfen, aber ich darf mein Flugzeug nicht verpassen.«

Matthew zögerte kurz und entschied sich dann.

»Gut, ich nehme ihn«, sagte er und deutete auf den Computer.

Er zückte sein Portemonnaie. Er hatte nur 310 Dollar bei sich. Das war ihm unangenehm, und er wagte nicht, zu handeln, doch die junge Frau beruhigte ihn.

»Kein Problem, Sie können ihn für diesen Preis bekommen.«

»Das ist wirklich sehr nett«, antwortete er und reichte ihr die Scheine.

Er winkte April zu, die soeben den Rasen betreten hatte. Emma reichte ihm den Computer, den sie wieder im Originalkarton verpackt hatte.

»Ich werde Sie also sofort anrufen, falls der Computer nicht funktioniert«, erklärte Matthew und wedelte mit der Visitenkarte durch die Luft.

»Wenn Sie Lust haben, mich vorher anzurufen, brauchen Sie nicht zu warten, bis der Laptop eine Panne hat«, wagte sie sich vor.

Er lächelte, um seine Verwunderung zu verbergen, und ging zu April.

Matthew bestand darauf, zu fahren. Nach etlichen Staus erreichten sie Boston. Er hatte nicht eine Sekunde aufgehört, an Emma Lovenstein zu denken.

—

Boston
Beacon Hill
20:00 Uhr

Matthew deckte seine Tochter zu und löschte das Licht mit Ausnahme der Nachtlampe über dem Bett. Bevor er die Tür anlehnte, küsste er sie ein letztes Mal und versprach ihr, dass April noch einmal vorbeikommen und ihr Gute Nacht sagen würde.

Matthew stieg die Treppe ins Wohnzimmer hinab. Das Erdgeschoss war in gedämpftes Licht getaucht. Er trat ans Fenster und starrte auf die blinkenden Lichtgirlanden, die am Gitter des Parks angebracht waren. Dann ging er in die Küche und nahm eine Packung Bier aus dem Kühlschrank, öffnete eine Flasche und griff nach seinem Angstlöser, um einige Tabletten zu schlucken.

»Hey, schöner Mann, sei vorsichtig mit dieser Mischung, die kann gefährlich sein!«, rief April. Sie trug schwindelerregend hohe High Heels und ein gewagtes, schickes, wenn auch geradezu exzentrisches Ensemble mit einem Hauch Fetisch.

Sie hatte das Haar zu einem Knoten hochgesteckt und matt schimmerndes Make-up aufgelegt, das ihren blutroten Lippenstift hervorhob.

»Willst du nicht mitkommen? Ich gehe ins Gun Shop, den neuen Pub an den Docks. Ihr frittierter Schweinskopf ist ein Gedicht. Ganz zu schweigen von ihrem Mojito. Momentan findest du hier die hübschesten Mädchen der ganzen Stadt.«

»Ich soll also meine vierjährige Tochter im Stich lassen, um Mojitos in einer Bar für satanistische Lesben zu trinken.«

Verärgert zog April ihr breites, mit purpurfarbenen Arabesken besetztes Armband zurecht.

»Der Gun Shop ist keine Bar für Lesben«, knurrte sie. »Und außerdem ist es mir ernst, Matt, es würde dir guttun auszugehen, unter Leute zu kommen, wieder zu versuchen, den Frauen zu gefallen und dir eine ins Bett zu holen ...«

»Aber wie, bitte schön, soll ich mich wieder verlieben? Meine Frau ...«

»Ich will das Trauma, das du mit Kate erlebt hast, nicht herunterspielen, aber du musst diesen Schicksalsschlag überwinden. Du musst nach vorn blicken, dich in den Griff bekommen und dir eine Chance geben, wieder Freude am Leben zu finden.«

»Ich bin noch nicht so weit«, erwiderte er.

»Na gut, dann will ich nicht insistieren«, erklärte sie, knöpfte ihre Jacke zu und schloss die Tür hinter sich.

Allein zurückgeblieben, ging Matthew zum Tiefkühlfach und fand dort einen mit Eis überzogenen Karton. Er nahm die Pizza heraus und schob sie in die Mikrowelle, stellte die Zeituhr ein und flüchtete sich auf die Couch. Er wollte allein sein. Er brauchte niemanden, der ihn verstand oder tröstete. Er wollte nur in Begleitung seiner getreuen Weggefährten – der Bierflasche und dem Medikamentenröhrchen – seinen Schmerz pflegen.

Doch sobald er die Augen schloss, tauchte das Bild der jungen Frau, die er auf dem Trödelmarkt getroffen hatte, mit erstaunlicher Präzision vor ihm auf. Ihr gelocktes Haar, die lachenden Augen, die hübschen Sommersprossen, das verschmitzte Lächeln, die Stimme, als sie ihm gesagt hatte: *Falls Sie Lust haben sollten, mich vorher anzurufen, brauchen Sie nicht zu warten, bis der Laptop eine Panne hat.*

Plötzlich drängte sich ihm eine Erkenntnis auf: Er hatte große Lust, diese Frau wiederzusehen.

Er erhob sich und setzte sich an die Küchentheke, auf die er seine Brieftasche mit der Visitenkarte gelegt hatte.

Emma Lovenstein … Und wenn ich sie gleich anrufen würde, um sie zum Essen einzuladen?

Er zögerte kurz. Sie saß im Flugzeug nach New York, aber er könnte ihr doch eine Nachricht hinterlassen.

Er wählte die ersten Ziffern der Nummer und hielt dann inne. Seine Hand zitterte.

Wozu das Ganze?, fragte er sich, noch immer von Zweifeln geplagt. Er brauchte sich nichts vorzumachen. Er glaubte nicht mehr an Paarbeziehungen, Vertrautheit, gegenseitige Gefühle. Erneut spürte er Zorn in sich aufsteigen.

Vier Jahre …

Er hatte vier Jahre mit einer Fremden gelebt, mit einer Kriminellen, mit einer bösartigen Frau, die ihn manipuliert hatte wie einen Hampelmann.

Eine Stunde, bevor sie den Killer beauftragt hatte, war er noch damit beschäftigt gewesen, ihre Lieblingsgerichte zu kochen! Er war nicht Kates Opfer, sondern ein armer, naiver Idiot, der sich hinters Licht führen ließ wie ein Anfänger. Er hatte nicht nur verdient, was ihm widerfahren war, sondern musste dieses Stigma auch sein Leben lang tragen!

Wütend schleuderte er sein Handy an die Wand, spülte mit einem Schluck Bier seine Tabletten hinunter und kehrte auf sein Sofa zurück.

—

»Hey!«

Emma, die auf einer Bank im Washington Square Park saß, winkte Romuald zu. Der Junge klopfte ihr auf die Schulter und reichte ihr eine Papiertüte.

»Ich bin bei Mamoun's vorbeigegangen und habe Falafel gekauft. Probier mal, ein wahrer Genuss!«

Er setzte sich neben sie, und die beiden wickelten ihre Sandwiches aus.

Romuald hatte sich vollständig verändert. Aus dem pummeligen Franzosen war ein hübscher, eleganter, junger Mann geworden, der im ersten Jahr an der New York University studierte. Nach dem ungeheuerlichen Abenteuer, das sie gemeinsam durchlebt hatten, waren Emma und er einander sehr verbunden und trafen sich mehrmals in der Woche. Emma hatte Romuald geholfen, in Manhattan eine Wohnung zu finden, und verfolgte aufmerksam seine Fortschritte im Studium.

»Hast du weiter über deine Fachrichtung nachgedacht?«, fragte sie. »Was du mir gestern erzählt hast, sollte doch wohl ein Witz sein?«

»Ganz und gar nicht. Ich will Psychiater werden. Oder in den Polizeidienst gehen.«

»Du?«

»Ja, inzwischen bin ich der Ansicht, dass Menschen

definitiv interessanter sind als Computer. Ihre Liebesgeschichten, ihre Gelüste nach Rache oder Gewalt ...«

Sie lächelte ihm verschwörerisch zu.

»Köstlich, dieses Sandwich«, erklärte sie dann mit vollem Mund.

»Ich dachte, du würdest den Wein mitbringen«, scherzte er. »Mit einem Glas Burgunder muss das der reine Wahnsinn sein!«

Sie zwinkerte ihm zu, und er fuhr fort: »So, jetzt hast du mich lange genug auf die Folter gespannt. Wie war deine Reise nach Boston?«

»Genau so, wie ich es mir erhofft hatte«, erwiderte sie und verzog das Gesicht.

»Hast du Matthew gesehen?«

»Ja, er war auf dem Trödelmarkt, und er hat sogar meinen Laptop gekauft. Ich war ganz gerührt, es war so merkwürdig, ihn nach dieser langen Zeit wiederzusehen.«

»Ihr habt also miteinander gesprochen!«

»Nur kurz!

»Aber er hat dich nicht erkannt?«

»Nein, Gott sei Dank nicht! Vor einem Jahr sind wir uns ja nur kurz begegnet, und ich hatte eine Kapuzenmütze auf.«

»Hast du ihm deine Telefonnummer gegeben?«

»Ja, aber er hat mich nicht angerufen.«

»Das kommt noch«, versicherte Romuald ihr.

»Ich glaube nicht«, antwortete sie. »Und vielleicht ist es auch besser so.«

»Aber warum willst du ihm nicht die Wahrheit sagen?«

»Du weißt genau, dass das unmöglich ist. Zum einen, weil die Wahrheit ganz unglaublich ist, und außerdem ...«

»Was?«

»Könntest du dich in die Frau verlieben, die die Mutter deiner Tochter getötet hat?«

»Aber du hast ihm das Leben gerettet, Emma!«

Sie wandte sich ab, damit er nicht sah, dass ihre Augen feucht wurden.

Doch dieser Anflug von Traurigkeit war schnell vorüber. Gleich darauf erkundigte sie sich neugierig, wie es um sein Liebesleben stand, denn Romuald machte täglich Fortschritte bei der Eroberung von Erika Stewart, einer drei Jahre älteren Philosophiestudentin in Harvard, die er einen Monat zuvor auf dem Farmers Market am Union Square kennengelernt hatte. Und er hatte sich auf der Stelle in sie verliebt. Anfänglich hatte das junge Mädchen ihn nicht beachtet, nie im Leben hätte sie sich mit jemandem eingelassen, der jünger war als sie selbst. Es war Romuald gelungen, ihre Adresse herauszufinden, und auf Emmas Rat hin hatte er ihr täglich einen Brief geschickt. Einen richtigen Brief, mit Füllfederhalter auf Büttenpapier geschrieben. Da die Verführungskunst in schriftlicher Form nicht gerade die starke Seite des jungen Franzosen war, hatte Emma oft, wie einst Cyrano de Bergerac, an seiner Stelle zur Feder gegriffen. Und diese Methode der Eroberung im alten Stil war erfolgreich. Erika hatte sich nicht nur auf das Spiel eingelassen, sondern auch Romualds Einladung angenommen: ein Abendessen im Imperator am nächsten Samstag.

»Du weißt schon, dass es eine dreimonatige Warteliste gibt, um einen Tisch in diesem Restaurant zu bekommen«, sagte Emma ernsthaft.

»Ja, ich weiß«, erklärte er niedergeschlagen, »aber ich hatte gedacht ...«

»Natürlich helfe ich dir, einen Platz zu bekommen! Einen schönen Tisch am Fenster mit Blick auf das Empire State Building!«

Romuald bedankte sich überschwänglich, und sie begleitete ihn zu Fuß zur Universität.

—

Boston
13:00 Uhr

Außer Atem, hörte Matthew zu joggen auf. Er war über eine Stunde gelaufen – einmal rund um das Becken des Charles River und dann weiter bis zum MIT (Massachusetts Institute of Technology) und von dort durch den Public Garden zurück.

Jetzt stand er, die Hände auf die Knie gestützt, da. Er rang nach Luft und ging dann langsam über die Rasenflächen des Boston Common.

Seine Knie zitterten, sein Magen war verkrampft, und

das Herz wollte sich nicht beruhigen. Was war nur los mit ihm?

Das hatte nichts mit der Anstrengung zu tun. direkt nach dem Aufstehen hatte ihn eine unbekannte, neue Empfindung erfasst: Ein unerwartetes, berauschendes Gefühl, das ihn überraschte. Was auch immer er tat, Emma Lovenstein ging ihm nicht mehr aus dem Kopf. Es gab keine Flucht. Unmöglich, davonzukommen. Und dieses Wissen hatte ihn völlig verändert. Er war wie von einer Last befreit und endlich wieder in der Lage, an die Zukunft zu denken. Das Offensichtliche wurde ihm klar ...

Er setzte sich auf eine Bank und betrachtete den stahlblauen Himmel, die Sonnenstrahlen, die sich auf dem See spiegelten, und hielt sein Gesicht in die leichte Brise.

Um ihn herum spielten Kinder.

Das Leben, es war wieder da.

—

Nachdem sie sich von Romuald getrennt hatte, nahm Emma ein Taxi zum Imperator und verbrachte den Nachmittag damit, mit ihrem Team die passenden Weine für das bevorstehende Weihnachts- und Silvestermenü auszuwählen.

Um fünfzehn Uhr vibrierte das Handy in ihrer Tasche. Sie konsultierte es diskret.

Liebe Emma,
ich sende Ihnen diese Nachricht vom E-Mail-Programm Ihres alten Computers. Er funktioniert sehr gut. Auf der Suche nach einem Vorwand, um Kontakt mit Ihnen aufzunehmen, habe ich zunächst daran gedacht, ihn zu beschädigen, aber dann habe ich auf diese Lüge verzichtet und mich entschieden, mit offenen Karten zu spielen. Also, ich möchte Ihnen einen Vorschlag machen.

Es gibt ein kleines italienisches Restaurant im East Village – das Number 5 südlich vom Tompkins Square Park. Es wird von Vittorio Bartoletti und seiner Frau geführt, die ich beide noch aus Kindertagen kenne. Ich esse jedes Mal dort, wenn ich in New York bin, um die Vorträge in der Morgan Library zu besuchen. Ich weiß nicht, ob die Weinkarte für eine versierte Sommelière akzeptabel ist, aber wenn Sie gerne Arancini bolognese, Lasagne, Tagliatelle al ragù und sizilianische Cannoli mögen, dürfte Ihnen dieses Lokal gefallen. Würden Sie heute Abend dort mit mir essen? Um zwanzig Uhr?
Matt

Emma spürte ihr Herz höher schlagen. Sie antwortete auf der Stelle:

Mit Vergnügen, Matthew.

Bis heute Abend also!

P. S.: Ich liebe Lasagne und Aranci...

Und auch Tiramisu!

—

»Hallo, Brillenschlange?«

»Ich sitze in einer Vorlesung, Emma ...«, flüsterte Romuald.

»Du musst mir helfen. Geh auf die Homepage von Akahido Imamura.«

»Der Friseur? Schon wieder?«

»Ja, ich brauche in zwei Stunden einen Termin.«

»Aber ich habe mir doch geschworen, mich ruhig zu verhalten und nicht mehr zu hacken ...«

»Entweder du tust es, oder du kannst dir den Tisch mit Erika im Imperator abschminken.«

—

Von einer sanften Euphorie beseelt, trat Emma auf den Rockefeller Platz und lief die Fifth Avenue hinauf bis zum Kaufhaus Bergdorf Goodman.

Sie fühlte sich wie eine Schauspielerin bei der Wiederholung einer Szene, doch sie hoffte, diesmal das Ende des Films verändern zu können. Ohne die Verkäuferinnen zu beachten, ging sie zwischen den Ständen der Nobelmarken hindurch. Selbst wenn sich die Mode seit letztem Jahr verändert hatte, fand sie doch ohne Mühe, was sie suchte: den Brokatmantel, der von Gold- und Silberfäden durchzogen war, und das Paar High Heels im Python-Look mit leicht violettem Schimmer und schwindelerregenden Absätzen.

Nachdem sie ihre Einkäufe beendet hatte, verließ sie das Geschäft und ging, da das Wetter schön war, zu Fuß zu Akahiko Imamuras Salon. Nach zwei Stunden sah sie genauso aus wie im Jahr zuvor: Ihr Haar war zu einem elegant geflochtenen Knoten frisiert, der ihr Gesicht weiblicher erscheinen ließ und ihre hellen Augen zur Geltung brachte.

Sie rief ein Taxi und fuhr zum East Village. Unterwegs bemerkte sie, dass ihre Hände zitterten. Sie zog ihr Schminktäschchen heraus, legte etwas Rouge, goldenen Lidschatten und einen Hauch korallenroten Lippenstift auf.

Als der Wagen vor dem Number 5 hielt, überkamen sie Zweifel. Und wenn Matthew nun auch dieses Mal nicht da wäre?

Emma dachte an das letzte Jahr zurück, und ihr wurde bewusst, welchen Weg sie seither zurückgelegt hatte.

Wie weit konnte man ungestraft die Pläne des Schicksals durchkreuzen? Welchen Preis würde sie dafür zahlen müssen, dass sie versucht hatte, die Gesetze der Zeit herauszufordern und der Unabwendbarkeit ihres Schicksals zu entkommen?

Das würde sie gleich erfahren. Sie beglich den Fahrpreis, stieg aus und öffnete die Tür des italienischen Restaurants.

Mit klopfendem Herzen ging sie an dem Empfangstresen vorbei, ohne stehen zu bleiben. In dem Lokal herrschte eine angenehme Atmosphäre – genau wie in ihrer Erinnerung. Sie gingen die Holztreppe zum Zwischengeschoss mit der Gewölbedecke hinauf und zu einem Tisch am Geländer, von dem aus man das Restaurant überblickte.

Matthew war da.

Er wartete auf sie.

Mein Dank gilt:

Ingrid,
Estelle Touzet, Chef-Sommelière im Meurice,
Dr. Sylvie Angel und Dr. Alexandre Labrosse,
Bernard Fixot, Édith Leblond und Catherine de
Larouzière, Valérie Taillefer, Jean-Paul Campos, Bruno-
Barbette, Stéphanie Le Foll und Isabelle de Charon.

Inhaltsverzeichnis

Sechster Teil

Lust auf mehr Unterhaltung?

Dann sollten Sie unbedingt umblättern.

»Coveränderungen vorbehalten.

Leseprobe

Guillaume Musso
Nachricht von dir
Roman
Piper Taschenbuch, 464 Seiten
ISBN 978-3-492-30294-4

Prolog

The shore is safer, but I love to buffet the sea.
Das Ufer ist sicherer, aber ich liebe den Kampf mit
den Wellen.

Emily Dickinson, *The Pagan Sphinx*

Ein *Handy*?

Anfangs sahen Sie nicht die Notwendigkeit, aber weil Sie nicht altmodisch erscheinen wollten, entschlossen Sie sich dann doch für ein einfaches Modell mit einem minimalen Grundtarif. In der ersten Zeit überraschten Sie sich manchmal selbst dabei, wie Sie – vielleicht etwas zu laut – in einem Restaurant, im Zug oder auf der Terrasse eines Cafés telefonierten. Eigentlich ganz praktisch und auch beruhigend, ständig mit der Familie und Freunden kommunizieren zu können.

Wie alle anderen haben Sie gelernt, auf der winzigen Tastatur SMS zu schreiben, und sich daran gewöhnt, sie ständig zu verschicken. Wie alle anderen haben Sie den guten alten Terminkalender durch die elektronische Version ersetzt. Mit Fleiß und Geduld haben Sie die Telefonnummern Ihrer Freunde und Verwandten übertragen. Die Nummer des Liebhabers und der verflossenen Geliebten sowie die Geheimzahl der Kreditkarte, die Sie manchmal vergessen, haben Sie in einer verschlüsselten Datei vermerkt.

Obwohl die Qualität miserabel war, benutzten Sie das Handy, um Fotos zu schießen. Nett, immer ein lustiges Bild zur Hand zu haben, das man dann den Kollegen zeigen kann.

Das machten schließlich alle so. Die Verwendung des Geräts entsprach dem Trend der Zeit: Die Grenzen zwischen privatem, beruflichem und gesellschaftlichem Leben verschwammen. Und vor allem wurden die alltäglichen Dinge dringlicher und mussten flexibler gehandhabt werden, was ein stetiges Jonglieren mit Terminen erforderte.

Unlängst haben Sie das alte Handy gegen einen neues, viel perfekteres ausgetauscht: Ein wahres Wunder der Technik, mit dem man E-Mails abrufen und verschicken, im Internet surfen und auf das man Hunderte von kleinen Anwendungen, sogenannte Apps, herunterladen kann.

Und seither sind Sie quasi süchtig. Als hätte man Ihnen ein Implantat eingepflanzt, eine Art Erweiterung Ihrer selbst, die Sie stets begleitet – bis hin ins Bad und auf die Toilette. Wo auch immer Sie sich gerade befinden, es vergeht selten eine halbe Stunde, ohne dass Sie einen Blick auf das Display werfen, um sich davon zu überzeugen, dass es keine entgangenen Anrufe, keine SMS von Freunden oder dem Liebhaber gibt. Zeigt der

Account nichts Neues an, sehen Sie sofort nach, ob keine Mail im Posteingang vorliegt.

Wie in der Kindheit das Plüschtier so gibt Ihnen heute das Handy Sicherheit. Das Display hat eine beruhigende und zugleich hypnotisierende Wirkung. In jeder Lebenslage verleiht es Ihnen Haltung und erleichtert den spontanen Kontakt, der alle Möglichkeiten offenlässt ...

Doch eines Abends kommen Sie nach Hause, wühlen in Ihren Taschen und stellen fest, dass Ihr Handy verschwunden ist. Verloren? Gestohlen? Nein, unmöglich. Sie stellen noch einmal alles auf den Kopf – erfolglos – und versuchen sich einzureden, dass Sie es im Büro vergessen haben, aber ... Nein, Sie erinnern sich genau, dass Sie es benutzt haben, als Sie im Aufzug nach unten gefahren sind. Dann also zweifellos in der Metro oder im Bus.

Mist!

Zunächst sind Sie wütend wegen des Verlustes an sich, dann beglückwünschen Sie sich dazu, eine Diebstahl-Verlust-Schaden-Versicherung abgeschlossen zu haben. Und zugleich zählen Sie Ihre Treuepunkte, die Ihnen die Möglichkeit geben, sich schon morgen ein neues Hightech-Spielzeug zu besorgen – diesmal mit Touchscreen.

Und doch sind Sie um drei Uhr morgens noch immer nicht eingeschlafen.

Sie stehen leise auf, um den Mann an Ihrer Seite nicht zu wecken.

In der Küche holen Sie die alte Schachtel Zigaretten vom Schrank, die Sie dort verstecken, für den Fall, dass es Ihnen einmal wirklich schlecht geht. Sie rauchen eine und trinken – wenn schon, denn schon – ein Glas Wodka dazu.

Scheiße ...

Sie sitzen zusammengesunken auf einem Stuhl und frieren, denn wegen des Rauchs mussten Sie das Fenster öffnen.

Sie gehen im Geist durch, was Ihr Smartphone so alles enthält: ein paar Videos, etwa fünfzig Fotos, den Browserverlauf, Ihre Adresse (inklusive Zugangscode zum Haus), die Adresse Ihrer Eltern, einige Nummern von Leuten, die eigentlich nicht gespeichert sein dürften, Nachrichten, die die Vermutung nahelegen könnten, dass ...

Jetzt werd nicht hysterisch ...

Sie nehmen einen tiefen Zug an der Zigarette und einen Schluck Wodka.

Auf den ersten Blick scheint nichts *wirklich* Kompromittierendes gespeichert zu sein, doch Sie wissen, dass der Schein oft trügt.

Schon bereuen Sie, bestimmte Fotos, E-Mails und Nachrichten gespeichert zu haben. Die Vergangenheit, die Familie, Geld und auch Sex ... Würde Ihnen jemand schaden und den Inhalt genau unter die Lupe nehmen wollen, könnte er Ihr Leben zerstören. Sie bereuen so manches, aber das hilft jetzt auch nichts mehr.

Sie frösteln und erheben sich, um das Fenster zu

schließen. Die Stirn an die Scheibe gedrückt, betrachten Sie die wenigen Lichter, die noch in der Nacht leuchten, und sagen sich, dass am anderen Ende der Stadt vielleicht ein Mann interessiert auf den Bildschirm Ihres Smartphones starrt und es dann genussvoll durchforstet, um die dunklen Zonen Ihres Privatlebens und Ihre *dirty little secrets* zu erkunden.